O AUTORZE

Wojciech Sumliński, urodzony w 1969r. w Warszawie, psycholog i dziennikarz śledczy, absolwent Wydziału Psychologii Uniwersytetu im. Kardynała Stefana Wyszyńskiego w Warszawie. Pracował w pierwszym polskim zespole dziennikarzy śledczych w dzienniku „Życie", a następnie w „Gazecie Polskiej", tygodniku „Wprost" i Telewizji Polskiej. Jako freelancer był autorem i współautorem magazynów śledczych emitowanych w TVP: „Oblicza prawdy" i „30 minut" – ukazujących tajne operacje Służby Bezpieczeństwa i Wojskowych Służb Informacyjnych. Był laureatem Nagrody Ministra Spraw Wewnętrznych za cykl reportaży o nadgranicznej przestępczości zorganizowanej, napisanych pod pseudonimem Stefan Kukulski, oraz współautorem publikacji ujawniających agentów rosyjskiego wywiadu wojskowego (GRU), pracujących pod „przykryciem dyplomatycznym" w ambasadzie rosyjskiej w Warszawie. Po jego publikacjach, pisanych wespół z dwoma innymi autorami, siedemnastu rosyjskich szpiegów wyrzucono z Polski – w ramach retorsji Rosjanie nakazali opuszczenie terytorium Federacji Rosyjskiej siedemnastu polskim dyplomatom. W 1996 i 2006 nominowany do nagrody „Press" w kategorii dziennikarstwa śledczego. Jako pierwszy ujawnił ściśle tajne akta świadka koronnego Jarosława Sokołowskiego, pseudonim „Masa" – za co prokuratura zagroziła mu postawieniem w stan oskarżenia i karą więzienia – oraz materiały dotyczące kontaktów lobbysty

Marka Dochnala z parą prezydencką, Aleksandrem i Jolantą Kwaśniewskimi. Dużą część działalności dziennikarskiej autora objęło wyjaśnianie opatrzonych klauzulą najwyższej tajności okoliczności śmierci księdza Jerzego Popiełuszki, najgłośniejszej i zarazem najbardziej tajemniczej zbrodni politycznej w powojennej Polsce. Jako pierwszy ujawnił fakty całkowicie podważające obowiązującą wcześniej wersję tej zbrodni, „ustaloną" podczas tzw. „Procesu Toruńskiego". Swoje wnioski zawarł w licznych publikacjach, reportażach telewizyjnych, scenariuszu filmowym napisanym dla Agencji Filmowej Telewizji Polskiej oraz w trzech książkach: „Kto naprawdę Go zabił?", „Teresa, Trawa, Robot", „Lobotomia 3.0". Kolejne pięć książek: „Z mocy bezprawia", „Z mocy nadziei", „Niebezpieczne związki Bronisława Komorowskiego", „Czego nie powie Masa o polskiej mafii" i „Pogorzelisko" (po napisaniu których powstały audiobooki czytane przez Jerzego Zelnika) to autobiograficzne powieści, „thrillery napisane przez życie", które uzyskały status bestsellerów Empik, a powstały po próbie aresztowania i próbie samobójczej, będącej konsekwencją kombinacji operacyjnej służb specjalnych i spisku zawiązanego na szczytach władzy – mającego na celu zatrzymanie dziennikarskich śledztw Wojciecha Sumlińskiego – co potwierdziły wszystkie uniewinniające autora, prawomocne wyroki sądowe, w tym wydany w grudniu 2015 oraz we wrześniu 2016 roku wyrok Sądu Okręgowego w Warszawie. Ostatni z wyroków potwierdził, że autor padł ofiarą prowokacji i kombinacji operacyjnej służb specjalnych – Wojskowych Służb Informacyjnych i Agencji Bezpieczeństwa Wewnętrznego – oraz najważniejszych osób w państwie, z urzędującym prezydentem, Bronisławem Komorowskim, urzędującym szefem ABW, Krzysztofem Bondarykiem i przewodniczącym Sejmowej Komisji ds. Służb Specjalnych, Pawłem Grasiem, na czele. (Sąd wskazał, że ich rola w prowokacji wymierzonej w dziennikarza oraz komisję weryfikującą żołnierzy WSI powinna zostać bezwzględnie wyjaśniona w kolejnym postępowaniu karnym – tym razem z ich udziałem na ławie oskarżonych). W lutym 2016 roku ujawnione zostały informacje, dotąd obwarowane klauzulą tajności, potwierdzające, że Wojciech Sumliński był najbardziej inwigilowanym przez służby specjalne dziennikarzem śledczym w Polsce. Dotychczas, łącznie, jego książki zostały sprzedane w ilości przeszło czterystu tysięcy egzemplarzy, co czyni go jednym z najbardziej poczytnych współczesnych polskich autorów. Po traumatycznych doświadczeniach założył własne wydawnictwo i poświęcił się nieomal wyłącznie działalności pisarskiej. Mieszka w Białej Podlaskiej, jest żonaty, ma czworo dzieci.

Wojciech
Sumliński

NIEBEZPIECZNE ZWIĄZKI ANDRZEJA LEPPERA

WSR

Warszawa 2016

Projekt okładki:
Wojciech Sumliński
Marcin Gajewski

DTP:
Marcin Gajewski
Aleksandra Gajewska

Korekta:
Weronika Pawlik
Kinga Struczyk

Ilustracja na okładce:
Andrzej Krauze

Wydanie I
ISBN 978-83-942934-6-8

Wydawca:
Wojciech Sumliński Reporter
ul.Wrzeciono 59c/13
01-950 Warszawa
e-mail: wojciech@sumlinski.pl
www.sumlinski.pl

Wyłączny dystrybutor:
Platon Sp. z o.o.
ul. Sławęcińska 16, Macierzysz
05-850 Ożarów Mazowiecki
tel. (22) 329 50 00
www.platon.com.pl www.platon24.pl

Druk i oprawa:
Drukarnia READ ME

Wszystkim moim Bliskim

SPIS TREŚCI

„Im mniej człowiek wie, tym łatwiej mu żyć. Wiedza daje wolność, ale unieszczęśliwia"

Erich Maria Remarque

Andrzej Lepper

... Bo myśli moje nie są myślami waszymi
ani wasze drogi moimi drogami...
- Izajasz 55

OD AUTORA

Był to czas, gdy System wciąż jeszcze trzymał się mocno, ale mimo to rozpętana osiem lat wcześniej spirala kłamstw, oszczerstw i oskarżeń powoli dogorywała. Choć kłamcy wciąż jeszcze wszczynali wrzask z nadzieją, że prawda w tym rejwachu zaginie i nikt nie będzie pamiętał, co jest istotą sprawy, to jednak moja walka o uniewinnienie i oczyszczenie z zarzutów sprokurowanych przez służby specjalne, sprzedajnych prokuratorów i ludzi na wysokich stołkach z urzędującym prezydentem kraju Bronisławem Komorowskim na czele, dobiegała końca. I żadne kłamstwo, żadna iluzja czy wykreowana rzeczywistość, żaden wirtualny świat, w którym tak dobrze czuli się załgani politycy, fachowcy z branży medialnej i służb specjalnych nie mogły zmienić faktu, że był to dla mnie koniec zwycięski, dla nich zaś – hańbiący.

Był to czas, gdy jeden po drugim zapadały uniewinniające mnie wyroki sądowe i dużo rozmyślałem o tym, co zaszło – o nagonce, która doprowadziła mnie do załamania i próby samobójczej, o cierpieniu bliskich i o małych ludziach na wysokich stołkach, którzy za nic mieli los innego człowieka, bo dla nich liczyło się wyłącznie to, co praktyczne.

Pamiętam też, że w owym czasie wielokrotnie spoglądałem w przeszłość usiłując dociec, czy było warto gonić za prawdą w sytuacji, gdy ryzykowałem wszystko? Pytałem mądrych ludzi: mówili – tak, mówili – nie, w efekcie nie znalazłem prostej odpowiedzi. Wiedziałem jedno: że cena, którą płaciłem, choć wysoka, nie była przecież najwyższą. Myślałem o ludziach, którzy ginęli w owym czasie w tajemniczych okolicznościach, o niewykrytych sprawcach morderstw i niewyjaśnionych przypadkach głośnych samobójstw – setki „wspaniałych" trupów, a każda kolejna śmierć bardziej spektakularna od poprzedniej.

Dlaczego na tak szerokim tle moją uwagę w sposób szczególny przyciągnęło właśnie „samobójstwo" Andrzeja Leppera?

Czy dlatego, że już w owym czasie miałem dość przesłanek, by nie wierzyć w wersję o samobójstwie?

Czy może dlatego, że nie urwałem się z choinki i żyłem na tym świecie wystarczająco długo, by powątpiewać w przypadkowość nieomal jednoczesnej śmierci Ryszarda Kucińskiego – znanego mi byłego prokuratora, współpracownika wojskowych służb specjalnych – Róży Żarskiej, długoletniej adwokat Andrzeja Leppera, depozytariuszki wielu jego tajemnic i Wiesława Podgórskiego – z którym przewodniczący Samoobrony często wyjeżdżał w interesach na Ukrainę – oraz samego Andrzeja Leppera?

A może wreszcie dlatego, że „samobójstwo" tego ostatniego – zdumiewająco typowe dla owych czasów –

było dla mnie potwierdzeniem maksymy, według której im więcej człowiek wie, tym trudniej mu żyć?

Tak czy inaczej, intuicyjnie czułem, że ta śmierć zawiera w sobie coś niezwykłego, jakąś tajemnicę, stanowiącą fragment większej całości - ale że w owym czasie wydarzenia wokół mnie zmieniały się niczym w kalejdoskopie, szybko przestałem myśleć i o tej śmierci, i o Andrzeju Lepperze. W efekcie życie potoczyło się dalej swoim torem.

A potem przyszedł czas podziękowań.

Dziękowałem więc rodzinie i przyjaciołom, którzy byli przy mnie, gdy szedłem ciemną doliną, dziękowałem ludziom dobrej woli, którzy wsparli mnie słowem, modlitwą i czynem, gdy tego wsparcia potrzebowałem najbardziej. Dziękowałem dziesiątkom innych osób, których często wcześniej w ogóle nie znałem, ale których historie – każda z osobna – uczyły mnie, że bez względu na to, co przynosi los, nigdy, przenigdy, milion razy nigdy, nie wolno się poddawać – bo nikt z nas nie wie, co wydarzy się jutro, a nadzieja z Panem Bogiem nie umiera nigdy. Wieczorami, tuż przed zaśnięciem, gdy świszczał wiatr w kominie, a wokół panowała cisza, dużo z Nim rozmawiałem o tym wszystkim i odnajdowałem coś, o czym przez lata zdążyłem nawet zapomnieć, że w ogóle istnieje – spokój.

I tak mniej więcej wyglądało moje życie w owym czasie, kiedy po latach przerwy pojawił się w nim ktoś, o kim zdążyłem już zapomnieć.

Ponowne spotkanie z tym człowiekiem miało stać się pierwszym ogniwem w łańcuchu którego i ja jestem teraz częścią, a zarazem stanowić potwierdzenie, że niewiele rzeczy na tym świecie potrafimy przewidzieć.

Bo czyż mogłem przewidzieć, że jego pojawienie się przywiedzie do mnie wspomnienie o Andrzeju Lepperze i na długi czas zwiąże moje losy z tajemnicą jego życia – i śmierci?

ZAMIAST WSTĘPU
Październik 2016

Andrzej Lepper zdawał sobie sprawę, że jest kontrolowany i rozgrywany. Wierzył jednak, że koniec końców to on zostanie głównym rozgrywającym – ale tu się pomylił. Bo rozgrywany był do samego końca, do ostatnich chwil swojego życia.

Skalę tych „rozgrywek" zrozumiałem dopiero po odsłuchaniu rozmowy, jaką major ABW Tomasz Budzyński odbył ze Stanisławem Kowalczykiem, bliskim współpracownikiem przewodniczącego Samoobrony i zarazem synem człowieka, który Leppera „stworzył" i wykreował. Major przyjechał do mnie kilka dni po spotkaniu, by zostawić jego zapis.

- To było 27 października. Siedzieliśmy w pubie przy Madalińskiego w Warszawie, gdzie Kowalczyk wpada co piątek. Wiedziałem, że czegoś się obawia i nie spodziewałem się za wiele, dlatego to, co usłyszałem, wprawiło mnie w osłupienie. Posłuchaj zresztą sam...

Podszedłem do komputera, podpiąłem pendrivea i włączyłem zapis nagrania.

– *Przedsiębiorczy generałowie kasują magazyny z bronią. Muszą coś z nią zrobić, ale nie jest to takie proste. Trzeba mieć gdzie je wyeksportować. Nie jest tak łatwo sprzedać broń. Trzeba mieć kontakty.*

– Panie Stanisławie, mówimy o oficjalnym kanale?

– Mówimy o tym, jak to robił Inter - Commers. Oficjalnie lady chłodnicze, automaty do lodów, a w kontenerach wyjeżdżała broń. Przyjeżdża do Andrzeja Leppera pewna kobieta z synem i podpisują kontrakt na buraki, cebulę i inne artykuły rolne. Osoba, która podpisała ten kontrakt w banku załatwia promesę. Promesa działa w ten sposób, że aby dostać pieniądze, kontrakt musi zostać zrealizowany. I tak się stało, kontrakt został zrealizowany, towar został dostarczony. Tylko, że to nie były buraki, ziemniaki i cebula. Pytanie, co wyjechało z Polski?

– Zaczął pan od tego, więc domyślam się, że broń.

– Andrzej Lepper zorientował się, że został oszukany, odnośnie tego, co wyjechało z Polski. Bał się o swoje życie i chciał o tym komuś powiedzieć.

– Z kim chciał się skontaktować?

– Z Kaczyńskim. Andrzej Lepper zorientował się, jak go wkręcono

– Panie Stanisławie, jaki interes mieli generałowie żeby uciszyć Andrzeja Leppera?

– Nie powiem panu, co się wydarzyło. Znam tylko mały fragment wydarzeń. Byłem tylko obserwatorem. Bałem się i dlatego odszedłem.

– Czy Meyer o tym wiedział?

– Musi zadać pan to pytanie osobom, które brały w tym udział. Obawiam się, że boją się wszyscy.

– Czy Andrzej Lepper aż tak bał się tematów ukraińskich?

– Każdy by się bał. Wie pan tematy ukraińskie, białoruskie są bardzo niebezpieczne.

– Jak się nazywał ten profesor, który przygotowywał Andrzeja Leppera do kariery politycznej?

– On nie był profesorem, tylko doktorem. Pracował w Polskiej Akademii Nauk. Był także konsultantem w Biurze Ochrony Rządu. Stąd wiem, że był ze służb, bo ja też tam pracowałem. W Internecie nie znajdzie pan tego nazwiska.

– Jaki cel miał kontakt Sakiewicza z Lepperem?

– Sakiewicz miał pośredniczyć w umówieniu spotkania z Jarosławem Kaczyńskim. Handel bronią miał być interesem, który umożliwiał uzyskanie środków finansowych na kampanie wyborczą i powrót do polityki.

- Panie Stanisławie, próbuję wyjaśnić, zrozumieć całą tę sytuację. Jest firma A w Polsce, jest firma B w Emiratach Arabskich, która chce kupić od nas płody rolne. Bank w Emiratach Arabskich wystawia na pokrycie kontraktu promesę kredytową dla firmy polskiej, jako zabezpieczenie płatności dla strony polskiej. Towar idzie. Promesa jest realizowana. Przez kogo? Przez Walendzika musi być zrealizowana?

– Nie podam panu nazwiska, bo po prostu nie mam takiej wiedzy. A co tak naprawdę pod ten kontrakt może zostać wyeksportowane, to już możemy tylko spekulować.

– Która kwota jest prawdziwa? Bo ja słyszałem o kwocie dziesięciu milionów, ale nie wiem - dolarów, euro czy złotych?

– Kwota nie ma znaczenia. Ważne, że była promesa.

– Ważne jest to, że pieniądze z zysku tego kontraktu nie trafiły do polskiej firmy, czyli do Naturapol. Dziwne jest to, że nikt o te pieniądze się nie upomniał.

Gdyby był to kontrakt lege – artis, to dostawca by się upomniał o zapłatę należności. Jest to clou programu. Pieniądze z kontraktu nie trafiły do polskiej firmy. Nikt się o nie upominał, bo wszyscy bali się ujawnienia tego, co tak naprawdę znajdowało się w kontenerach.

– Sikora, prezes spółki Naturpol i były poseł Samoobrony, nie miał z tym nic wspólnego mimo, że jest były wojskowym. Panie Tomaszu, to człowiek nie tego sortu. On przed Samoobroną miał budkę z kurczakami na bazarze mokotowskim. To wbrew pozorom porządny człowiek. Chociaż jest takie niebezpieczeństwo, że mógł być wykorzystany przez swoich znajomych z wojska, ale według mnie to wątpliwa sprawa.

– Gdyby Walendzik zapieprzył pieniądze z promesy, to musiałby komuś oddać za towar.

– Gdyby zapieprzył, to kraje arabskie upomniałyby się o pieniądze, ale kontrakt został zrealizowany. Niech pan się zastanowi. Arabowie dostali, co chcieli, co prawda nie ziemniaki i buraki, ale pieniądze zostały wypłacone. Walendzik wykorzystał upoważnienie wystawione przez Leppera, przejął pieniądze, rozliczył się z generałami bo inna ewentualność nie wchodziłaby grę, bo gdyby się nie rozliczył to już by nie żył...

– Czego Walendzik się boi, że siedzi w Dubaju?

– A gdzie ma siedzieć? Lepper nie żyje, to co?

Są sytuacje, w których wiesz, że przeszedłeś przez most i już nie masz powrotu.

To właśnie była taka sytuacja...

CZĘŚĆ I

OPOWIEŚĆ OFICERA ABW

Październik 2015

ROZDZIAŁ I

CO WIEDZIELI LUDZIE Z „FIRMY”?

– Powiesz kiedyś coś więcej?
– Powiem.
– Ale jeszcze nie dziś?
– Jeszcze nie dziś.

Znałem go dość z dawnych lat, by wiedzieć, że są takie sytuacje, kiedy „dokręcanie śruby" nic nie da. To była właśnie jedna z takich sytuacji. Zrozumiałem, że major powie tyle, ile będzie mógł powiedzieć i ani słowa więcej.

I już nie myślałem, że zwariował.

Zamilkł na chwilę. Być może po to, by zapalić papierosa, a być może po to, by przypomnieć sobie coś, czego sam mnie uczył i o czym najwyraźniej zapomniał: „nigdy, przenigdy nie mówić nic nikomu o tym, co oczywiste, ani tym bardziej o tym, co nie jest konieczne, by o tym mówić". Zastanowiło mnie, dlaczego łamał zasady, których przestrzegania tak skrupulatnie domagał się od innych. Najwyraźniej on też nie był nieomylny. Wyglądał na rzetelnie zmęczonego, nie na tyle jednak, by nie dokończyć tego, z czym przyszedł...

– Pytałem, czy po tym, co przeszedłeś, wciąż jeszcze jesteś gotowy na wszystko? Odpowiedź nie jest łatwa, ale w gruncie rzeczy jest prosta i muszę poznać ją dziś.
No to jak będzie?

***

Rozmawialiśmy od godziny, a ja wciąż nie potrafiłem podjąć decyzji. Po raz kolejny tego dnia zamilkłem zastanawiając się nad pytaniem, które padło i nad losem człowieka, który je wypowiedział. Nazywał się Tomasz Budzyński i był majorem Agencji Bezpieczeństwa Wewnętrznego – byłym szefem delegatury ABW w Lublinie. Był dobrym człowiekiem i dobrym oficerem – choć niektórzy uważali, że takie połączenie to oksymoron – i kiedyś, bardzo dawno temu, był moim przyjacielem. Wiedziałem, że tej przyjaźni omal nie przypłacił życiem i wiedziałem, że on też to wie. Trudno zresztą byłoby nie wiedzieć, gdy przebywało się w miejscu, w którym nie ma nadziei, a liczy się tylko cierpliwość – półtora metra pod ziemią, w trumnie, będąc żywym, ale czekając już tylko na śmierć. Taki los zgotowali majorowi koledzy ze służb specjalnych i po części ja czułem się za to odpowiedzialny. Myślałem o mojej próbie samobójczej przed siedmiu laty, największym błędzie mojego życia, i o pożegnalnym liście, w którym opisałem naszą znajomość i który przyniósł mojemu koledze ocean cierpienia. Czy mogłem przewidzieć, że tak to się wszystko skończy? Oszukiwałem samego siebie, ale gdzieś w głębi serca znałem odpowiedź.

I nie czułem się z tym dobrze.

Tomek starannie wybrał kolejnego papierosa i włożył do ust. Po raz kolejny tego dnia przyjrzałem się mojemu rozmówcy, eleganckiemu, niewysokiemu, szczupłemu mężczyźnie, o sympatycznej powierzchowności, który niewidzącym wzrokiem spoglądał w odległy punkt za moimi plecami. Zaledwie kilka miesięcy wcześniej zadzwonił do mnie nie tłumacząc, dlaczego po długim okresie milczenia chce się ze mną spotkać – jak to ujął – „dla twojego dobra, im szybciej, tym lepiej". A potem opowiedział mi o tym, co się z nim działo przez tych siedem lat, o swoim cierpieniu oraz o pełnej strachu i przeciwności drodze, którą pokonał, by na jej końcu zacząć wszystko od nowa, zeznać w sądzie prawdę i – wybaczyć.

Od tamtej pory spotykaliśmy się systematycznie rozmawiając o tym i owym. Myślałem o dziwnych kolejach ludzkiego losu, które spowodowały, że siedzieliśmy teraz naprzeciw siebie w niewielkim ustronnym domku w nadbużańskiej wsi na Podlasiu, rozmawiając tak, jakby nie było tych siedmiu lat i niewidzialnego muru, który wyrósł między nami, jakbyśmy wciąż jeszcze byli przyjaciółmi.

W powietrzu pozostawało zawieszone pytanie: czy jesteś gotowy na wszystko?

Milczałem, bo i cóż mogłem odpowiedzieć? Że po latach walki z wiatrakami zrozumiałem, że każdy ma jakąś granicę odporności i ja swoją właśnie poznałem? Że są w życiu takie wydarzenia, po których pragnie się już tylko spokoju? Z drugiej jednak strony byłem tym, kim byłem – dziennikarzem śledczym, który dawno temu uwierzył, że w życiu nie ma przypadków i wszystko jest po coś, z czegoś wynika i do czegoś prowadzi. I może jeszcze w to, że dopóki ludzie chcą poznawać prawdę, ta praca ma sens.

Biorąc to wszystko razem do kupy pomyślałem, że są takie pytania, na które nie ma dobrych odpowiedzi. I to było właśnie jedno z takich pytań.

Postanowiłem więc odpowiedzieć wymijająco.

– Jestem w branży od lat, odkryłem wiele tajemnic, za które byłem atakowany i niszczony, groziła mi odsiadka za nieujawnianie źródła, a potem wiele odsiadek tak naprawdę sam już nie wiem za co. Wielokrotnie ryzykowałem losem swoim i swoich bliskich. A przy tym wszystkim cały czas miałem wrażenie, że to ryzyko i te odsiadki bynajmniej nie były tym, co w tej robocie najbardziej niebezpieczne. Bo ty to wiesz i ja to wiem, że największe niebezpieczeństwo groziło mi jeszcze z innej strony. Nie pytaj więc, czy jestem gotowy na wszystko.

– W porządku – powiedział z namysłem. – Posłuchaj mnie zatem dobrze. Przeczytałem twoją książkę o Komorowskim i pośród wielu innych zaintrygował mnie szczególnie jeden aspekt – zagadnął jakby z głupia frant, pozornie zmieniając kierunek rozmowy.

– Który? – spytałem zaskoczony.

– Ten, w którym piszesz o Andrzeju Lepperze – zatrzymał się na moment, jakby się zawahał, ale po chwili podjął przerwaną narrację. – Wiem, że nie popełnił samobójstwa.

– To akurat odkrycie na miarę tego, że woda jest mokra. Bo tego domyślają się wszyscy – zauważyłem. Zabrzmiało trochę bardziej cierpko niż zamierzałem, Tomek jednak nie zwrócił na to uwagi, a jeśli nawet zwrócił, nie dał tego po sobie poznać.

– Tego, być może, domyślają się wszyscy. Ale ja to wiem – powiedział z naciskiem. – I wiem coś jeszcze, co wiedzą nieliczni. Wiem, co wydarzyło się naprawdę.

Choć starał się nie okazywać targających nim emocji, zauważyłem, że trzęsie się na całym ciele. Nie dziwiłem się jego podenerwowaniu, bo po tym, co usłyszałem, sam byłem w niemałym szoku.

Major patrzył na mnie, a ja patrzyłem na niego – bez słowa.

Domyślałem się już – bo przecież po tym, co usłyszałem, nietrudno było się tego domyślić – dokąd zmierza oficer ABW. Nie zastanawiałem się więc nad tym co oczywiste, lecz myślałem o czymś innym – o wicepremierze Andrzeju Lepperze.

Przewodniczący Samoobrony nigdy nie był bohaterem z mojej bajki – raczej jego zaprzeczeniem. Nigdy z nim nie sympatyzowałem – było dokładnie odwrotnie. Dlaczego zatem jego tragedia autentycznie mną wstrząsnęła i wywarła aż tak silne wrażenie? Niewykluczone, że po części zadziałał tu zwyczajny ludzki odruch współczucia, widziałem bowiem tragizm tej postaci.

Andrzej Lepper oskarżany o przestępstwa, których – jak wiele na to wskazywało – nie popełnił, osaczony przez licznych wrogów, którym naraził się tupetem i przede wszystkim wiedzą, opuszczony przez własne środowisko, które stworzył od podstaw, zdradzony przez współpracowników, którzy zawdzięczali mu wszystko – samotnie zmierzał ku swemu przeznaczeniu. Tak było, ponieważ otaczali go ludzie, którzy nie potrafiąc płacić sercem swemu dobroczyńcy gorliwie szukali w nim win i podle obmawiali, by w ten sposób zasłonić własną nikczemność i niewdzięczność. Było więc dla mnie jasne, że Andrzej Lepper jest postacią tragiczną, a w przekonaniu tym utwierdziła mnie rozmowa z księdzem Stanisławem Małkowskim, przyjacielem księdza Jerzego Popiełuszki i moim przyjacielem, który odwiedził Leppera kilka miesięcy przed jego śmiercią. Były wicepremier poprosił kapłana o poświęcenie siedziby Samoobrony i w trakcie spotkania dużo mówił o swoim osamotnieniu, o fałszywych przyjaciołach i o ludzkiej naturze, która jest, jaka jest. Jak zapamiętał ksiądz Stanisław Małkowski, była to dobra, prawdziwa rozmowa, na dużym poziomie szczerości i autentyczności.

Był jednak i drugi powód, ważniejszy od współczucia, dla którego tragedia byłego wicepremiera wywarła na mnie aż tak silne wrażenie. Od samego początku tej tragicznej historii nie wierzyłem, że wicepremier popełnił samobójstwo, bo najzwyczajniej w świecie od początku zbyt wiele elementów nie pasowało mi do tej układanki. Mocniejszego przekonania, że Lepperowi ktoś pomógł odejść z tego świata nabrałem po uzyskaniu informacji, że dokumenty dotyczące tajemniczej fundacji o nazwie „Pro Civili", które miały stanowić jego polisę na życie, powierzył swojemu przyjacielowi, mecenasowi Ryszardowi Kucińskiemu. Wiedziałem, że równie dobrze mógłby je powierzyć generałowi Markowi Dukaczewskiemu, ostatniemu szefowi Wojskowych Służb Informacyjnych, bo przecież kto jak kto, ale ja wiedziałem najlepiej, że Kuciński współpracował z oficerami wojskowego kontrwywiadu. A wiedziałem to, bo to przecież na polecenie pułkownika Aleksandra Lichockiego, ostatniego szefa kontrwywiadu PRL i mojego informatora – ujawnionego jako mój informator bez mojego udziału, na bazie wyjaśniania tak zwanej „afery marszałkowej", mrocznej historii, w której mnie fałszywie oskarżono i dopiero po ośmiu latach procesu uniewinniono – Kuciński przekazał mi szereg informacji, zdjęcia prezydenta Aleksandra Kwaśniewskiego z lobbystą Markiem Dochnalem oraz notatniki tego ostatniego. Zatem wiedziałem dobrze, kim jest Ryszard Kuciński – ale Andrzej Lepper o tym nie wiedział.

I niedługo po przekazaniu dokumentów nie żył już i Lepper, i Kuciński.

Przypadek – nie przypadek?

Tak więc wątpliwości odnośnie samobójczej wersji śmierci Andrzeja Leppera miałem od bardzo dawna, w zasadzie od samego początku tej tragedii – ale to, co usłyszałem dziś, to było coś więcej niż wątpliwości. Znacznie więcej. To była drabina do zupełnie nowej rzeczywistości i nie musiałem się długo zastanawiać, by uzyskać zimne i jasne przekonanie, jak niebezpieczna to rzeczywistość.

Zaczynałem rozumieć, co miał na myśli mój rozmówca, gdy dociekał, czy jestem gotowy na wszystko. Tak naprawdę wciąż nie byłem pewien ani czy jestem gotowy, ani nawet czy mam ochotę zagłębiać się w to kolejne bagno. Na dobrą sprawę wciąż jeszcze nie zamknąłem wszystkich poprzednich spraw, tymczasem brudny świat znów się o mnie upominał. A funkcjonując w tym świecie tak naprawdę mogłem być pewien tylko jednego – że czeka mnie absolutnie „fascynująca" przyszłość. Oczywiście, jeśli kogoś fascynują zabójstwa, niewyjaśnione samobójstwa i potwory o ludzkich twarzach, tylko z wyglądu przypominające ludzi. Z drugiej strony intuicyjnie czułem, że sprawa, którą właśnie poznawałem, nie jest ot taką sobie zwyczajną historią niejasnego samobójstwa byłego wicepremiera, ale czymś znacznie większym. Czymś, co skrywa w sobie coś wielkiego i niezwykłego zarazem – tajemnicę. Czymś, co może jest wyjściem z portu na szerokie morze i domknięciem koła, a co wiąże się z szeregiem innych spraw dotyczących Systemu Zła – spraw, które z takim mozołem usiłowałem rozwikłać i którym poświęciłem tyle lat swojego życia...

Patrzyliśmy sobie w oczy z majorem bez słowa dobre pół minuty, a może dłużej. Tak naprawdę było to bez znaczenia, bo miałem wrażenie, jakby czas zatrzymał się w miejscu i wydawało mi się, że nie jestem w tym wrażeniu odosobniony. Nie wiedzieć czemu pomyślałem, że choć pod wieloma względami jesteśmy z majorem do siebie bardzo podobni – w sposobie patrzenia na świat czy odczuwania empatii – to jednak pod wieloma też bardzo się różnimy. Niewątpliwie tam, gdzie potrzebna była chłodna kalkulacja i rozważna ocena sytuacji, oficer ABW bił mnie na głowę.

– Jak wiesz, robiłem w życiu to i owo – zagadnąłem przerywając przedłużające się milczenie. Przerwałem nie dlatego, że sytuacja zaczęła robić się niezręczna, ale przede wszystkim dlatego, że nagle, nie wiadomo skąd, pojawiło się u mnie niejasne, niesprecyzowane uczucie, że Tomek nie mówi mi wszystkiego i trzyma coś w zanadrzu. – Otrzymałem nagrody...

– Zostaw te bzdury – uciął obcesowo i zaciągnął się dymem. – Doniosłeś w „Życiu" o działalności szpiegowskiej rosyjskich dyplomatów, ujawniłeś w tygodniku „Wprost" i książkach tajne akta „Masy", kulisy zbrodni na Popiełuszce, prawdę o Komorowskim i o wielu innych, którzy nadużywali władzy, nigdy żaden dziennikarz nie doprowadził urzędującego prezydenta do składania zeznań w sądzie, a tobie się udało. To wszystko wiem, ale przecież nie o tym mówię. Pytałem, czy po tym, co przeszedłeś, wciąż jeszcze jesteś gotowy na wszystko.

– Skąd wiesz, co wydarzyło się naprawdę? – odpowiedziałem wymijająco pytaniem na pytanie.

Major wzruszył ramionami.

– Jak wiesz, są sprawy, o których mówić za wiele nie należy. Opłacić to można cierpieniem, śmiercią, a jeśli kto się uprze – więzieniem. A ja nie szukam możliwości odsiadki. I mimo wszystko chciałbym dopisać zakończenie tej historii.

– Zwariowałeś? O czym ty do diabła gadasz? – spytałem.

– Delegaturze ABW, którą przez kilka lat kierowałem, podlegała kontrola granicy ukraińskiej i białoruskiej. Delegatura miała taką wiedzę o działalności Andrzeja Leppera i Janusza Maksymiuka na Ukrainie i Białorusi, ale zwłaszcza na Ukrainie, jakiej nie miał nikt. I to ci musi na razie wystarczyć. Jak powiedziałem, decyzja nie jest łatwa, ale w gruncie rzeczy jest prosta. O tym, czy chcesz w tym uczestniczyć, musisz zdecydować ty sam. Ja mam swoje powody.

– Powiesz kiedyś coś więcej?
– Powiem.
– Ale jeszcze nie dziś?
– Jeszcze nie dziś.

Znałem go dość z dawnych lat, by wiedzieć, że są takie sytuacje, kiedy „dokręcanie śruby" nic nie da. To była właśnie jedna z takich sytuacji. Zrozumiałem, że major powie tyle, ile będzie mógł powiedzieć i ani słowa więcej. I już nie myślałem, że zwariował.

Odetchnąłem głęboko i spojrzałem mu w oczy, a on spojrzał w moje.

– Opowiedz mi wszystko od początku – poprosiłem.
– Od początku?
– Tak.
– Dobrze, tylko gdzie tak naprawdę jest ten początek?

ROZDZIAŁ II
STAN GRY

– Wydarzenia, które przywiodły mnie do Andrzeja Leppera, miały stać się pierwszym ogniwem w łańcuchu, którego i ja jestem teraz częścią. Jak wiesz, kierowałem wówczas lubelską delegaturą ABW, jedną z większych w kraju i największą na wschód od Wisły. Łącznie dwustu pięćdziesięciu ludzi, którzy operowali na styku Białorusi i Ukrainy. Osłona kontrwywiadowcza nie tylko granicy kraju, ale też Paktu NATO i Unii Europejskiej niosła ze sobą wiele niezwykłych i niecodziennych wydarzeń, które jednak dla nas stały się właśnie codziennością. Działając na tej granicy wiedziałem o takich sprawach, że amerykańscy scenarzyści byliby zachwyceni i ten właśnie fakt, służby w tamtym miejscu, w tamtym czasie, zapoczątkował lawinę zdarzeń, które doprowadziły mnie do Andrzeja Leppera.

Wszystko zaczęło się w Ośrodku Szkolenia Wywiadu w Starych Kiejkutach, gdzie byłem uczestnikiem niezwykłego incydentu. W tak zwanej Strefie „B" ośrodka, znajdującej się w jego południowo-wschodniej części, oddzielonej od pozostałej rzeczką łączącą jeziora Starokiejkuckie i Łęsk, znajdują się budynki zajmowane przez Sekcję Nasłuchu oraz trzy wille mieszkalne. Strefa w całości porośnięta jest lasem, uniemożliwiającym niegdyś penetrację terenu przez zachodnie satelity. Było to istotne o tyle, że na terenie Strefy „B" szkoleni byli „nielegałowie", czyli oficerowie wywiadu występujący za granicą „pod przykryciem".

I tak, wraz z kilkoma oficerami – w tym z późniejszym szefem ABW, Darkiem Łuczakiem – zostaliśmy zakwaterowani w jednym z takich budynków. Muszę dodać, że wstęp na teren Strefy „B" możliwy jest tylko za zgodą komendanta ośrodka. Podczas kolacji, oczywiście suto zakrapianej alkoholem, zastępca komendanta, którego znałem doskonale, bo przez wiele lat przybywałem do Kiejkut w celach służbowych, odciągnął na bok mnie i dwóch kolegów mówiąc w zaufaniu, byśmy po powrocie do willi nie wychodzili na zewnątrz.

– W sąsiednim budynku mieszkają ludzie z CIA, załatwiający swoje sprawy z przetrzymywanymi Arabami – rzucił konfidencjonalnie.

Przyjąłem do wiadomości i tyle. Nie przewidywałem przecież wędrówek nocą po lesie, bo niby w jakim celu – szukania grzybów? Jednak po powrocie do naszej willi postanowiliśmy z kolegami przyjemnie zakończyć wieczór i z kilkoma butelkami piwa wyszliśmy przed budynek, by miło spędzić czas na świeżym powietrzu. Nie zdążyliśmy nawet otworzyć butelek, gdy z ciemności wyłoniła się postać dowódcy ochrony, który grzecznie, acz kategorycznie poprosił nas o wejście do willi. Wytłumaczył, że Amerykanie są bardzo zdenerwowani obecnością obcych osób, a on nie chce żadnych kłopotów. Oczywiście zrobiliśmy jak prosił, nie chcąc sprawiać oficerowi problemów. Gdy kilka miesięcy później wybuchła afera z więzieniami CIA w Polsce, mogłem się tylko uśmiechnąć widząc, jak Leszek Miller i Aleksander Kwaśniewski kłamią w żywe oczy, negując fakt przebywania talibów w Kiejkutach. Pozostaje kwestia, co stało się z piętnastoma milionami dolarów, które CIA zapłaciło za pośrednictwem zastępcy szefa Agencji Wywiadu, pułkownika Andrzeja Derlatki, Agencji Wywiadu i polskim politykom za możliwość działania na naszym terenie. To pytanie, na które nikt dotąd nie odpowiedział, a na które odpowiedź bezwzględnie paść powinna – w tym jednak miejscu skupmy się na naszej historii.

Tak więc, jak powiedziałem, wydarzenia kiejkuckie stały się pierwszym ogniwem w łańcuchu zdarzeń, którego ja jestem teraz częścią, bo od tego momentu wiedziałem, że Andrzej Lepper sporo wie. I, co ważniejsze dla tej historii, wiedziałem też, że wiedzą o tym inni i że właśnie dlatego wykonali tyle pracy, by Leppera skompromitować.

Jakiś czas po tych wydarzeniach odbyłem rozmowę z Bardzo Ważnym Politykiem, ale szczegóły tej rozmowy są i muszą pozostać ściśle tajne. Dość w tym miejscu stwierdzić, że podjęliśmy sprawdzenie, czy w przypadku wicepremiera nie działa to, co zwykle – nacisk, szantaż. I czy zainteresowania osobą Andrzeja Leppera nie wykazuje przypadkiem obcy wywiad. Jak wiadomo lubelska Delegatura ABW odpowiedzialna była za bezpieczeństwo kontrwywiadowcze terenów pogranicznych, więc w sposób naturalny takie informacje stanowiły dla nas bezcenną skarbnicę wiedzy dotyczącej możliwości penetracji wycinka polskiego życia politycznego przez służby rosyjskie, białoruskie i ukraińskie. Nie chcę być źle zrozumiany, Samoobrona jako partia polityczna nie była inwigilowana przez ABW, ale wiedzę o tym, czy SBU, FSB i GRU nie pozyskują działaczy Samoobrony przebywających na Ukrainie do budowania agentury wpływu musieliśmy mieć i już. Kropka.

Rozumiesz, że żadnych szczegółów obwarowanych klauzulą tajemnicy państwowej ujawnić mi nie wolno, bo za to grozi dziesięć lat odsiadki. Dlatego dość powiedzieć, że w takim czy innym czasie spotkałem się w Kowlu z byłym zastępcą Naczelnika Obwodu Wołyńskiego Służby Bezpieczeństwa Ukrainy, w jego zajeździe. Co oczywiste, nie mówiłem rozmówcy co i jak, a moja wizyta została „obudowana" dobrze zakamuflowanym pretekstem. Od 2004 roku mój rozmówca zajmował stanowisko zastępcy Naczelnika SBU Obwodu Wołyńskiego – odpowiednik polskiej delegatury ABW – z siedzibą w Lubomlu, mieście opodal granicy z Polską, gdzie znajduje się jednostka SBU z zadaniami kontroli operacyjnej i płytkiego wywiadu pogranicza Polski oraz Białorusi. Zadaniem jednostki była między innymi kontrola operacyjna zachodniej części Obwodu Wołyńskiego. Sprawdziłem, że sprawy pobytu w tej części Ukrainy Andrzeja Leppera prowadził bezpośrednio Oleksij Tkaczenko, zastępca Naczelnika Służby Bezpieczeństwa Ukrainy z Łucka. W związku z częstymi przyjazdami Leppera na Ukrainę SBU profesjonalnie zainteresowała się charakterem tych podróży, a także kontaktami polskiego polityka. Przebywając w Łucku szef Samoobrony prowadził rozmowy biznesowe, które nie dotyczyły inwestycji państwowych, tylko prywatnych interesów mających – jak mówił sam Lepper – zabezpieczyć go na przyszłość. Według mojego rozmówcy spotkania miały bezsensowny charakter – przyjeżdżał niby czołowy polityk dużego europejskiego kraju, a nie był merytorycznie przygotowany do żadnych zagadnień, które chciał realizować. Także osoby z otoczenia Leppera, które z nim przyjeżdżały – Krzysztof

Filipek, Wiesław Podgórski, Ryszard Czarnecki, Zofia Grabczan, Mateusz Piskorski – zainteresowani byli bardziej biesiadowaniem niż merytorycznymi rozmowami.

Mój rozmówca wiedział o spotkaniach towarzyskich, które odbywały się w posiadłości nad jeziorem Świteź. Były dziewczęta i była tradycyjna ukraińska bania, co dla Ukraińców jest pewnego rodzaju standardem zachowania, nawet w wysokich sferach polityczno-biznesowych. Wyglądało to wszystko dziwnie, mało poważnie i tak na dobrą sprawę nikt za bardzo nie wiedział, o co chodzi. Dopiero podczas n-tej wizyty sprawa zaczęła się wyjaśniać. Okazało się, że osobą wprowadzającą Leppera w polityczno-biznesowe kręgi Ukrainy jest Mykoła Hinajło, ksiądz z Włodzimierza Wołyńskiego, były major Armii Radzieckiej i wielki kanclerz Zakonu Rycerzy Michała Archanioła, który to Zakon powstał w 1997. O tym jednak później – w tym miejscu skupmy się na wyjaśnieniu, od czego to wszystko się zaczęło. Próbuję ci bowiem wytłumaczyć, skąd wzięło się moje zainteresowanie Andrzejem Lepperem i skąd wiedza, jakiej nie miał o nim nikt inny.

Z perspektywy tej wiedzy, wspartej wielomiesięcznymi ustaleniami, logiką i zdrowym rozsądkiem, nie mam najmniejszych wątpliwości, że wszystko, co oficjalnie powiedziano o okolicznościach śmierci Andrzeja Leppera, jest kłamstwem. Wielu ludzi decydowało, o czym ma wiedzieć opinia publiczna. W efekcie to, co zrobiono z tą sprawą, było najbardziej godnym uwagi przykładem prokuratorskiej „niedociekliwości" od czasów słynnego procesu Franza Kafki. Andrzej Lepper był pierwszym ogniwem w długim łańcuchu „samobójców", w kolejnych miesiącach i latach jego śladami mieli podążyć inni. Co zatem naprawdę wydarzyło się 4 i 5 sierpnia 2011 roku, w ostatniej dobie życia Andrzeja Leppera?

Przyjrzyjmy się faktom, które nie wymagają interpretacji, bo fakty po prostu są jakie są.

4 sierpnia 2011 roku około godziny dziewiątej rano Andrzej Lepper wyrusza z Zielnowa, niewielkiej wioski pod Darłowem, do Warszawy. Jak zwykle, jedzie mercedesem prowadzonym przez występującego w roli kierowcy Mieczysława Meyera, zaufanego współpracownika, biznesmena i byłego radnego sejmiku województwa pomorskiego z ramienia Samoobrony, a także wspólnika w interesach, o których mało kto wiedział. W Zielnowie Lepper pozostawia żonę Irenę oraz syna Tomasza z rodziną, z którym prowadzi gospodarstwo – do niedawna nie byle jakie gospodarstwo, ponad trzystuhektarowe, z zatrudnieniem dla kilkudziesięciu osób, dotacjami unijnymi na poziomie pół miliona złotych rocznie i zwierzęcym „asortymentem" od gęsi po bizony.

W rodzinnym domu Lepper przebywał zaledwie dwa dni, od 2 sierpnia – wcześniej, z gdańskim biznesmenem, Czesławem Kiernozkiem, wyjechał w interesach na Białoruś negocjować warunki sprowadzania drewna dla odbiorców z Austrii i Czech – był zrelaksowany i tryskał energią. Poświęcał czas rodzinie, doglądał gospodarstwa, zajmował się wnukami, prowadził szereg rozmów telefonicznych ze współpracownikami i kontrahentami. Miał dobry nastrój i mnóstwo planów na przyszłość, biznesowych i politycznych, związanych z jesiennymi wyborami parlamentarnymi, w których zamierzał wziąć udział stając na czele nowej partii „Nasz Dom Polska – Samoobrona".

W Warszawie, do której zmierza Andrzej Lepper, czeka na niego córka Małgorzata, która po ukończeniu studiów prawniczych w 2006 roku pracowała w kancelarii przyjaciela rodziny, mecenasa Ryszarda Kucińskiego – w tej samej kancelarii, co córka Konstantego Malejczyka, ongiś szefa WSI. Młodsza z córek, Renata, w ostatnim czasie przeniosła się z Zielnowa do Gdańska, gdzie podjęła studia psychologiczne.

Do Warszawy Lepper i Meyer nie spieszą się, mają czas. W trakcie kilkugodzinnej podróży z Pomorza Zachodniego do stolicy rozmawiają niewiele, trochę wspominają. Przez większość drogi Lepper pozostaje sam na sam ze swoimi myślami. Przewodniczący Samoobrony ma nad czym rozmyślać.

***

Przebył długą drogę, podczas której wspinał się po szczeblach kariery, wiele się nauczył i zapracował na swoją pozycję: od rolnika z Zielnowa, poprzez trybuna ludowego i szefa partii politycznej, posła i europosła, po ministra rolnictwa, wicemarszałka Sejmu i wicepremiera dwóch rządów, Kazimierza Marcinkiewicza i Jarosława Kaczyńskiego. Wiedział już, że polityka, to brudna gra, w której nie ma żadnych zasad, a wygrywa ten, kto lepiej czaruje, grozi, daje łapówki i ocenia rywali – i do pewnego momentu Lepper był w tej grze bardzo dobry. Do niedawna otaczało go liczne grono współpracowników, z których każdy, dzięki niemu, został kimś.

Ale to już minęło.

Od roku 2007, od kiedy Samoobrona znalazła się poza Parlamentem, grono jego współpracowników topniało w oczach. Stary „przyjaciel", Krzysztof Filipek, odszedł, jako jeden z pierwszych, by z kilkoma innymi, podobnie jak on „lojalnymi", założyć Partię Regionów. Zrozumiawszy, że sam nic nie znaczy, próbował wkraść się w łaski szefa Prawa i Sprawiedliwości, Jarosława Kaczyńskiego, nie przypuszczał jednak, że ten nie tylko do niczego go nie potrzebował, ale też miał alergię na dwie kwestie osobowe: na Donalda Tuska i na zdrajców.

Następny „lojalny" to Henryk Dzido, przeciętny prokurator, podrzędny prawnik i pracownik NIK, którego do Samoobrony ściągnął Leszek Bubel. Z rekomendacji Samoobrony Dzido został senatorem z okręgu lubelskiego i sędzią Trybunału Stanu, ale w lutym 2006 roku porzucił Leppera na rzecz partii Samoobrona Ruch Społeczny, przekształconej później w Samoobronę Odrodzenie. Członkowie Samoobrony RS utrzymywali, że to ich partia jest prawdziwą Samoobroną. Był to jednak oczywisty blef stanowiący nieudolną próbę odcięcia się od Leppera, którego notowania w owym czasie – po uwikłaniu w afery z domniemanym skandalem seksualnym i aferą gruntową – spadały na łeb na szyję. Raz jeszcze zatem dała o sobie znać stara historyczna prawidłowość: gdy władcy brakuje pieniędzy dla najemników, ci przejmują władzę.

Kolejny „wierny druh", Bolesław Borysiuk, szef doradców Leppera i doradca prezesa TVP, Piotra Farfała. Wszystko, co osiągnął w domenie publicznej, zawdzięczał Lepperowi – nie tylko zresztą on, także jego syn Tomasz, który dzięki rekomendacji prezesa Samoobrony został członkiem Krajowej Rady Radiofonii i Telewizji. A jednak mimo to Borysiuk senior nie miał skrupułów, by w sytuacji kryzysu odejść do Krzysztofa Filipka. Z tonącego okrętu, jakim stała się Samoobrona, ewakuowała się też Danuta Hojarska i wielu innych.

W nie tak znów odległych czasach świetności Lepper brylował w świecie blichtru, wielkich pieniędzy i władzy, ale po dwóch latach koalicji rządowej z Prawem i Sprawiedliwością oraz z Ligą Polskich Rodzin przyszły afery, a wraz z nimi wyborcza klęska i – długi. Te ostatnie rosły lawinowo. Doszło do tego, że RWE odcięło prąd w siedzibie Samoobrony, a sam Lepper obciążył hipotekę domu i zapożyczał się na prawo i lewo.

Na wszystkie te kłopoty nałożyły się problemy prawne związane z oskarżeniami w seksaferze i dramat ukochanego syna, Tomasza. Jego stan pogarszał się z miesiąca na miesiąc, a leczenie doraźne – bardzo drogie – nie przynosiło skutków, bo jedynym ratunkiem mógł być przeszczep wątroby.

Grono osób, na których Lepper teoretycznie mógłby się wesprzeć, można było w tej sytuacji policzyć na palcach jednej ręki. A przecież i to grono przypominało przysłowiowy piasek, na którym budowanie czegokolwiek graniczyło z absurdem.

Zbigniew Stonoga? Przewodniczący Samoobrony pamiętał dobrze, że to przecież ten rzekomy „przyjaciel" kilka lat wcześniej pisał na niego donosy do prokuratury, oskarżając go o oszustwo na kwotę ponad miliona złotych i domagając się osadzenia w areszcie. Andrzej Lepper nie zapominał takich rzeczy. Wychodził z założenia, że „bank wierności i zaufania" jest trudnym wierzycielem, jeśli więc ktoś raz złożył depozyt gdzie indziej, konto z napisem „zaufanie" zamykał na zawsze.

Piotr Tymochowicz? Były wicepremier nie wykluł się z jajka. Wiedział lepiej niż inni, że ten „mistrz kreacji", który wcześniej wylansował Stana Tymińskiego, a w erze zmierzchu Samoobrony Janusza Palikota, pojawiał się zawsze wtedy, gdy trzeba było „zagospodarować" niezadowolony elektorat. Lepper nie był głupcem, wiedział więc doskonale, że tacy ludzie nie pojawiają się znikąd – i nie działają sami z siebie.

Był jeszcze Mirosław Rudowski, ale ten pięćdziesięcioletni właściciel firmy transportowej, człowiek zaufany do tego stopnia, że jako jedyny miał klucz do prywatnych pomieszczeń Leppera w warszawskiej siedzibie Samoobrony, nie był przecież typem działacza, dzięki któremu można zbudować most, przejść na drugą stronę rzeki i ruszyć z posad skostniały świat.

W odwodzie pozostawali jeszcze Janusz Maksymiuk, wiceszef partii, Feliks Siemienas, wspólnik w interesach, który wyemigrował do Grecji, Mateusz Piskorski, uczestnik biznesowych wypadów na Ukrainę – później posądzony o szpiegostwo na rzecz Rosji – oraz Krzysztof Sikora, były wojskowy, prezes firmy Naturapol i Czesław Kiernozek, partner w interesach na Białorusi.

Czymże zatem była ta nieliczna grupka wobec armii, którą do niedawna Lepper dysponował? Dymem po pożarze – z pewnością niczym więcej. Ci ludzie nie mogli zmienić dramatycznej prawdy, że założyciel Samoobrony znalazł się na ostrym życiowym zakręcie i Lepper zdawał sobie z tego sprawę.

Podobnie jak z tego, że tak naprawdę został sam.

I tak mniej więcej wyglądała sytuacja Andrzeja Leppera, kiedy 4 sierpnia 2011 roku około godziny dziewiątej rano wyruszał w towarzystwie Mieczysława Meyera z Zielnowa do Warszawy, by z niedobitkami współpracowników rozmawiać o kampanii wyborczej w zbliżających się wyborach parlamentarnych.

Czy w takiej sytuacji były wicepremier, osamotniony i zadłużony, oskarżany i sponiewierany, otoczony przyjaciółmi, o jakich Winston Churchill mówił, że jeśli ma się takich przyjaciół, to nie potrzeba już wrogów – mógł się załamać?

Niewątpliwie mógł.

Było zatem coś niepojętego w decyzji Leppera rzucającego wyzwanie potężnym politycznym przeciwnikom i startującego w wyborach parlamentarnych, w których jego klęska wydawała się oczywistą oczywistością. Wydawało się, że w rozsypującej się machinie partyjnej byłemu wicepremierowi brakowało wszystkiego, od ludzi po pieniądze, a było oczywiste, że tak bez jednych jak i drugich start w wyborach parlamentarnych nie ma najmniejszego sensu. W czym zatem Lepper pokładał swoją nadzieję, której źródła nie widział nikt poza nim samym? Oczywiście najłatwiej można by odpowiedzieć, że wskutek nadmiaru problemów były wicepremier po prostu załamał się i stracił kontakt z rzeczywistością. A jednak w tamtym czasie, gdy rankiem 4 sierpnia 2011 roku zmierzał do Warszawy, Andrzej Lepper daleki był od załamania. Przeciwnie. Ci, którzy znali go dobrze – a prowadząc działania, jakie prowadziłem przez szereg lat, należałem do tych, którzy znali go najlepiej – powiedzą później, że był typem fightera. Każdy, kto prześledzi jego drogę, łatwo zobaczy, jak trudno było go złamać. Jeszcze w czasach działalności związkowej, na początku lat dziewięćdziesiątych, kilka razy przebywał w aresztach śledczych, wielokrotnie znajdował się na skraju bankructwa, miał liczne egzekucje komornicze i dziesiątki problemów, które innych łamały jak wiatr drzewa, bo stanowiły śmiertelne zagrożenie dla bytu całej rodziny, w tym małych wtenczas dzieci. Nieliczni wierni współpracownicy, którzy pozostali przy nim do końca, wspominali później, że Andrzej Lepper zawsze wierzył, że nie ma takiej studni, która nie miałaby dna i takiej biedy, której nie da się przetrwać. Był jednym z tych, których siła leży nie tylko w tym, że potrafią zadać wiele ciosów, ale głównie w tym, że jeszcze więcej potrafią przyjąć.

Wbrew zatem późniejszym twierdzeniom prokuratury przewodniczący Samoobrony daleki był od apatii. Miał długofalowy plan i właśnie rozpoczynał jego realizację. Rozpoczynał niebezpieczną i ryzykowną, ale logiczną, konsekwentną i mającą wszelkie podstawy powodzenia grę.

Grę, w której stawką miała być jego wolność, przyszłość i życie. Grę, która zaczęła się kilka lat wcześniej i którą zamierzał doprowadzić do samego końca.
Czy mógł wtedy przypuszczać, że ten koniec nastąpi tak szybko i że kilkanaście godzin później nie będzie już żył?

ROZDZIAŁ III
DZIEŃ OSTATNI

Powietrze w siedzibie Samoobrony cuchnęło duchotą, jaką wytwarza długo niewietrzone wnętrze w upalne, letnie dni. Zazwyczaj o jego wietrzenie dbał Mirosław Rudowski, ale czy to wskutek pochłonięcia ustawiczną pracą wykonywaną na komputerze w związku z przygotowaniami do wyborów, czy to z innych powodów, zapomniał uchylić okna. Może zresztą dobrze się stało, bo z kolei po otwarciu okien szybko pojawiał się kurz, który mimo systematycznego, prawie codziennego, dokładnego sprzątania tego miejsca, zalegał na meblach oraz innych przedmiotach. To była ta zła strona lokalizacji siedziby partii w samym sercu Warszawy, na trzecim piętrze budynku położonego w Alejach Jerozolimskich, przy jednej z centralnych arterii stolicy. Przewodniczący Samoobrony bardzo dbał o czystość i lubił porządek, zarazem jednak miał świadomość, że przy tak prestiżowej lokalizacji kurzu nie da się uniknąć i z czasem połowicznie pogodził się z tą umiarkowanie szkodliwą dolegliwością. Granicę tak rozumianej „ugody" pomiędzy tym, co przyjemne, a tym, co konieczne, wyznaczała sprzątaczka, która kilka razy w tygodniu przekraczała próg lokalu w Alejach Jerozolimskich 30/5.

Lepper rozejrzał się po wynajmowanym na siedzibę Samoobrony lokalu, jakby widział je po raz pierwszy. Lokal ów, składający się z dziesięciu pomieszczeń oraz korytarza biegnącego przez prawie całą jego długość, jeszcze niedawno tętnił życiem. Teraz jednak, prócz niego, znajdowali się tu tylko Meyer i Rudowski, jego ostatni „pretorianie". Na siedzibę Samoobrony składały się pomieszczenia biurowe – księgowość, pokój wiceprzewodniczącego, Janusza Maksymiuka, dwa sekretariaty, pomieszczenia pomocnicze i wykorzystywane do celów mieszkalnych oraz gabinet i pomieszczenia prywatne Andrzeja Leppera: pokój wyposażony w biurko, łóżko, telewizor, szafkę i lodówkę oraz widna łazienka. Okna w pokoju i łazience wyposażono w wąskie parapety zewnętrzne, niełączące się ze sobą. Bezpośrednio pod i nad oknami nie przebiegał żaden gzyms, który mógłby ułatwić wejście tą drogą do pokoju lub łazienki. Prywatne pomieszczenia były miejscem wygodnym i bezpiecznym, gdzie przewodniczący Samoobrony zatrzymywał się i nocował podczas pobytów w Warszawie, o czym wiedzieli tylko jego najbliżsi współpracownicy. Oczywiście mógł nocować u córki Małgorzaty, która z mężem Adrianem Borkowskim kupiła apartament w Warszawie, ale wolał nie przeszkadzać młodemu małżeństwu i dlatego zawsze nocował w siedzibie partii.

Do pomieszczeń prywatnych przewodniczącego dostęp miał tylko on sam, Rudowski – jedyny oprócz Leppera dysponent jego kluczy – oraz sprzątaczka, którą jednak wpuszczano wyłącznie pod kontrolą i tylko na czas robienia porządków. Od reszty biura pomieszczenia te oddzielały drzwi, które od strony zewnętrznej zaopatrzono w obrotową klamkę, uniemożliwiającą ich otwarcie z zewnątrz bez użycia klucza. Zrobiono tak na wyraźne życzenie Leppera, który chciał mieć swoją enklawę.

Tutaj spędzał całe dnie, często w ogóle nie wychodząc, spał, jadł, uderzał w bokserski worek, jeździł na stacjonarnym rowerze, pisał, planował i poza Rudowskim, rodziną oraz ścisłym gronem współpracowników nie przyjmował nikogo.

W pomieszczeniach tej części biura, w których okna wychodziły na Aleje Jerozolimskie i w których znajdował się gabinet szefa Samoobrony, w przeciwieństwie do pokoi wychodzących na podwórze, była zamontowana klimatyzacja. Najwyraźniej jednak Lepper nie chciał czekać, aż zacznie działać, bo szybko podszedł do okna wychodzącego na Aleje i otworzył je na oścież, wpuszczając do wnętrza nieco „świeżego" powietrza, a wraz z nim sporą dawkę ulicznego kurzu. Spojrzał na zegarek i skonstatował, że dochodzi szesnasta. Do awizowanego, poświęconego zbliżającym się wyborom spotkania z Piotrem Tymochowiczem i Januszem Maksymiukiem miał godzinę i postanowił ten czas przeznaczyć na odpoczynek. Rudawski wrócił do pochłaniającej go bez reszty pracy przy komputerze, a Lepper zamknął się w pokoju, gdzie odbył kilka rozmów telefonicznych.

Punktualnie o siedemnastej, nieomal w tym samym momencie, pojawili się Tymochowicz i Maksymiuk. Początkowo spotkanie miało nieoczekiwanie burzliwy przebieg. Andrzej Lepper rozważał start w wyborach do Senatu z byłego województwa siedleckiego, zastanawiając się, czy to właściwe miejsce, z kolei Tymochowicz całkowicie negował start szefa Samoobrony w wyborach. Nie widział szans na elekcję i mówił o tym otwarcie, doradzał odpoczynek od polityki i zajęcie się działalnością gospodarczą.

Czy jednak doradzał życzliwie?

W owym czasie za plecami Andrzeja Leppera współpracował już przecież z Januszem Palikotem, który w przeciwieństwie do szefa Samoobrony sypał pieniędzmi na prawo i lewo. Pytany o to później Tymochowicz zezna, że do końca był lojalny wobec Leppera, ale jak było naprawdę, wie tylko on sam i tak już pozostanie. Faktem jest, że tego wieczora, w drugiej części spotkania, rozmawiali jak przyjaciele. Dyskutowali nie tylko o sprawach wyborczych, ale także o leczeniu Tomasza - oczekującego na przeszczep wątroby syna Leppera – metodami niekonwencjonalnymi. Gdy spotkanie dobiegło końca, były wicepremier odbył jeszcze rozmowę z Januszem Maksymiukiem i podpisał przygotowane wcześniej pisma adresowane do Sądu Okręgowego w Warszawie w związku z rejestracją zmian statutu partii „Nasz Dom Polska – Samoobrona Andrzeja Leppera". Na koniec poinformował Maksymiuka, że wieczorem odbędzie jeszcze jedno spotkanie, nie podał jednak żadnych szczegółów. Wiceprzewodniczący partii zapamiętał, że jego szef miał głowę pełną pomysłów i w ogóle był pełen optymizmu. W ciągu następnej godziny przeprowadził szereg rozmów telefonicznych. Żonę i syna zapewnił, że zgodnie z planem wraca do Zielnowa nazajutrz po południu, z kolei przed Dariuszem Krasnodębskim, działaczem Samoobrony, snuł dalekosiężne plany i wizje wyborcze. Według wszystkich tych rozmówców Lepper brzmiał optymistycznie, a według Krasnodębskiego wręcz entuzjastycznie.

Około wpół do dziewiątej wieczorem Lepper odebrał połączenie od Mieczysława Łysego, przewodniczącego Związku Polaków na Białorusi, którego poznał w trakcie wyjazdów biznesowych i z którym często się spotykał. Pół godziny później wszedł do pokoju, w którym przebywali Rudowski i Meyer i poprosił tego drugiego o przekazanie klucza do drzwi wejściowych siedziby partii. Planował wyjście na zewnątrz i nawet rzucił jakiś żart, ale nie tłumaczył się, gdzie wychodzi i po co – nie musiał, przecież to on był szefem. Nie ustalono czy po tym spotkaniu Andrzej Lepper opuszczał biuro Samoobrony i czy tego dnia odbył jeszcze jakieś spotkanie. Nie wykazały tego ani stacje BTS, do których logują się komórki, ani relacje i zeznania świadków.

Andrzej Lepper był widziany jeszcze następnego dnia, dwa razy w ciągu godziny. Najpierw około ósmej rano, gdy Mieczysław Meyer zadzwonił z sekretariatu po wewnętrznej linii do pokoju szefa prosząc o przekazanie kluczy do drzwi wejściowych, które dał mu dzień wcześniej. Wyjaśnił, że musi przedłużyć bilet parkingowy. Według relacji Meyera, gdy były wicepremier wyszedł z pokoju, by przekazać klucz, był uśmiechnięty, a nawet, jak ujął to jego kierowca w zeznaniach – „opiekuńczy". Pół godziny później widziano go po raz ostatni, gdy wyszedł ze swojego pokoju i pytał o Rudowskiego. Ponieważ tego ostatniego nie było w lokalu, Lepper wrócił do siebie, gdzie przez kolejnych kilkanaście minut prowadził szereg rozmów telefonicznych.

Dlaczego poznanie wszystkich tych faktów jest istotne?

Powodów jest wiele, ale zacznijmy od najmniej istotnych.

Międzynarodowa grupa psychologów i psychiatrów sprawdziła, czy są zachowania charakterystyczne dla samobójców w ostatnich godzinach przed śmiercią. Sprawę uznano za ważną, ponieważ co roku traci w ten sposób życie ponad 800 tysięcy osób, zaś próbę samobójczą podejmuje każdego roku aż 17 milionów osób. (Np. w Wielkiej Brytanii samobójstwo zajmuje pierwsze miejsce wśród przyczyn zgonu mężczyzn poniżej 35 roku życia). Badacze dokonali dokładnej analizy 2811 przypadków samobójców w Europie, Azji i obu Amerykach i efekty swoich prac przedstawili na konferencji Neuropsychopharmacology 28th ECNP Congress, w Amsterdamie. Zachowania charakterystyczne dla samobójców w ostatnich godzinach przed odebraniem sobie życia to sygnalizowanie otoczeniu swojego zamiaru, rezygnacja z jakichkolwiek planów na przyszłość i zawężenie relacji z innymi ludźmi lub całkowite ich zerwanie oraz agresja lub autoagresja. Prawie 87 procent samobójców wykazuje jednocześnie wszystkie te trzy typy zachowań, a przeszło 99,8 procenta przynajmniej jedno z nich. Tymczasem Andrzej Lepper nie przejawiał żadnego z tych symptomów, co u samobójców zdarza się tylko w dwóch przypadkach na tysiąc. Prawie dwadzieścia osób, z którymi w ostatniej dobie życia spotkał się i rozmawiał, potwierdziło, że Lepper nie był agresywny i nic w jego zachowaniu nie wskazywało na zamiar samobójstwa, miał mnóstwo planów i zamierzeń, był pełen wigoru, a w ciągu ostatniej doby przed śmiercią odbył dziesiątki spotkań i rozmów ze współpracownikami. Tylko Mirosław Rudowski – który jako jedyny miał klucz do prywatnych pomieszczeń Leppera – twierdził później, że Lepper był smutny, ale ta relacja stoi w całkowitej sprzeczności z kilkunastoma innymi.

Jeśli przyjąć, że Andrzej Lepper miał popełnić samobójstwo, to był samobójcą absolutnie wyjątkowym.

W dniu tragedii w siedzibie Samoobrony panował spory ruch. Chwilami w lokalu przebywało nawet kilka osób, ale były też kwadranse, a nawet okresy dłuższe, gdy poza Lepperem nie było nikogo, bo interesanci, wśród których była też umówiona na wywiad dziennikarka stacji TVN, pojawiali się i znikali. Około południa biuro Samoobrony opuścił Mieczysław Meyer - poszedł do kancelarii adwokackiej przy ulicy Świętokrzyskiej, na spotkanie z Violettą Gut, radcą prawnym Samoobrony. Mniej więcej w tym samym czasie Janusz Maksymiuk pojechał odebrać od zięcia wnuczkę, a dwie godziny później Mirosław Rudowski udał się do sklepu na Nowym Świecie. W międzyczasie przychodzili i wychodzili inni interesanci oraz współpracownicy Leppera, między innymi Mateusz Piskorski i Krzysztof Sikora, ale żaden z nich nie widział szefa. Według relacji świadków po godzinie 14:30 lokal opustoszał i pozostał w nim sam Lepper.

Około 15:30 zaniepokojony Tomasz Lepper, który od jakiegoś czasu bezskutecznie szukał kontaktu z ojcem, zadzwonił do szwagra, Adriana Borkowskiego, który pracował w pobliżu biura Samoobrony, by ten sprawdził, co dzieje się z ojcem. Pół godziny później Borkowski dotarł do siedziby Samoobrony, znanym sobie kodem otworzył drzwi na klatkę schodową i wjechał windą na trzecie piętro, gdzie kilkukrotnie zadzwonił dzwonkiem u drzwi. Ponieważ nikt nie otwierał, zadzwonił na telefon komórkowy teścia, lecz ten nie odbierał. Borkowski zjechał windą na dół i wyszedł na podwórze, skąd zadzwonił do Tomasza Leppera. Gdy kończył rozmowę, z klatki schodowej wyszedł Mirosław Rudowski, który właśnie wracał ze sklepu i zauważył zięcia Leppera. Razem weszli do biura. Ponieważ gabinet był pusty, Borkowski skierował się do pokoju prywatnego – ale ten był zamknięty. Borkowski zaczął silnie uderzać w drzwi, a w pewnym momencie mocno pchnął klamkę i drzwi ustąpiły. Po wejściu do pokoju Adrian Borkowski zobaczył włączony telewizor, na ekranie którego widniał zatrzymany kadr z konferencji prasowej premiera Donalda Tuska i Ministra Obrony Narodowej transmitowanej przez stację Polsat News z podaną godziną 13:14. Pasek stacji informacyjnej opatrzony był napisami „Kampanię czas zacząć" oraz „Dymisja Anatola Czabana". Postąpił krok naprzód i przez otwarte drzwi zobaczył wiszące w łazience, na prawo od wejścia, zwłoki Andrzeja Leppera.

Co się dzieje dalej?

Istne pandemonium. Przerażony Borkowski woła Rudowskiego. Krzyczy do niego, że Andrzej Lepper nie żyje – ten jednak nie chce przyjść, bo – jak powie później – ogarnęła go panika. Przychodzi dopiero po dobrej minucie, wciąż nie potrafiąc nad sobą zapanować. Według Borkowskiego cały czas sprawiał wrażenie przestraszonego.

Pierwszy dochodzi do siebie zięć Leppera, który sprawdza wiszącemu puls. Ale pulsu nie ma, bo zwłoki denata są już zimne. Gdy pierwszy szok mija Borkowski i Rudowski rozglądają się po pokoju, starając się zrozumieć, jak mogło dojść do tragedii. Wokół panuje nieład, na biurku leży niedojedzona kanapka, łóżko jest niepościelone, lecz nigdzie nie widać śladów walki czy obecności innych osób. Konstatują, że w zamku drzwi, od strony wewnętrznej, nie ma kluczy. Sprawdzają więc w szafkach i w zasięgu wzroku i po chwili klucze się znajdują – cały czas były na szafce w pokoju. Borkowski i Rudowski dostrzegają, że prawe skrzydło okna na wprost drzwi wejściowych jest uchylone. Po tym, jak mija pierwszy odruch paniki, starają się myśleć trzeźwo. Dopuszczają różne wersje śmierci Leppera i starają się działać racjonalnie – ale czy rzeczywiście ich działania są racjonalne?

Naturalnym odruchem każdego normalnego człowieka w takiej chwili, odruchem jak najbardziej racjonalnym, wydaje się wykonanie telefonu na pogotowie i policję.

Co tymczasem robią Borkowski i Rudowski?

Nie zawiadamiają telefonicznie ani policji, ani pogotowia, a zamiast tego dzwonią do... Janusza Maksymiuka i Violetty Gut. Potem jeszcze do Mieczysława Meyera. Co ciekawe, w oczekiwaniu na ich przybycie Rudowski pozostaje w biurze – sam, bo w tym czasie Borkowski jest już w drodze do domu, by bezpośrednio powiadomić o wszystkim żonę.

Violetta Gut i Mieczysław Meyer docierają do biura po kilkudziesięciu minutach – dochodzi 16:30, gdy wchodzą do prywatnych pomieszczeń Leppera. Mija jeszcze kolejnych kilkanaście minut, nim decydują się na wezwanie policji oraz pogotowia. Było coś niepojęte w zachowaniu wszystkich tych osób, ludzi bliskich Andrzejowi Lepperowi, którzy w tamtym czasie robili wszystko, tylko nie to, co zrobić powinni przede wszystkim i niezwłocznie.

Ostatecznie policja odbiera informację o wydarzeniu dopiero o16:41, ponad godzinę od ujawnienia zwłok byłego wicepremiera. Lekarz przybywa na miejsce błyskawicznie, zaledwie kilka minut po odebraniu zawiadomienia, ale niewiele już może zrobić. Co najwyżej, formalnie stwierdzić fakt śmierci Leppera – i to robi. O godzinie 16:50 podaje w karcie medycznej czynności ratunkowych: „Zgon przed przybyciem lekarza pogotowia ratunkowego. Brak oznak życia, sinica obwodowa, plamy opadowe, zesztywnienie pośmiertne".

Przybyli na miejsce kilka minut później policjanci z Komendy Stołecznej robią swoją robotę: zabezpieczają miejsca zdarzenia, ślady linii papilarnych, ślady biologiczne i traseologiczne – odciski butów z łazienki, w której znaleziono ciało przewodniczącego Samoobrony – dokonują też szczegółowych oględzin pomieszczeń prywatnych oraz wszystkich innych. Zabezpieczają sznur od snopowiązałki, na którym wisiał nieszczęśnik, przymocowany węzłem do kółka stanowiącego element mocowania worka bokserskiego przytwierdzonego do sufitu łazienki. Zabezpieczają też krzesło, na które Lepper wszedł tuż przed tym, nim zawisł na sznurze oraz wszystkie znajdujące się przy zwłokach przedmioty: obrączkę, łańcuszek z trzema zawieszkami i pieniądze w kwocie ośmiuset dwudziestu złotych. Powstaje wstępna ocena, według której śmierć Andrzeja Leppera nastąpiła pomiędzy godziną 9:00 a 12:00. Biegli oceniają też, że stan przedmiotów w łazience nie wskazuje na walkę lub szamotaninę i konstatują, że na ciele denata nie ma obrażeń wskazujących na stawianie oporu. To dużo i niewiele zarazem, zwłaszcza, że to początek śledztwa.

A jednak to wystarczyło, by nazajutrz nieomal wszystkie gazety zawyrokowały o samobójstwie – telewizja, radio oraz Internet przesądziły tę kwestię jeszcze w dniu tragedii.

W oparciu o jakie dane? O przecieki? Poszlaki? Intuicję? Jeśli tak, to jest to najbardziej godny uwagi przykład intuicji od czasu spalenia Reichstagu. Naprawdę można się wzruszyć tym, jak bardzo ludzie wierzą dziennikarzom.

Pod wpływem mediów cały kraj uznaje wersję o samobójstwie byłego wicepremiera.

Ktoś bardzo wpływowy chciał, by tę sprawę zamknięto, zanim dochodzenie tak naprawdę się rozpoczęło.

I to się udało.

ROZDZIAŁ IV

ŚLEDZTWO

Major ABW Tomasz Budzyński spojrzał na zegarek, po czym zgasił niedopałek kolejnego papierosa. Patrząc na niego nie miałem wątpliwości, że nie dożyje sędziwego wieku. Jeśli nawet nie z powodu złych ludzi, których na tym świecie – a już na pewno w jego świecie – nie brakowało, to z pewnością z powodu raka. Wypalając prawie trzy paczki papierosów dziennie, a na tyle go obliczałem, miał go jak w banku. Otwarte pozostawało pytanie nie – „czy", lecz – „kiedy" to nastąpi. A jednak to nie przykra perspektywa mojego kolegi z ABW była teraz moim zmartwieniem, lecz to, co właśnie od niego usłyszałem.

Otwierało się przede mną wyjaśnienie zagadki najbardziej niezwykłej śmierci na przestrzeni ostatniego ćwierćwiecza, opatrzonej tajemnicą i klauzulą najwyższej tajności, której odkłamanie mogło skutkować wyjaśnieniem wielu innych tajemnic dotyczących ludzi na wysokich stołkach. Miałem świadomość, że bardzo wpływowi ludzie od lat nie chcą dopuścić do wyjaśnienia prawdziwych okoliczności śmierci Andrzeja Leppera, gdyż obawiają się, że tym samym złamią ustaloną zmowę milczenia i spowodują lawinę. Zadawałem sobie pytanie, czy to, że tak jest, oznacza, że tak być musi?

Myślałem o tym, co usłyszałem od oficera ABW, który jak nikt inny znał tajemnice życia Andrzeja Leppera – tajemnice, które kryły w sobie wyjaśnienie prawdziwych okoliczności jego śmierci. I zastanawiałem się, dokąd zaprowadzić mnie droga, na którą właśnie wkraczałem.

Oficer uśmiechnął się do mnie, jakby czytał w moich myślach, a ja mimowolnie odwzajemniłem uśmiech, który jednak mocno kontrastował z moim stanem ducha.

– I to jest właśnie ta sprawa, która nie daje mi spokoju – zagadnął nawiązując do swojej opowieści.

– Nie dziwię się, że nie daje ci spokoju, bo mnie na twoim miejscu też by nie dawała – odparłem. – To bardzo śmierdząca historia. Boję się tylko, że dla mnie – biorąc poprawkę na to, że jestem człowiekiem po przejściach – za bardzo śmierdząca.

Tomek uniósł brwi, spoglądając na mnie ze zdziwieniem. Najwyraźniej potraktował moje słowa jako przesadę, bo nie pozwolił mi na rozwinięcie wątku moich wątpliwości.

– Że niby może cię to przerosnąć? Po tym, co przeszedłeś? Nie wiem, na czym opierasz swoje wrażenie, ale wiem, że tylko ty możesz to nagłośnić. Jeśli to ruszymy, jeśli śledztwo zostanie wznowione, znajdą się ludzie, którzy pomogą. Opinia publiczna to wielka siła, która nie lubi być oszukiwana. Jeżeli przekonamy ją, że wszystko, co powiedziano na temat tej zbrodni – bo to była zbrodnia – było kłamstwem, mamy szansę uruchomić reakcję łańcuchową i kto wie, co wydarzy się potem. A to dopiero początek większej całości.

– Ale dlaczego ja? – teraz to ja przerwałem. – Przecież mógłbyś z tym pójść do kogokolwiek.

– Dobrze wiesz, że nie mógłbym pójść do kogokolwiek. Z bardzo wielu powodów – powiedział w zamyśleniu, uśmiechając się przy tym cierpko, jakby ścigało go odległe echo bolesnych wspomnień. – Przeszliśmy razem, a trochę też oddzielnie, długą i niełatwą drogę. A taka droga, to unikalna wartość. Poza tym ja nie ufam komukolwiek. Mówiąc szczerze niewielu ludziom wierzę, a już tak zupełnie na poważnie, nie wierzę prawie nikomu. Tobie wierzę.

– Dobra. Ty decydujesz, komu powierzasz swoje tajemnice – powiedziałem mile połechtany. – Mam tylko jedno pytanie. Przypuśćmy, że znajdą się zainteresowani twoją wiedzą. Co wtedy? Będziesz zeznawał?

– O ile mi pozwolą. Ludzie chcą znać prawdę, a prawda jest po naszej stronie – dodał z naciskiem. Dopiero teraz zauważyłem, że major wyprostował się, jakby nagle ubyło mu lat, a jego oczy rozbłysły blaskiem, jakiego nie widziałem u niego chyba jeszcze nigdy. I nie wiedzieć czemu pomyślałem, że tak może wyglądać tylko wolny człowiek. Wolny człowiek u progu wielkiej nadziei, która właśnie się ziszcza. Siedział teraz sztywno wyprostowany z rękami lekko splecionymi na zakurzonym blacie stołu. Zapadła cisza i znalazłem się pod ostrzałem pary oczu, spokojnych, ale chłodnych i czujnych oczu, których spojrzenie sięgało samego dna mojej duszy. Major uśmiechnął się do mnie – choć jego oczy wciąż pozostawały chłodne i czujne – i podjął przerwaną opowieść.

***

– To było śledztwo, w którym od początku przyjęto wersję o samobójstwie. Wszczęte z artykułu 151 kodeksu karnego, według którego „kto namową lub przez udzielenie pomocy doprowadza człowieka do targnięcia się na własne życie, podlega karze pozbawienia wolności od 3 miesięcy do lat 5". Takie założenie już na starcie zawężało obszar poszukiwań wyłącznie do osób, które ewentualnie miałyby Leppera do samobójstwa skłonić – ale nie zmusić czy doprowadzić. O tym, że choćby teoretycznie mogło dojść do zabójstwa, nie wspomniano w ogóle.

Śledztwo prowadzone pod nadzorem Prokuratury Okręgowej w Warszawie rozpoczęło się na dobre 8 sierpnia, w poniedziałek, trzeciego dnia po śmierci Andrzeja Leppera. Ale nim w ogóle się rozpoczęło, nagłówki sobotnich i poniedziałkowych gazet już zawyrokowały i przesądziły o samobójstwie.

Od początku wyglądało to na jakiś teatr absurdu – formalnie śledztwa wciąż jeszcze nie było, ale informacje z tego nieistniejącego śledztwa wyciekały do mediów jedna za drugą, a prokuratura zachowywała się jak dziurawy okręt. Najciekawsze było to, że nikt z tym nic nie robił i wszyscy sprawiali wrażenie zadowolonych. Zupełnie tak, jakby komuś na tym zależało.

To chyba wtedy pierwszy raz pomyślałem, że preparują tę sprawę.

Znaków zapytania pojawiało się coraz więcej.

Było coś niepojętego w tym, że w sprawie, o której od początku wiedziano, że nie będzie rutynowa, za to z całą pewnością będzie przykuwać uwagę opinii publicznej, w sprawie, w której było oczywistym, iż media będą ją śledzić i analizować, bo dotyczy śmierci ważnego polityka, do niedawna szefa trzeciej siły politycznej w kraju, wicepremiera i wicemarszałka Sejmu – zwlekano tak długo. Każdy, kto choć odrobinę zna pragmatykę postępowań prokuratorskich doskonale wie, że gdy w grę wchodzi śmierć człowieka, zawsze kluczowym czynnikiem decydującym o sukcesie bądź porażce śledztwa jest upływ czasu. Tylko w ramach śledztwa można wykonać szereg czynności jak oględziny czy sekcja zwłok i tylko w ramach śledztwa można wykryć substancje w krwi denata, które wraz z upływem czasu giną bezpowrotnie.

Jak to zatem możliwe, że w tak ważnej sprawie postąpiono tak, a nie inaczej?

Na gruncie pragmatyki, logiki i zdrowego rozsądku nie da się tego wytłumaczyć.

– A jednak prokuratura podjęła taką próbę – zaoponowałem, bo dobrze pamiętałem tłumaczenia o weekendzie i wynikających stąd trudnościach. Wszyscy je pamiętali... – Prokuratura tłumaczyła opóźnienie śledztwa faktem wykrycia zwłok Leppera w piątek po południu. Podobno w tamtym czasie, w piątkowy wieczór, nie było możliwości podjęcia śledztwa – przypomniałem, ale major tylko wzruszył ramionami.

– Szkopuł w tym, że takie tłumaczenie to wierutna bzdura. By się o tym przekonać wystarczy, że zapytasz w jakiejkolwiek prokuraturze w kraju o tak zwany dyżur weekendowy prokuratora. Nawet w dużo mniej ważnych przypadkach prokurator wzywany jest na miejsce przestępstwa niezależnie od dnia tygodnia, inaczej byłby to czysty absurd – odparł. – Fakt śmierci Andrzeja Leppera i ujawnienia jego zwłok w piątek nie był żadną przeszkodą, by z miejsca zapewnić obecność śledczego i podjąć natychmiastowe czynności zmierzające do zabezpieczenia wszystkich potencjalnych dowodów, także tych uzyskanych na bazie sekcji zwłok. A to, że media podchwyciły bełkot o braku możliwości rozpoczęcia śledztwa w piątek po południu? To świadczy tylko o jakości mediów i o niczym więcej.

– Może to przypadek? – oponowałem nieśmiało, wchodząc coraz mocniej w rolę „adwokata diabła". Tak naprawdę jednak już kończąc zdanie zdawałem sobie sprawę z jego abstrakcyjności. W chwilę później wiedziałem już na pewno, że moje podejrzenia odnośnie majora i jego daru telepatii były słuszne, bo przekonała mnie o tym riposta, jakiej mi udzielił.

– Sam nie wierzysz w to, co mówisz – odparł uśmiechając się przy tym, jakby właśnie usłyszał dobry dowcip. – Zresztą w oparciu o inne dane mam podstawy twierdzić, że w tej sprawie niczego nie pozostawiono przypadkowi. Wszystko dopracowano w najdrobniejszych szczegółach, łącznie z kontrolowanymi „przeciekami" do mediów, utrwalającymi wersję o samobójstwie.

– Skąd o tym wszystkim wiesz? – dociekałem.

Znów wzruszył ramionami i znów popatrzył na mnie tak, jakbym wykluł się z jajka.

– Wielu ludzi o tym wiedziało. Ale by wytłumaczyć, jak to działa, opowiem ci pewną historię.

Było tak.

Prowadziliśmy sprawę dotyczącą korupcji przy opracowywaniu i uchwalaniu planu zagospodarowania przestrzennego Lublina. Jeden z dyrektorów wydziału miasta odpowiedzialnego za ten zakres podejmował – nie bezinteresownie rzecz jasna – decyzje korzystne dla kilku deweloperów. Przy okazji sam, przez podstawione osoby, kupował działki na terenach, które w przyszłości miały zmienić status i tym samym wielokrotnie zyskać na wartości. Panowie nie spotykali się w lokalach gastronomicznych ani innych miejscach publicznych – chodziło o to, by nikt nie skojarzył związku pomiędzy osobami biorącymi udział w procederze. Miejscem spotkań były pokoje biurowe należące do właściciela jednej z hurtowni sprzętu ogrodniczego, urządzone w taki sposób, by można było w nich zamieszkać. Właściciel nie mógł porozumieć się z małżonką i często w nich nocował – często nie sam, a w towarzystwie kochanek, które zmieniał jak rękawiczki. Z grupą osób zamieszanych w nielegalny proceder kontaktowali się dwaj prokuratorzy Prokuratury Okręgowej w Lublinie, którzy utrzymywali ścisłe kontakty towarzyskie z całą „menażerią" biorącą udział w przekręcie. Panowie spotykali się systematycznie raz w tygodniu, popijali wódeczkę i plotkowali o wielu sprawach mających miejsce w prokuraturze, urzędzie miasta i wielu innych instytucjach w Lublinie i nie tylko. Dostaliśmy cynk i tak wszyscy wymienieni zostali naszymi figurantami. A że mieli szerokie kontakty i ogromną wiedzę, można było ich słuchać i słuchać, a potem po kolei zatrzymywać i stawiać zarzuty poszczególnym osobom z establishmentu nie tylko Lublina, ale też całego województwa lubelskiego i jeszcze Warszawy na dokładkę. Szczególnie wiedza panów prokuratorów o adwokatach, sędziach i urzędnikach różnych instytucji państwowych i samorządowych wydawała się niezwykle interesująca i tylko szkoda, że – jak wynikało z podsłuchów – wykorzystywali ją nie tyle służbowo, co dla potrzeb prywatnych. Podsłuchiwaliśmy i filmowaliśmy ich przez ponad trzy miesiące, więc – jak nietrudno się domyślić – także i my wielokrotnie później zrobiliśmy z tak zdobytej wiedzy operacyjny użytek. Towarzystwo było zblazowane do tego stopnia, że niekiedy spotkania nabierały nie tylko charakteru towarzyskiego, ale także seksualnego. Właściciel hurtowni miał szerokie kontakty wśród ukraińskich prostytutek zamieszkałych w całym województwie i często „zapraszał" je do uczestnictwa w suto zakrapianych imprezach. Był gościnny, więc wszyscy obserwowani korzystali pojedynczo z uprzejmości gospodarza, spotykając się z prostytutkami tete a tete. Najwyraźniej wydawało im się to wygodne i bezpieczne, bo lokalizacja budynku hurtowni zapewniała całkowitą anonimowość, lepszą niż wynajęta na mieście garsoniera. Nie wiedzieli jednak, że niewiele było budynków na wschód od Wisły, które zaopatrzono w lepszy zestaw kamer i mikrofonów. Chłopcy z techniki wykonali dobrą robotę. Na nagraniach widać, że szczególnie osobliwe zwyczaje miał zwłaszcza jeden z prokuratorów, M...

A my nagrywaliśmy i nagrywaliśmy, wszystko w najlepszej jakości audio-video. Dalej poszło już łatwo. W pozornie nic nieznaczącej rozmowie z prokuratorem ktoś użył sformułowania „złoty deszcz", ktoś inny przez przypadek, rzecz jasna, zostawił na biurku płytę DVD zawierającą fragment nagrania, mówiący więcej niż jakiekolwiek słowa, jeszcze ktoś inny przemycił sugestię o tajemnicach, o których się nie mówi i mówić nie trzeba, i dopiero na koniec, gdy figurant był już zmęczony i osaczony – bo przecież nie był idiotą i rozumiał, że te przypadki to nie przypadki – padła konkretnie przedłożona oferta, z gatunku tych nie do odrzucenia: nikt się nie dowie, ale jak to w życiu, nie ma nic za darmo.

M. idiotą nie był. Zrozumiał, co do niego mówiono – że przez swoje słabostki, impulsy i żądze ukryte tuż pod powierzchnią, które właśnie zostały odkryte i obrócone przeciw niemu, z jego życia mogą pozostać zgliszcza. Oczywiście samo w sobie spotkanie z prostytutką przestępstwem nie było i przecież nie on jeden potajemnie folgował swoim żądzom. A jednak to, co zarejestrowano było tak upiornie nietypowe i tak dalece odbiegało od jakichkolwiek standardów, że po czymś takim trudno byłoby spojrzeć w twarz bliskim, kolegom czy przełożonym w pracy. Wypuszczony na YouTube filmik w takiej konwencji, z takim bohaterem, w naszym zdegenerowanym świecie, miałby milionową oglądalność i oznaczał koniec dotychczasowego życia osobistego i zawodowego prokuratora Prokuratury Okręgowej. Co gorsza – M. takim przeszedłby do historii. Zasiadał w sali sądowej od kilkudziesięciu lat. Ludzie mu ufali. I miał skończyć z opinią perwersyjnego zboka? A przecież tak by skończył i takim został zapamiętany i absolutnie wszystko, co zrobił w całym swoim życiu, w tym momencie przestałoby mieć znaczenie. Jednym słowem – nie miał żadnych szans. Oczywiście byliśmy przygotowani także na wariant „B", bo na to zawsze trzeba być gotowym. Gdyby to, co przygotowaliśmy, nie wystarczyło, w zanadrzu mieliśmy poważniejsze atuty, bo już same rozmowy, które prowadził prokurator M. i reszta tego szemranego towarzystwa, jak nic nadawały się na sporządzenie porządnego aktu oskarżenia. I to w niejednej sprawie. Ale prokurator, jak się rzekło, nie był idiotą i – zrozumiał. Przez pewien, bardzo krótki czas, wahał się, po czym podjął decyzję. I była to właściwa decyzja.

M. zyskał tymczasowy spokój, my zyskaliśmy kolejnego przyjaciela – jednego z wielu w tak zwanym wymiarze sprawiedliwości. M. nigdy nas nie zawiódł. Nie sprawiał kłopotów i zawsze robił to, czego od niego oczekiwaliśmy – a oczekiwania były ogromne. Był dobrym i posłusznym „współpracownikiem".

Czymś absolutnie niepojętym może się wydać nasze postępowanie w tej sprawie. Ktoś mógłby zapytać – ktoś niemający zielonego pojęcia o pragmatyce służb specjalnych – dlaczego zamiast posłać zdegenerowanego i skorumpowanego prokuratora do paki, podjęliśmy ryzyko (zważywszy wagę nagrań, niewielkie, trzeba przyznać) jego werbunku, łamiąc przy tym prawo, lecz byłoby to pytanie żałosne w swojej głupocie i naiwności. Na marginesie – to, że istnieje formalny, instrukcyjny zakaz werbowania osobowych źródeł informacji w pewnych środowiskach, na przykład prokuratorów czy sędziów, nie oznacza, że się tego nie robi. Przeciwnie – werbuje się zawsze i wszędzie, jeżeli tylko jest po temu najmniejsza choćby okazja. W sekretariatach i wydziałach wspomagających właściwą merytoryczną pracę sądów i prokuratur zatrudnionych jest wiele nudzących się pań i panów, którzy zarabiają na tyle mało, że dodatkowy grosz stanowi naturalny bodziec do współpracy. Personel pomocniczy wie wszystko, ma dostęp do akt spraw, może w nie ingerować i często to robi. Ginące dowody, notatki z protokołów przesłuchań, jak sądzisz – czyja to sprawa? Sędziowie, prokuratorzy, adwokaci są takimi samymi ludźmi jak inni, ani lepszymi, ani gorszymi, ze swoimi słabościami, grzeszkami i tajemnicami, czyli z całym tym piekłem, z którym zmaga się każdy z nas, a które od zawsze stanowi żer dla fachowców z branży. Żer, który wykorzystywany jest w sposób specyficzny, nie zawsze do bieżącej pracy operacyjnej, a często do kreacji korzystnych, ze względu na interes służby – lub zamysłów jej szefów – sytuacji. Reasumując – za decyzją o werbunku M. i wielu mu podobnych, kryła się logiczna i przebiegła gra. Gra, której skutki obserwowałem później wielokrotnie i której byłem uczestnikiem o wiele częściej, niżbym sobie tego życzył.

I to już koniec historii. Jednej z wielu, jakie mógłbym ci opowiedzieć.

– Hm – mruknąłem, bo nic innego nie przychodziło mi do głowy, po czym zapadła cisza. A nic innego nie przychodziło mi do głowy, bo po prostu bywają historie, które są nazbyt oczywiste, by je komentować. To właśnie była taka historia.

Ponieważ jednak milczenie przedłużało się, pokusiłem się o zabranie głosu.

– Jeśli dobrze rozumiem, sugerujesz, że prokurator była marionetką. Pozostaje pytanie – kto trzymał koniec sznurka?

– Niczego nie sugeruję, tłumaczę tylko, jak to działa. W ABW robiliśmy takie rzeczy wiele razy. Inni robili jeszcze gorsze.

– A gdzie tkwi „haczyk" w tej sprawie?

– Nacisk, szantaż – to co zwykle. Jeżeli ktoś wierzy w niezależność prokuratury w tym kraju, to znaczy, że uwierzy już we wszystko.

– Chciałbym się upewnić – mówimy o Natalii Maszkiewicz, prokurator prowadzącej sprawę?

Major pokręcił przecząco głową.

– Popatrz na to z innej strony. W sprawie, która skupia na sobie tak wielką uwagę opinii publicznej i której wyjaśnienie siłą rzeczy musi być priorytetem, nie powstaje zespół śledczy z prawdziwego zdarzenia, nie angażuje się śledczego z dorobkiem, z doświadczeniem, czy sukcesami. Zamiast tego angażuje się prokurator, która chwilę wcześniej pełniła służbę w charakterze asesora Prokuratury Rejonowej dla Warszawy-Mokotowa. Zupełnie tak, jakby na każdym etapie tej historii ktoś do minimum ograniczał możliwość jej wyjaśnienia. Ktoś bardzo ważny nie chciał, by ta sprawa została wyjaśniona i robił wszystko, by tak się stało. Ale ten ktoś nie docenił prokurator Maszkiewicz.

– O czym teraz mówisz? – spytałem zaintrygowany ostatnim zdaniem.

– Mówię o tym, że powinieneś porozmawiać z kimś, kto bardzo chciałby porozmawiać z tobą.

– Domyślam się, że masz w zanadrzu wizytówkę tego kogoś i że dziś jeszcze powinienem wykonać telefon.

– Zrobiłem znacznie więcej – tu uśmiechnął się, jakby udał mu się dobry żart. – Umówiłem was już na spotkanie.

ROZDZIAŁ V

MISTYFIKACJA

Nieznajomy przybył punktualnie. Wysoki, postawny jegomość o sympatycznej twarzy. Podszedł do stolika i uścisnął mi dłoń. Uścisk miał mocny. – Nikt pana nie śledził? – zagadnął. Zaprzeczyłem skinieniem głowy. – Niech pan nie ufa nikomu. Pomyślałem, że w świecie ludzi, których prawica nie wie, co czyni lewica, to zapewne powitalny rytuał, coś na kształt grzecznościowego „dzień dobry" w świecie zwyczajnych śmiertelników. Przybysz zrobił na mnie dobre wrażenie. Intuicyjnie czułem, że to porządny gość, ale oczywiście pamiętałem, co zawsze powtarzał major Tomasz Budzyński: „dowody węchowe niewiele znaczą dla sądu".

– Zapewne domyśla się pan, kim jestem? – przybyły nie czekając na odpowiedź przysiadł się do stolika.

– Wiem tylko, że jest pan oficerem policji, który pracował przy śledztwie dotyczącym śmierci Andrzeja Leppera.

Mężczyzna skinął potakująco głową.

– I wystarczy. Dokładnie tyle powinien pan o mnie wiedzieć. Reszta jest bez związku z naszym spotkaniem.

– Napije się pan czegoś? – zagadnąłem i nie czekając na odpowiedź chciałem przywołać kelnerkę, ale nieznajomy wstrzymał mnie ruchem dłoni.

– Nie mam za wiele czasu. Kolega, nasz wspólny znajomy, poprosił, bym opowiedział panu o tym śledztwie.

Na początek jednak umówmy się: tego spotkania nigdy nie było, ok?

– Prawie wszyscy ludzie, z którymi rozmawiam, od tego zaczynają. Rozumiem, że to w pana branży coś na kształt powitania – zagadnąłem żartobliwie, usiłując nieudolnie skrócić dystans. Najwyraźniej jednak trafiłem na osobnika pozbawionego poczucia humoru, bo nawet okiem nie mrugnął. – Oczywiście uszanuję pańską anonimowość, jeśli o to panu chodzi – dodałem szybko w nadziei, że nie wstanie i nie odejdzie od stolika, przy którym dopiero co usiadł.

– Cieszę się, że się rozumiemy – odparł. – Nie mam za wiele czasu, więc przejdźmy od razu do rzeczy.

Nieznajomy zapalił papierosa i mocno się zaciągnął. Przez chwilę przyglądał mi się badawczo.

– Pamięta pan, jak to wszystko wtedy wyglądało?

– Pamiętam to i owo. Ale skoro nie ma pan czasu, to może przyjmijmy formułę: pan mówi – ja słucham. Chodzi o ekonomikę procesową – znów zażartowałem. I znów trafiłem jak kulą w płot, bo gliniarz popatrzył na mnie tak, jakby rozważał tylko dwa warianty – wstać czy mi przyłożyć. Najwyraźniej jednak zmienił zdanie, bo wybrał wariant trzeci.

– Żartowniś z pana – zauważył, po czym rozejrzał się dookoła i zniżył głos do szeptu. – Nie mam czasu na bzdury, proszę zatem słuchać. To nie jest zwyczajna sprawa. Jeśli więc zdecyduje się pan nią zająć, to niech pan będzie poważny. Po pańskich doświadczeniach powinien pan wiedzieć, kiedy jest czas na żarty, a kiedy nie. Teraz nie jest, rozumiemy się?

Skinąłem potakująco głową, ale pomyślałem, że źle

go oceniłem. Już nie wydawał mi się sympatyczny, za to zgorzkniały, gburowaty i cwany, typowy twardy glina.

– Zanim zacznę, chciałbym wiedzieć: ktoś za panem stoi, czy jest pan sam?

– A kto nie jest sam?

– Zatem nic pan nie może. Ok, no to jesteśmy w takiej samej beznadziejnej sytuacji. Jedyny plus, że przynajmniej po tej samej stronie – powiedział. Nie wiedziałem, do mnie czy do siebie. – Tak pana dopytuję, bo chciałbym mieć pewność, że pan wie, z czym ma do czynienia.

– Zna pan moją historię. Powinien pan zatem już wiedzieć, że niełatwo ulegam złudzeniom.

Popatrzył na mnie badawczo, jakby miał ochotę na wygłoszenie jakiegoś komentarza, ale widocznie zmienił zdanie, bo odezwał się tonem, w którym dostrzegłem mikrony życzliwości.

– Dobrze więc. Zacznijmy od początku. Czy pan wie, że w ostatnich tygodniach przed śmiercią Andrzej Lepper mówił wielu ludziom, że obawia się o swoje życie?

– Coś mi się obiło o uszy – skłamałem, bo tak naprawdę słyszałem tylko o jednej takiej osobie, dziennikarzu Tomaszu Sakiewiczu.

– Mówił o tym kilkukrotnie żonie Irenie, ostatni raz w przeddzień wyjazdu do Warszawy, 3 sierpnia 2011 roku. Mówił też Violeta Gut, ale nie skonkretyzował zagrożenia. Obiecał wrócić do tematu w miejscu – ale jak się wyraził – w miejscu, w którym na pewno nie będzie podsłuchów. Czy są w ogóle takie miejsca? Pomyślałem, że teraz najwyraźniej jemu zebrało się na żarty i z kolei teraz to ja popatrzyłem na niego uważnie, uśmiechając się przy tym od ucha do ucha. Ale jednak nie żartował, bo po chwili spytał.

– Zauważył pan coś śmiesznego w tym, co powiedziałem?

– Ma pan rację – odparłem. – Nie ma w tym nic śmiesznego. Możemy iść dalej?

– Możemy. Podobne obawy jak te, o których mówił żonie, Lepper wyrażał przed innymi współpracownikami. Potwierdziło to kilkoro z nich. Opowiadał, że są ludzie, którzy chcą go osaczyć i zniszczyć. Zdaje się jednak, że nie potraktowano tego zbyt poważnie, mylnie wnioskując, że Lepper ma na myśli politycznych przeciwników. Policjant zaciągnął się papierosem i wypuścił dym w powietrze. Przez chwilę jakby nad czymś się zastanawiał, po czym podjął wątek. – Według świadków ta obawa o własne życie, to narastające przerażenie – bo to było przerażenie – zaczęło się od śmierci Ryszarda Kucińskiego, ale tę historię akurat pan zna, prawda?

Zamyśliłem się nad jego słowami.

***

Wiedziałem o czym mówi policjant.

Wiosną 2005 roku zadzwonił do mnie mój informator, ostatni szef kontrwywiadu PRL, pułkownik Aleksander Lichocki (po próbie aresztowania mnie w wyniku spisku zawiązanego na szczytach władzy, z udziałem prezydenta Polski Bronisława Komorowskiego, został ujawniony jako mój informator przez dziennikarzy innych mediów).

– Za pół godziny tam gdzie zwykle – rzucił w słuchawkę.

– Za pół godziny nie dam rady, pisałem prawie do

rana, poza tym muszę wziąć kąpiel...

– Jesteś wystarczająco czysty jak na ten brudny świat. Ja czekam na ciebie za pół godziny. Cześć.

Przerwał połączenie nie czekając na odpowiedź. Choć wiele razy obiecywałem sobie, że nie będę reagował na tego typu specyficzne „zaproszenia”, tym razem coś mi mówiło, że to nie jest dobry moment na wymówki.

Wziąłem prysznic, ogoliłem się, ubrałem i zjadłem szybkie śniadanie z takim pokrzepiającym skutkiem, że po pół godzinie byłem w stanie uśmiechnąć się i powiedzieć uprzejmie „dzień dobry” recepcjonistce w hotelu Ibis, kelnerce i na koniec mojemu informatorowi. Olek Lichocki oczekiwał na mnie z zamówioną latte. – Jest temat. Bierzesz albo nie. Jeśli tak, stawiam tylko jeden warunek. Materiał musi być zwodowany najpóźniej w poniedziałek – zaczął bez zbędnych wstępów. – Potwierdzenie musi być w niedzielę rano. Jeśli nie będzie, w poniedziałek newsa zwoduje ktoś inny.

– Słucham?

– Słyszałeś. W poniedziałek – powtórzył z naciskiem.

– Nie da rady. Dzisiaj jest czwartek, co najmniej dzień na weryfikację...

– Tym razem weryfikacja nie będzie potrzebna. Taki to materiał.

– Weryfikacja zawsze jest potrzebna i nie ma od tego wyjątków.

– Metr osiemdziesiąt, dobrze zbudowany, około siedemdziesiątki, siwiejący, w okularach. To będzie twoja weryfikacja. Nazywa się Kowalski. Przyniesie ci próbkę materiału, który sobie weryfikuj. Powiedzmy o jedenastej w tym samym miejscu. Jak ty i twoja redakcja będziecie zainteresowani, resztę otrzymasz o siedemnastej od Kucińskiego.

– Od kogo?

– Od Ryszarda Kucińskiego, twojego dawnego znajomego z prokuratury apelacyjnej, a ostatnio adwokata Marka Dochnala. Żegnam.

– Chwileczkę – Olek zatrzymał się w pół kroku. – Rzucasz ochłap i już cię nie ma. To nie jest uczciwe ani mądre.

– Uczciwość mnie nie obchodzi, a jeśli idzie o mądrość, to osądzisz ją później, jak zobaczysz próbki. Spieszę się. Cześć!

Zostałem sam na sam ze sobą. W oczekiwaniu na Kowalskiego, czy jak on się tam nazywał naprawdę, miałem półtorej godziny na przemyślenie całej historii. O tym, że Ryszard Kuciński, były rzecznik Prokuratury Apelacyjnej w Warszawie, a ostatnio adwokat Marka Dochnala, dysponuje materiałami pozyskanymi od swojego klienta, które mogą wysadzić pół sceny politycznej, słyszałem już wcześniej od dwóch informatorów. Działali razem i byli znani co najmniej kilku dziennikarzom śledczym, a część ich informacji pochodziła – jak mówiono na rynku – prosto z Abwehry i innych służb tajnych. Teraz te same informacje w wersji skonkretyzowanej przynosił Olek. Przypadek czy duża, prowadzona na szeroką skalę gra, w której jakąś rolę przypisano mediom? Na rozmyślaniach, z których nic nie wynikało, zeszło mi kilkadziesiąt minut.

– Pan Sumliński?

Mężczyzna zadający to pytanie nie wyglądał na sędziwego staruszka, w każdym razie nie tak, jak ja sobie wyobrażałem jegomościa pod siedemdziesiątkę. Twardy i wyglądający na przebiegłego osobnik. Rozpromieniony od ucha do ucha. Przysiadł się nie czekając na zaproszenie.

– Nazywam się Kowalski.

Może i był nim, ale miałem w tym zakresie poważne wątpliwości.

– Ma pan do omówienia ze mną jakąś sprawę – zagadnąłem. Powitalny uśmiech zniknął w okamgnieniu.

– Ano właściwie mam i nie mam. I nie wiem, czy do omówienia.

– Proszę?

Kowalski zmarszczył brwi w zamyśleniu, wzruszył ramionami i zza poły marynarki wyjął zalakowaną kopertę, którą położył na stole.

– Tu nie ma nic do omawiania. Niech pan sobie obejrzy to. Do widzenia panu – podał mi rękę, wstał od stołu i ruszył do obrotowych drzwi, którymi wszedł zaledwie minutę wcześniej. Przez chwilę przyglądałem się leżącej na stole przesyłce, po czym naderwałem jej krawędź i szybko otworzyłem.

W środku było tylko jedno zdjęcie, przedstawiające uśmiechających się do siebie prezydenta Aleksandra Kwaśniewskiego i lobbystę Marka Dochnala. W tym momencie wszystko było już jasne.

Jadąc jak szalony nie pozyskałem sobie przyjaciół w drodze z ulicy Konwiktorskiej, gdzie znajdował się hotel Ibis, do redakcji tygodnika „Wprost" w Alejach Jerozolimskich. Po drodze szybko analizowałem wagę otrzymanego materiału. Przyciskany przez media i opozycję prezydent Aleksander Kwaśniewski od wielu tygodni wił się jak piskorz, zapewniając w licznych publicznych wypowiedziach, że nigdy nie poznał i nigdy nie spotkał się z Markiem Dochnalem. W najbliższy poniedziałek miał stawić się przed Sejmową Komisją Śledczą, by po raz sto pierwszy, za to pierwszy raz zeznając pod przysięgą, powtórzyć to, co mówił na ten temat dotychczas. Prezydent wahał się, czy wziąć udział w przesłuchaniu. Jeżeli zdjęcie, które otrzymałem, nie było mistyfikacją, miałem dowód, że Aleksander Kwaśniewski kłamał jak z nut. Zastanawiało mnie, dlaczego mojemu informatorowi, tudzież ludziom stojącym za nim, tak zależało, by materiał ukazał się w poniedziałek. Rozpatrywałem różne koncepcje, nawet te najbardziej irracjonalne, ostatecznie jednak dałem sobie spokój. Powodów mogło być tak wiele, że zastanawianie się nad nimi zwyczajnie nie miało sensu. „Koniec końców moja rola polega na zebraniu informacji prawdziwych i ważnych z punktu widzenia opinii publicznej, nie na rozważaniu motywacji informatorów", przypomniałem sobie zasadę, która legła u podstaw współpracy z Lichockim i innymi informatorami.

„A o ewentualnej publikacji zdjęć i tak miało zdecydować kierownictwo „Wprost", więc to nie mój ból głowy", skonstatowałem. Nie dziwiło mnie natomiast wcale, że adwokat Dochnala kooperował z ludźmi służb specjalnych i posługiwał się materiałami uzyskanymi od klienta niczym własnymi. Znałem dobrze „Kucińskich" tego świata. Byłem w branży dość długo, by wiedzieć, że dla służb specjalnych na całym świecie adwokaci są równie cenną agenturą jak dziennikarze. To prawda starsza od samego grzechu. Połączenie szantażu, pieniędzy, niekiedy groźby złamania kariery lub nawet więzienia sprawiało, że na współpracę z ABW lub WSI decydowało się wiele osób – także kolegów z branży – których nazwiska znają wszyscy dziennikarze śledczy, ale publicznie z wielu względów nie wymieni ich nikt – także nazwisk adwokatów. Chyba od nikogo nie dostałem tak wielu informacji o interesujących mnie przestępcach, co od ich adwokatów...

Zaparkowałem samochód na zazwyczaj pełnym parkingu, wysiadłem i popędziłem do redakcji. Poszedłem prosto do gabinetu Marka Króla, naczelnego „Wprost", ale nie było go u siebie. Wychodząc wpadłem na Staszka Janeckiego, jednego z zastępców naczelnego. Pokazałem mu zdjęcie i powiedziałem, skąd dostaniemy jeszcze kilka takich fotek. Był oszołomiony.

– Na najbliższy numer przygotowywaliśmy już tekst na ten temat, ale te zdjęcia są stokroć ważniejsze od tekstu. Bez dwóch zdań wchodzimy w to – rzucił krótko.

Jeszcze tego samego dnia pojechałem do umiejscowionej blisko Belwederu kancelarii mecenasa Dochnala, z którym przed laty miałem styczność jako rzecznikiem Prokuratury Apelacyjnej w Warszawie. Porozmawialiśmy jak starzy, dobrzy znajomi o starych dobrych czasach, gdy on był twarzą warszawskiej prokuratury, zaś ja naiwnym dziennikarzem wierzącym, że świat ma wyłącznie tonację biało-czarną...

Z kancelarii wyjechałem po godzinie dwudziestej, bogatszy o kilka zdjęć i notatniki Marka Dochnala na dokładkę. Taki prezent ekstra. Piątek zszedł na analizie wiarygodności zdjęć i przekazującego je pośrednika. Staszek uparł się, by w mojej obecności porozmawiać z mecenasem Kucińskim.

– Nie możemy sobie pozwolić na jakąkolwiek pomyłkę. To gra o najwyższą stawkę – tłumaczył. Kuciński zgodził się na spotkanie. Obydwa testy – analiza zdjęć i „trójkowa" rozmowa z adwokatem – przebiegły pomyślnie...

Materiał poświęcony Aleksandrowi Kwaśniewskiemu, opatrzony wielokroć ważniejszymi od tekstu zdjęciami, ukazał się w poniedziałkowy ranek, a już kilka godzin później przerażony prezydent zwołał konferencję prasową. Nazwał „Wprost" ubeckim tygodnikiem i odmówił stawienia się przed Sejmową Komisją Śledczą ds. PKN Orlen.

– Mógłbym tam pójść, by zaśpiewać i zatańczyć, tylko po co? – spuentował. Paniczna reakcja Kwaśniewskiego na publikację zdjęć demaskujących jego po wielokroć powtarzane kłamstwa była dla wszystkich zaskoczeniem. Po raz pierwszy prezydent tak jawnie postawił się ponad innymi obywatelami, mówiąc: róbcie, co chcecie, nie będę zeznawał i koniec. Większość mediów analizowała przyczyny tak ostrej reakcji Kwaśniewskiego, mnie tymczasem do głowy przyszła inna myśl: co by było, gdyby prezydent stanął przed Sejmową Komisją Śledczą, powtórzył pod przysięgą zapewnienia dotyczące nieznajomości z Dochnalem, które wcześniej po wielokroć wypowiadał w mediach i dopiero po tym zdjęcia opublikowane w tygodniku „Wprost" ujrzałyby światło dzienne? Prezydent na oczach całej Polski – bo przecież posiedzenia Komisji były transmitowane na żywo – popełniłby jawne przestępstwo. Co byłoby dalej? Impeachment? Trybunał Stanu? Do tego jednak nie doszło, bo komuś zależało na wywołaniu reakcji łańcuchowej, która co prawda wprowadziła Kwaśniewskiego w stan przerażenia, ale de facto uratowała mu skórę.

A ja zadawałem sobie pytania.

Dlaczego rozegrano to właśnie w ten, a nie inny sposób?

Kto i po co wymyślił taki szatański, „wielopiętrowy" plan, w którym rozegrano mnie i nas – a właściwiej należałoby stwierdzić – posłużono się mną i nami jak dziećmi?

Jaką rolę w tej grze odegrał mecenas Ryszard Kuciński?

Nigdy nie poznałem odpowiedzi na te pytania, ale jedno w tej historii nie ulegało dla mnie wątpliwości: Ryszard Kuciński współpracował z oficerami wojskowych służb specjalnych i wykonywał polecenia takich ludzi jak pułkownik Aleksander Lichocki. A wiedziałem to stąd, że przy tym byłem i doświadczyłem tego osobiście.

Mając taką, a nie inną wiedzę oraz takie, a nie inne doświadczenia, patrzyłem na to, co nastąpiło kilka lat później – a zaledwie dwa i pół miesiąca przed śmiercią Andrzeja Leppera – przez pryzmat tych właśnie wydarzeń i tych właśnie doświadczeń.

27 maja 2011 roku na stronie internetowej Samoobrony ukazały się kondolencje następującej treści: „Odszedł nasz Kolega Mecenas Ryszard Kuciński, przyjaciel i długoletni współpracownik. Łącząc się w żalu z sercem pełnym bólu, w imieniu działaczy i sympatyków Samoobrony oraz własnym, składam Rodzinie i Bliskim wyrazy głębokiego współczucia. Żegnaj Ryszardzie! Przewodniczący Andrzej Lepper".

Śmierć Kucińskiego, który był dla Leppera jedną z najbardziej zaufanych osób, na tyle bliską, że to właśnie u niego Lepper zdeponował tajne dokumenty i nagrania, które miały być zagrożeniem dla ludzi na wysokich stołkach - bardzo wpływowych, zajmujących najwyższe stanowiska w państwie – zastanowiła mnie. Dla Andrzeja Leppera zdeponowane materiały miały stanowić swoistą polisę ubezpieczeniową. Później okazało się, że przynajmniej część z nich dotyczyła fundacji „Pro Civili", założonej przez oficerów WSI.

Nie byle jakiej fundacji.

Wiedziałem dobrze, czym była ta fundacja, bo to ja ujawniłem o niej prawdę i fakty nieznane wcześniej opinii publicznej.

Fundacja „Pro Civili" została powołana do życia w połowie lat dziewięćdziesiątych, z kapitałem założycielskim wynoszącym trzysta tysięcy złotych, i formalnie miała zajmować się wspieraniem oficerów wojska polskiego oraz innych osób – także ich rodzin – które poniosły szkodę broniąc bezpieczeństwa i porządku prawnego RP.

Była to jednak zwyczajna „przykrywka", bo w rzeczywistości bez dwóch zdań „Pro Civili" stanowiła najbardziej niebezpieczną organizację przestępczą w Polsce, z którą dziwne więzi łączyły Ministra Obrony Narodowej – późniejszego prezydenta Polski – Bronisława Komorowskiego. Pod koniec lat dziewięćdziesiątych „Pro Civili" działała już w całym kraju i otworzyła dwa ośrodki zamiejscowe: przy firmie Quorum – Agencja Marketingowa w Krakowie oraz w kooperacji ze spółką z o.o. „Metro" w Nowej Soli. Osobami zajmującymi w tym czasie kierownicze stanowiska w fundacji byli między innymi generał Stanisław Świtalski, pułkownik z III Zarządu WSI Marek Wolny, porucznik Marek Olifierczuk, poseł

Janusz Maksymiuk oraz kapitan WSI Piotr Polaszczyk – przewodniczący rady fundacji. Ten ostatni w latach 2000–2001 przedstawiał się jako pełnomocnik Ministra Obrony Narodowej. Zdaniem oficerów Centralnego Biura Śledczego prowadzących śledztwo skład osobowy fundacji, podejmowane działania, a także prowadzone względem niej operacyjne procedury osłonowe wskazywały, iż było to przedsięwzięcie zorganizowane przez Wojskowe Służby Informacyjne, pod ścisłym nadzorem Ministerstwa Obrony Narodowej. Fundacja rozpoczęła działalność od reprezentowania w Polsce austriackich firm ubezpieczeniowych, a pierwszych nadużyć dokonano w ramach kooperacji z fundacją „Dziecko Warszawy". Następnie w celu zorganizowania procederu wyłudzeń podatku VAT utworzono kilkadziesiąt firm powiązanych osobowo i kapitałowo z „Pro Civili". I tak to się zaczęło.

Ukradzione pieniądze transferowano z Polski za pośrednictwem korporacji „Adar" i „Parsley Company Limited", zarejestrowanej na Cyprze, do państw byłego Związku Radzieckiego, głównie Rosji. Przykład takiego działania stanowiła umowa w sprawie zakupu jachtu motorowego przez „Adar" od firmy „Parsley" o wartości sześciu milionów dolarów. „Adar" zawarła umowę z WAT na leasing jachtu na sześć lat, której łączna wartość wynosiła trzydzieści sześć milionów złotych plus podatek VAT. Jednak już kilka miesięcy później zawarto kolejną umowę leasingu tego samego jachtu, której wysokość określono na dwadzieścia jeden milionów złotych plus VAT. Wartość każdej z tych umów była zatem wyższa od wartości jachtu, który po okresie leasingowania i tak miał pozostać własnością „Parsley". W tym samym czasie „Adar” za pośrednictwem Wojskowej Akademii Technicznej kupił od „Parsley” platformę wiertniczą za sto dwadzieścia pięć milionów dolarów. Z uwagi na fakt, iż pieniądze wypłacone w wyniku obu umów – za jacht i za platformę – miały zostać wysłane na to samo konto w banku na Cyprze, stanowiły one prostą i szybką drogę do wytransferowania pod osłoną WSI ponad stu trzydziestu milionów mafijnych dolarów poza polski system bankowy. Niezależnie od skutków finansowych, jakie wynikały z powyższych kontraktów, umowy te zawierały również klauzule umożliwiające kontrahentowi dostęp do informacji stanowiących co najmniej tajemnicę służbową. Dotyczyło to przede wszystkim możliwości wglądu w budżet i bilans finansowy Wojskowej Akademii Technicznej, w tym zakres i budżet finansowania prac naukowych, badawczych oraz wdrożeniowych na zapotrzebowanie Sił Zbrojnych i Komitetu Badań Naukowych.

Ni mniej, ni więcej oznaczało to między innymi, iż posługujący się kilkoma tożsamościami, powiązany z obcym wywiadem, międzynarodowy przestępca Igor Kopylow mógł otrzymywać informacje o stopniu zaawansowania ściśle tajnych prac badawczych oraz o procesach ich wdrażania na potrzeby Sił Zbrojnych Rzeczypospolitej Polskiej. Ustalono, że szczególnie interesował go nowoczesny system rakietowy. Tuż przed odebraniem śledztwa przez Wojskowe Służby Informacyjne oficerom Centralnego Biura Śledczego – czyli tak naprawdę tuż przed przerwaniem śledztwa – prowadzący je policjanci próbowali dociec, jak to możliwe, że Bronisław Komorowski, który o działalności Igora Kopylowa był informowany na bieżąco i miał w tej kwestii pełne rozeznanie,

nie zrobił kompletnie nic, by położyć jej kres. Odbierając śledztwo policji Wojskowe Służby Informacyjne nie dopuściły do pełnego zrealizowania tego wątku śledztwa. I tak Wojskowe Służby Informacyjne, które odpowiadały za kontrwywiadowczą osłonę technologii rozwijanych w ramach projektów badawczych na Wojskowej Akademii Technicznej, same przekazały je w obce ręce. Skarb Państwa nigdy nie odzyskał ani utraconych przez Wojskową Akademię Techniczną setek milionów złotych, ani miliardów złotych zdefraudowanych przez „Pro Civili" w wyniku działań prowadzonych z innymi licznymi kooperantami, firmami i osobami. Oficerowie policji nie ustalili, gdzie dokładnie ostatecznie trafiły wyprane pieniądze, które transferowano na Cypr oraz za pośrednictwem kanału przerzutowego na Ukrainie. Wiadomo jedynie, że ostatecznie lwia część środków trafiała do Rosji, gdzie rozdzielono je na dziesiątki firm-krzaków, które utworzyły „spółki-córki", a te kolejne „spółki-córki".

Wiedziałem zatem o tym, że fundacja wydrenowała z Polski miliardy złotych via Cypr i Ukraina do Rosji i że ludziom, którzy zbytnio interesowali się jej działalnością, zdarzały się dziwne przypadłości rozwiązujące wszystkie ich problemy – bo nie ma już przecież żadnych problemów ktoś, kto spoczywa półtora metra pod ziemią. Wiedziałem, że w operacji zacierania śladów po owych przypadłościach uczestniczyła grupa zawodowych morderców związana z Igorem Kopylowem, która eliminowała fizycznie osoby mające okropny zwyczaj interesowania się nie swoimi sprawami – a zwłaszcza sprawami „Pro Civili". I tak w niewyjaśnionych nigdy okolicznościach zginęli powiązani z „Pro Civili" między innymi Jerzy

Sutor i Edward Kozłowski, a pecha miało też wiele innych osób związanych z fundacją. Niektóre z nich ginęły w wypadkach samochodowych, inne przypadkowo zacinały się przy goleniu, tak nieszczęśliwie, że śmiertelnie. Jerzy Sutor, który wraz z rodziną był częstym gościem w cypryjskiej posiadłości Kopylowa, zginął jakoby śmiercią samobójczą w niewyjaśnionych nigdy okolicznościach, w swoim mieszkaniu. Sekcji zwłok nie przeprowadzono, zaś w prasie pojawiły się informacje, że nieszczęśnik ów zginął... w trakcie pobytu na Ukrainie. Z kolei Kozłowski „przypadkowo" dwukrotnie postrzelił się w brzuch – ot, wypadki chodzą po ludziach. Szkopuł w tym, że po ludziach związanych z „Pro Civili" chodziły tak często, że trzeba było nie lada wyobraźni, by wciąż nazywać je wypadkami. Ostatecznie Wiesław Bruździak, ostatni prezes fundacji zawiesił jej działalność i został szefem ochrony... w Coutts Banku w Szwajcarii. W całej sprawie nikt nigdy nie odpowiedział za gigantyczne grabieże i zbrodnie, Skarb Państwa nigdy nie odzyskał wyłudzonych miliardów złotych, a prokuratura nigdy nie ustaliła gdzie ostatecznie, z banku na Cyprze, trafiły „uprane" w fundacji „Pro Civili" pieniądze pochodzące z mafijnej działalności.

W kontekście Andrzeja Leppera szczególnie interesujące wydały mi się zwłaszcza dwie informacje dotyczące tej niezwykłej fundacji: postać jednego z jej „ojców założycieli", Janusza Maksymiuka oraz fakt, że część zagrabionej fortuny transferowano via Ukraina. A ten z kolei fakt – jak pokazał czas – miał implikować kolejne zagadki...

Wiedziałem zatem, że Andrzej Lepper nie mógł ulokować dokumentów w gorszym miejscu niż w kancelarii swojego „przyjaciela" Ryszarda Kucińskiego. Wiedziałem też, że umieszczając je właśnie tam popełnił niewybaczalny błąd, bo równie dobrze mógł je przekazać generałowi Markowi Dukaczewskiemu czy innym wysokim rangą oficerom WSI.

Czy to już wtedy zacząłem łączyć fakty, których potwierdzenie uzyskałem dużo później między innymi od majora ABW Tomasza Budzyńskiego?

Czy już wtedy połączyłem systematyczne „wypady" Leppera na Ukrainę z ukraińskim kanałem przerzutowym pieniędzy z fundacji „Pro Civili"?

Jeszcze nie stawiałem żadnych hipotez – a jednak te same się narzucały.

Może nie jestem najbardziej bystry, ale przecież też nie dość głupi, by nie zauważyć łańcucha wydarzeń, który miałem przed oczami.

Jego pierwszym ogniwem było wyznanie Andrzeja Leppera złożone przed Tomaszem Sakiewiczem o tajnych dokumentach – jak się okazało dotyczących m.in. fundacji „Pro Civili", choć nie tylko – stanowiących dla niego polisę ubezpieczeniową. Fakt zdeponowania dokumentów w najbardziej bezpiecznym miejscu z możliwych miał stanowić gwarancję bezpieczeństwa. Ale „bezpieczne miejsce" okazało się być skrzynką kontaktową WSI, a „najlepszy przyjaciel" współpracownikiem kontrwywiadu wojskowego. Niedługo później przyjaciel już nie żył, a dokumenty zniknęły. Ostatnim ogniwem tragicznego łańcucha zdarzeń była śmierć Andrzeja Leppera poprzedzona wyrażanymi przez niego obawami, że jego życie jest zagrożone.

A przecież był to zaledwie wierzchołek góry lodowej niebezpiecznych związków Andrzeja Leppera. I wierzchołek góry lodowej pytań, na które nikt nigdy nie udzielił odpowiedzi, a nawet gorzej – nie próbował jej udzielić. O tym jednak dowiedziałem się dużo później, gdy swoją wiedzą podzielił się ze mną major Tomasz Budzyński.

Okazało się, że Andrzej Lepper obracał tak zwaną „lewą kasą partyjną".

Czym była owa „lewa kasa"? Oprócz oficjalnego dofinansowania z budżetu państwa, z którego szczegółowo trzeba się rozliczać, Samoobrona i Andrzej Lepper, a w tamtym czasie były to pojęcia właściwie tożsame, osiągali nieoficjalne dochody z „dobrowolnych" wpłat kandydatów w wyborach do Europarlamentu, po kilkaset tysięcy złotych, „dobrowolnych" wpłat kandydatów w wyborach w 2001 i 2005 roku - płacili wszyscy, którzy mieli na listach pierwsze, drugie i trzecie miejsce, od siedemdziesięciu pięciu do stu dwudziestu tysięcy złotych – oraz z „dobrowolnych", rzecz jasna, wpłat od osób, które dzięki Samoobronie uzyskały pracę w instytucjach państwowych i samorządowych. Tu zwyczajowo wpłata równała się jednej pensji, którą otrzymywała osoba protegowana przez partię. Lepper był także „wspierany" przez przedsiębiorców, którzy prowadzili korzystne interesy z instytucjami podległymi Ministerstwu Rolnictwa bądź zyskiwali na korzystnych dla siebie rozwiązaniach prawnych. Przykładem był olsztyński hodowca ryb, Feliks Siemienas, który dzięki Lepperowi uzyskał dofinansowanie z Wojewódzkiego Funduszu Ochrony Środowiska w kilku województwach, sięgające łącznie kilkunastu milionów złotych. Takich większych i mniejszych biznesmenów, którzy zawsze odwdzięczali się odpowiednimi wpłatami, było wielu. Według informatorów o szczegółach „lewej kasy" pełną wiedzę miał tylko Andrzej Lepper, Janusz Maksymiuk, Stanisław Łyżwiński oraz wspomniany mecenas Ryszard Kuciński, u którego – wśród wielu innych – zdeponowane zostały wszystkie dokumenty osobiste Leppera oraz dokumenty finansowe Samoobrony. Przewodniczący Samoobrony ufał Kucińskiemu do tego stopnia, że najbardziej „wrażliwe" dokumenty trzymał nie w siedzibie partii, gdzie miał sejf, ale właśnie u niego. „Lewa kasa" Samoobrony wynosiła co najmniej 15 milionów złotych i nigdy nie wyjaśniono, co stało się z tymi pieniędzmi. Wiadomo jedynie, że do pewnego momentu były, a potem nagle przed przedterminowymi wyborami parlamentarnymi, jesienią 2007 roku, „rozpłynęły się". W efekcie przed wyborami, w przeciwieństwie do tych z roku 2005, Samoobronie pieniędzy brakowało na wszystko: na reklamy, bilbordy, ulotki. Partia była biedna, co dziwiło działaczy Samoobrony, bo każdy wiedział, ile dawał. Ale Lepper nie odpowiadał na pytania i nie reagował na oddolną krytykę. Już wtedy sprawiał wrażenie, jakby czegoś się obawiał.

Czy tego, co na światło dzienne wyszło jakiś czas później, ale o czym w pewnych kręgach wiedziano już wcześniej?

Jest faktem, że Andrzej Lepper aniołem nie był. Wielu ludzi ma swoje słabostki ukryte tuż pod powierzchnią, ale większość trzyma je na wodzy lub folguje potajemnie. Są jednak ludzie, którzy gdy je dostrzegą, potrafią obrócić na swoją i swoich wspólników korzyść, by w ten sposób zyskać i zachować władzę nad innymi ludźmi. Pod koniec 2003 roku na jedną z imprez Samoobrony w towarzystwie Lecha Szymańskiego, byłego oficera WSI, a w tamtym czasie doradcy Samoobrony, przyszedł Zbigniew Stonoga, przedsiębiorca. W krótkim czasie, by zaistnieć politycznie, został asystentem społecznym Wandy Łyżwińskiej. Wbrew rozpuszczanym pogłoskom, nigdy nie został asystentem Andrzeja Leppera, ale jest faktem, że bardzo się starał, by zacieśniać z nim relacje. I to się udało, choć i tak Stonodze bliżej było do Janusza Maksymiuka, jednego z założycieli fundacji „Pro Civili", oraz do Marka Mackiewicza, byłego szefa kontrwywiadu WSI – a w Sejmie doradcy Samoobrony. Zbigniew Stonoga osiągnął cel i pozyskał zaufanie Andrzeja Leppera – a potem nagle wszystko się zmieniło. Pierwszy symptom nadchodzącej zmiany ujawnił się jesienią 2004 roku, w kawiarni „Ambasador" przy ulicy Pięknej w Warszawie, podczas spotkania Mackiewicza i Stonogi z prominentnymi działaczami Samoobrony, m.in. ze Stanisławem Łyżwińskim i Krzysztofem Filipkiem. To właśnie wtedy Stonoga pierwszy raz wspomniał, że ma wiedzę na temat nagrań erotycznych ekscesów Andrzeja Leppera. Przebieg spotkania zarejestrowanego w całości – przez kogo? – wówczas jeszcze nie wstrząsnął słuchaczami. Nie pojęli bowiem, że to, o czym mówił Stonoga, było zarazem bronią i groźbą. Zrozumieli to, gdy na kolejnych spotkaniach, w Sejmie i na imprezach prywatnych – na długo przed wybuchem seksafery z udziałem Anety Krawczyk – na które Stonoga przychodził zazwyczaj w towarzystwie Lecha Szymańskiego i Marka Mackiewicza, dowiedzieli się, że nagrań sex party jest znacznie więcej, i to nie tylko z udziałem Andrzeja Leppera. Od tego momentu przyjaźń się skończyła, a Lepper, po odkupieniu nagrań za partyjne pieniądze, indagowany o Zbigniewa Stonogę reagował wręcz alergicznie. Po co zorganizowano to wszystko? Czy tylko dla pieniędzy? I najważniejsze – kto mógł to zorganizować?

To pytania retoryczne.

Zastawione sidła, w które lider Samoobrony wpadł, były pierwszym poważnym ostrzeżeniem, a małe piekło, które w sobie ukrywał, wykorzystano z premedytacją przeciwko niemu, „podkręcając" newsy do granic możliwości i mnożąc zarzuty oparte o fałszywe oskarżenia. Wszystko po to, by zaprowadzić go na ławę oskarżonych, odebrać wiarygodność i – zniszczyć.

A jednak to nie te problemy przywiodły go do granicy prawdziwego piekła.

Pętla w widoczny sposób zaczęła się zaciskać, ale do śmierci – bynajmniej nie samobójczej! – było jeszcze daleko. Potrzeba było czegoś więcej.

Zastanawiałem się, jak to możliwe, że w takim kontekście, przy tylu pytaniach bez odpowiedzi i tylu mnożących się wątpliwościach, prokuratura mogła „kupić" absurdalną wersję o samobójstwie.

I po chwili znałem już odpowiedź.

***

Głośne westchnięcie policjanta wyrwało mnie ze wspomnień. Uświadomiłem sobie, że oficer przygląda mi się badawczo.

– Wrócił pan już do rzeczywistości?

– Zamyśliłem się nad czymś ważnym, ale tak – wróciłem już do rzeczywistości. Na czym przerwaliśmy?

– Mówiłem, że Andrzej Lepper bał się o swoje życie i nie krył tego. Zwłaszcza od momentu śmierci Ryszarda Kucińskiego.

– Dlaczego jednak prokuratura nie poszła tym tropem?

– To dobre pytanie: „dlaczego?" Ale są inne, nie mniej ważne. Jak to możliwe, że z automatu uwierzono jednemu świadkowi, Mirosławowi Rudowskiemu, a nie kilkunastu innym, choć to zeznania tych „innych" wzajemnie się potwierdzały, za to podważały wersję Rudowskiego. Czy to normalne, że zeznania jednego świadka są więcej warte, niż kilkunastu innych? Dlaczego nikt nie zwrócił uwagi, że zeznania świadka, któremu uwierzono, w wielu miejscach przeczą sobie wzajemnie? Jak to możliwe, że prokuratura zlekceważyła tak wiele tropów, które już u podstaw podważały wersję o samobójstwie? To jedne z dziesiątków pytań, na które nikt z prokuratury nigdy nie odpowiedział. Dużo pytań – mało odpowiedzi. Proszę mi wierzyć, swoją policyjną robotę wykonaliśmy jak należy, bo mieliśmy świadomość, że to nie jest rutynowa sprawa. Zabezpieczyliśmy odciski palców, DNA, przesłuchaliśmy setki osób, zweryfikowaliśmy rodzące się koncepcje. Także tę dotyczącą rusztowań. Wie pan o czym mówię, prawda?

Potwierdziłem skinieniem głowy.

– I co pan o tym myśli?

– Że to kompletna bzdura.

– Może jednak jest pan mądrzejszy, niż sądziłem – zauważył.

Być może miał to być komplement, ale pomyślałem, że jeśli tak, to średnio trafiony. On jednak, zdaje się, nawet nie zwrócił uwagi na to, co w moim przekonaniu było faux pas, i „pogalopował" dalej.

– Sprawdziliśmy bardzo dokładnie robotników remontujących dach kamienicy w Alejach Jerozolimskich 30 i zapewniam pana, że z tych rusztowań do siedziby Samoobrony nie zdołałby się teleportować nawet sam David Copperfield. Wejście tą drogą do środka było po prostu fizyczną niemożliwością. Uniemożliwiała to zarówno konstrukcja jak i umiejscowienie rusztowań w stosunku do prywatnych pomieszczeń Leppera. A jednak od pewnego momentu zaczęto usilnie i niezwykle konsekwentnie lansować tę właśnie idiotyczną koncepcję. Dokładnie od tego momentu, w którym na wersji o samobójstwie zaczęły pojawiać się pierwsze rysy i pęknięcia.

– Dlaczego lansowano właśnie tę „idiotyczną" wersję? – spytałem.

– To dobre pytanie: „dlaczego właśnie tę?" Odpowiedź nie jest łatwa, ale jest prosta: bo to była ślepa uliczka. Wyglądało to tak, jakby w sytuacji, gdy zaczyna się chwiać plan „A", ktoś postanowił wdrożyć plan „B". To zresztą stara zasada – jeśli chcesz zblokować pochód, nie zatrzymuj go, ale stań na jego czele i poprowadź na manowce. Jak pan słusznie zauważył, wersja z rusztowaniem, to bzdura. Prawda jest inna: ktokolwiek wszedł do pokoju Andrzeja Leppera, wszedł przez drzwi.

– A to oznacza...

– A to oznacza, że ktoś, kto tam był, znał kod zamka cyfrowego albo miał klucz - przerwał mi bez pardonu.

– A skąd pewność, że w ogóle ktoś tam był?

Znów popatrzył na mnie tak, jakby miał wygłosić komentarz, niechybnie złośliwy, ale znów najwyraźniej zmienił zdanie, bo powiedział zmęczonym głosem.

– Słyszał pan cokolwiek o śladach traseologicznych?

– Proszę?

– A zatem nie słyszał pan. W łazience, w której zginął Lepper, zidentyfikowaliśmy siedem śladów traseologicznych, które nie należały do żadnej z osób, z którymi Andrzej Lepper widział się po przyjeździe do Warszawy. Znajdowały się na wprost drzwi, przed umywalką oraz na lewo od drzwi, przed stojącą tam szafą. Oznacza to ni mniej, ni więcej, że ujawniliśmy i zabezpieczyliśmy ślady butów osób, których tożsamość do dziś pozostaje tajemnicą. Jedno można powiedzieć ponad wszelką wątpliwość: nie były to ślady Leppera, Borkowskiego, Rudowskiego, Maksymiuka, Meyera, Tymochowicza ani nikogo innego, z kim od momentu przybycia do Warszawy widział się Andrzej Lepper.

– To bardzo interesujące. A co na to prokuratura?

– Nic. Uznała, że skoro nie można zidentyfikować śladów ani określić czasu powstania, to nie należy brać ich pod uwagę jako dowodów, że ktoś trzeci przebywał w łazience i pomagał Lepperowi odejść z tego świata.

– Pańska ocena?

– Oczywista bzdura podparta typowym prawniczym

bełkotem. Mówiąc wprost to co stwierdziła prokuratura to zwyczajny nonsens. To tak jakby stwierdzono popełnienie przestępstwa ale przez fakt nieznalezienia sprawcy uznano, że przestępstwa nie było. Przecież ślady z łazienki były właśnie koronnym dowodem, że znajdowali się tam ludzie o nieustalonej dotychczas tożsamości którzy mogą mieć – i najprawdopodobniej mieli – związek ze śmiercią Andrzeja Leppera. A to, że nie określono czasu powstania śladów? To już wina zaniedbań prokuratury i zbyt małej dociekliwości w wyjaśnieniu tej arcyważnej kwestii. Wyjaśnijmy jednak jedno: sprzątaczka systematycznie przekraczała próg siedziby Samoobrony i zawsze przed przyjazdem Leppera starannie wszystko sprzątała. Także jego prywatne pomieszczenia – myła na mokro, wycierała kurze itd. Jakby tego było mało, dodatkowo sprzątał też Rudowski. A ślady traseologiczne mają to do siebie, że bardzo łatwo je zatrzeć, zwłaszcza z powierzchni gładkich i śliskich. Z prawdopodobieństwem graniczącym z pewnością można zatem przyjąć, że ślady pozostawione przez nieustalonych osobników powstały już w okresie pobytu Andrzeja Leppera w Warszawie, a więc w ostatnim dniu jego życia. A skoro tak, to dlaczego nikt nie poczynił trudu, by dokładnie określić czas powstania tych śladów? Dlaczego a priori uznano, że to żaden dowód i wyrzucono go na śmietnik? A przecież to był dowód, i to dowód bardzo ważny! Świadczył o obecności innych osób niż te, które są nam znane, w łazience Andrzeja Leppera w okresie bezpośrednio poprzedzającym jego śmierć. Proszę mi wierzyć, znam się na tej robocie i wiem co mówię. Musi mi pan wierzyć! – ostatnie zdanie oficer policji nieomal krzyknął, aż para siedząca przy stoliku w drugim końcu patio zaczęła ku nam spoglądać. Policjant zorientował się w popełnionej gafie i ponownie ściszając głos do szeptu podjął wątek na nowo.

– Dlaczego zatem, skoro praktyka i logika nakazywały rozumowanie, iż czas pozostawienia śladów przez nieustalone osoby należy datować pomiędzy ostatnim sprzątaniem wykonanym przez sprzątaczkę i Rudowskiego, a momentem odnalezienia ciała Andrzeja Leppera, nie zrobiono nic, by wątek ten dalej wyjaśniać? Że niby nie można śladów zidentyfikować, więc nie stanowią dowodu? Bzdura.

Że były za daleko od ciała, by ktoś, kto je zostawił, miał do niego dostęp? Kolejna bzdura. Te ślady, to bardzo mocny punkt zaczepienia obalający teorię samotnika-samobójcy. A jeśli ta teoria była błędna, stawianie kolejnych hipotez było bez sensu, bo te same się narzucały. Należało zapytać nie o to, jak zginął Andrzej Lepper, ale raczej o to – kto naprawdę go zabił? A jednak dowód, który leżał u podłoża tego pytania, najpierw zaniedbano, a następnie wyrzucono do kubła... Mogę powiedzieć jedno: jest to najbardziej jaskrawy przykład prokuratorskiego zaniedbania, z jakim kiedykolwiek spotkałem się w swojej ponad dwudziestoletniej policyjnej karierze.

Jak mogło dojść do tak poważnego zaniedbania w sprawie tak ważnej, na którą były skierowane oczy opinii publicznej całego kraju? Myślałem o tym długo, bo nie dawało mi to spokoju. Teoretycznie jest możliwe, że dynamika zdarzeń może niekiedy spowodować, że umykają rzeczy oczywiste, które mamy tuż przed oczami, wyłożone na stole, niczym karty w pasjansie. Tutaj jednak nie ma o tym mowy i ten przypadek w ogóle nie może być brany pod uwagę. Dlaczego? Bo wagę śladów w łazience akcentowaliśmy bardzo mocno i podkreślaliśmy znaczenie tego dowodu w materiałach śledztwa. Niepodlegająca dyskusji kwestia nieustalonych dotąd osób w pomieszczeniach prywatnych Andrzeja Leppera oznacza, że mamy do czynienia z całkowicie nieznaną opinii publicznej okolicznością, której nawet nie próbowano zbadać. Jak zatem wyjaśnić tę nieprawdopodobną historię i tak nieprawdopodobne zaniedbanie? I znów: dużo pytań – mało odpowiedzi. A przecież nie są to jedyne pytania bez odpowiedzi i nie jedyne wątki ukazujące absurdalność prokuratorskich decyzji w tej sprawie.

– Nie poskąpi mi pan szczegółów? – zapytałem z niemałym trudem, bo po tym, co usłyszałem, najzwyczajniej w świecie odebrało mi mowę.

– Nie poskąpię. Jak to na przykład możliwe, że choć w lokalu Samoobrony działał stacjonarny komputer, lodówka i telewizor, to w uzasadnieniu śledztwa zapisano, że prądu nie było?

Przy ostatnich słowach policjant obrzucił mnie szybkim spojrzeniem, ciekawy mojej reakcji. Ale ja milczałem nawet nie dlatego, że analizowałem to, co usłyszałem, lecz zwyczajnie dlatego, że na moment znów odebrało mi mowę. Pomyślałem, że jak tak dalej pójdzie, przejdzie mi to w nawyk.

Dopiero po dłuższej chwili, gdy już doszedłem do siebie, popatrzyłem na niego i uświadomiłem sobie, że dawno nie widziałem człowieka tak wzburzonego. Minęła dobra minuta, nim opanował się i nim z jego twarzy zniknęły ślady przeżywanych emocji.

– Jak pan widzi, to nie jest zwyczajna sprawa, więc we własnym, dobrze pojętym interesie nie powinien pan lekceważyć ludzi, którzy maczali w niej swoje brudne łapska. A wracając do historii z prądem – potwierdzenie absurdu, o którym panu mówiłem, znajdzie pan w prokuratorskich dokumentach dotyczących tej sprawy, w tych aktach.

Mówiąc to sięgnął do przepastnej torby, która aż do tego momentu stała zapomniana na podłodze, po czym wyjął z niej przepasaną tasiemką papierową teczkę i pchnął ją w moją stronę.

Były to materiały zebrane przez prokuraturę w sprawie śmierci Andrzeja Leppera. Otworzyłem teczkę i wyjąłem kilkadziesiąt spiętych kartek. Już pobieżny ogląd wskazywał, że śledztwo prowadzono w sposób powierzchowny, po omacku, i, co tu kryć, po prostu po partacku. Komuś, kto podobne dokumenty oglądał setki razy – a należałem do osób, które miały tę wątpliwą przyjemność, także w traumatycznych sprawach, w których niejednokrotnie sam bywałem fałszywie oskarżany przez sprzedajnych prokuratorów o niecne rzeczy – nietrudno było to stwierdzić. Nie trzeba było jednak żadnych traumatycznych doświadczeń, by szybko zauważyć, że w uzasadnieniu o umorzeniu śledztwa z powodu braku znamion działania osób trzecich nic nie trzymało się kupy. Absurd gonił tu absurd do tego stopnia, że przez moment zaskoczenie walczyło u mnie o palmę pierwszeństwa z przekonaniem, że to nie może dziać się naprawdę – a jednak to działo się naprawdę. Starałem się czytać z uwagą, by nie przeoczyć żadnego istotnego szczegółu i już pierwsze strony materiału wskazywały, że będzie to niezwykle interesująca lektura.

Oczywiście jeśli ktoś interesował się klasyką komedii z gatunku Monty Pythona.

Jak bowiem na gruncie logiki i zdrowego rozsądku wytłumaczyć fakt, że w dokumencie znalazło się stwierdzenie, że w siedzibie Samoobrony nie było prądu, odłączonego z powodu zadłużenia, a jednocześnie w tym samym dokumencie, zaledwie parę stron dalej, widniała informacja o pracującym na stacjonarnym komputerze Mirosławie Rudowskim, o włączonym telewizorze i telewizyjnym dekoderze, który zatrzymał się na godzinie 13:14, w trakcie konferencji prasowej premiera Donalda Tuska?

Wszystkie te urządzenia zasilane były prądem, zastanawiałem się więc, jak wiele nadgodzin musiała wypracować wyobraźnia prokuratorów, by stworzyć tak ekwilibrystyczny oksymoron. I wszystko to byłoby naprawdę śmieszne, gdyby nie dotyczyło sytuacji tragicznej, ze śmiercią człowieka w tle.

Odłożyłem akta na bok obiecując sobie, że wrócę później do tej niezwykle pasjonującej lektury.

– Doszedł pan do prądu – to nie było pytanie. – Prawda, że interesujące? – miało to wybrzmieć humorystycznie, ale zauważyłem, że policjant bynajmniej nie wygląda na rozbawionego. – A wie pan, że na podstawie wersji o braku prądu prokuratura wysnuła wniosek, że niemożliwe jest, aby „osoby trzecie" dostały się do pomieszczeń prywatnych Andrzeja Leppera?

– A mogę być z panem szczery? – odpowiedziałem pytaniem na pytanie.

– Jeśli pan tylko potrafi.

– Teraz to pan żartuje. Jak to szło? „Niech pan będzie poważny. Po pańskich doświadczeniach powinien pan wiedzieć, kiedy jest czas na żarty, a kiedy nie” –dobrze zapamiętałem pańskie słowa?

–Tu mnie pan ma – policjant wreszcie się uśmiechnął. A więc jednak nie był z drewna i od czasu do czasu miewał ludzkie odruchy. Pomyślałem, że teraz będzie już miło, więc szybko zadałem kolejne pytanie.

– Nie ma pan czasu, a mówi samymi zagadkami, twierdzi pan, że chce pomóc, ale nie mówi wszystkiego...

– Zostawmy te bzdury, ok? – nie pozwolił mi dokończyć zdania. Najwyraźniej uznał, że w roli drewnianego gbura mówiącego drewnianym głosem jest mu jednak najbardziej do twarzy. Policjant spojrzał na zegarek i pozwolił sobie zaciągnąć się jeszcze raz papierosem, po czym zagadnął.

– Zapytałem o prąd, bo to nielicha historia. Z powodu rzekomego braku prądu podobno nie funkcjonowały zamki elektryczne blokujące drzwi pokoju prywatnego Andrzeja Leppera, a więc wejście tam kogokolwiek było niemożliwe. Ktoś powinien zadać więc proste pytanie: to był ten prąd czy jednak go nie było? Ale takiego pytania nie zadał nikt, a przynajmniej ja nic o tym nie wiem. No i nie znajdzie pan na ten temat nic w prokuratorskich dokumentach. A nie znajdzie pan nic, bo to zaburzyłoby wersję przyjętą odgórnie przez prokuraturę. Sprawdziliśmy bardzo dokładnie, jak było naprawdę. Otóż prąd jak najbardziej był i to w całym lokalu, bo przecież jego brak uniemożliwiałby normalne funkcjonowanie biura. Ale był to prąd pobierany nielegalnie, za sprawą wykonanego „obejścia” licznika elektrycznego. Z naszych ustaleń wynika, że wykonawcą instalacji nie mógł być nikt inny, jak właśnie Mirosław Rudowski, który w wywiadzie udzielonym Gazecie Wyborczej utrzymywał z konsekwencją godną lepszej sprawy, że w siedzibie partii prądu nie było. Dlaczego skłamał? Czy powodem był strach przed karą za kradzież energii? Tego nie ustalono, bo prokuratura w ogóle nie podjęła tego wątku. Trzymając się za to przyjętej na starcie linii – przyjętej wbrew oczywistym faktom – o braku prądu brnęła w ten absurd coraz głębiej, posiłkując się nawet opinią zewnętrznej firmy Roger, która instalowała zamki elektryczne w siedzibie Samoobrony. Serwisanci stwierdzili, że skoro nie było prądu, to zamki musiały zostać rozkodowane i nie mogły działać poprawnie. Jeżeli jednak tak, to jak wytłumaczyć fakt, że działał telewizor i dekoder. Jak wytłumaczyć fakt, że działała lodówka, komputery i klimatyzacja? Czy ktoś potrafi wytłumaczyć ten absurd?

Gliniarz wstał od stolika.

– A wie pan, co jest najbardziej zabawne w całej tej historii? Otóż śledczy tak bardzo skupili się na udowadnianiu tezy o braku prądu, jakby to była ich ostatnia linia obrony. Tymczasem „zapomnieli" o jednym fakcie: ktoś, kto chciałby wejść do pomieszczeń prywatnych Andrzeja Leppera, mógłby otworzyć drzwi po prostu za pomocą klucza. Taki klucz miał Mirosław Rudowski, ale taki klucz fachowcy bez najmniejszego problemu potrafiliby spreparować także sami. Nasz wspólny znajomy z ABW mógłby panu opowiedzieć o tym w szczegółach, bo to i owo wie na ten temat. A może nawet już opowiedział.

Najwyraźniej gliniarz czekał na jakiś komentarz, ale jak ostatnio zdarzało mi się to coraz częściej, tak i tym razem nie miałem żadnego.

– Milczy pan – pomyślałem, że bystry z niego gość. – To chyba oznacza, że powiedzieliśmy sobie już wszystko.

Wyciągnął prawicę na odchodne. Znów skonstatowałem, że uścisk ma naprawdę mocny i znów zacząłem się obawiać o stan mojej ręki. Mimo to zaryzykowałem i przez chwilę przytrzymałem wyciągniętą dłoń.

– To wszystko wydaje się nieprawdopodobnie groteskowe – powiedziałem na wpół do siebie, na wpół do mojego rozmówcy.

– Ja bym powiedział, że nieprawdopodobnie prawdziwe – poprawił, po czym wolną ręką zdusił niedopałek papierosa szykując się do odejścia. – To na koniec ciekawostka. Wiem, ale niech pan nie pyta skąd wiem, że prokurator prowadząca sprawę miała wątpliwości odnośnie kierunku, w jakim poszło prowadzone przez nią śledztwo. Stawiała się przełożonym, bo to była bystra babka, choć papiery, które panu dałem, awizowane jej podpisem, zdają się temu przeczyć. To stawia w wątpliwość, czy aby na pewno to było jej śledztwo. A jeśli nawet, to do jakiego stopnia była w nim niezależna. To retoryczne pytania.

– Jak to możliwe, że przez tyle lat udało się to wszystko ukryć?

– To ważne pytanie: „jak to możliwe?" Ale są ważniejsze. Dlaczego wywierano naciski na prokurator? I kto mógł to wszystko zorganizować?

– Boję się, że ta sprawa mnie przerasta.

– Być może, ale warto spróbować. Jeżeli przekona pan opinię publiczną, że wszystko co powiedziano jej w tej sprawie, poza miejscem i czasem śmierci Andrzeja

Leppera, jest kłamstwem, może pan spowodować reakcję łańcuchową. I kto wie, co może się wydarzyć.

Pomyślałem, że już to gdzieś kiedyś słyszałem. Czy nie od majora? Cały czas nurtowało mnie dziwne przeczucie, że niektóre elementy tej układanki nie pasują do siebie. Nie wiedziałem jednak – które?

– Może być pan wreszcie ze mną szczery? Niech pan chociaż spróbuje.

Popatrzył na mnie tak, jakby chciał się uśmiechnąć. To jednak najwyraźniej go przerastało, bo miażdżąc mi rękę pożegnalnym uściskiem odpowiedział z niemałym wysiłkiem – a przynajmniej tak mi się wydawało.

– Spróbuję.

– Po co major zorganizował to wszystko? I o co tu w ogóle chodzi?

– O to, co zrobi pan teraz.

Mykoła Hinajło: „Podgórski mówił, że jeśli nie wystąpię w telewizji i nie pogrążę Andrzeja Leppera, to sprowokuje sytuacje, w której podczas mojego wyjazdu do Polski funkcjonariusze SG lub celnicy znajdą przy mnie narkotyki."

17 grudnia 2008 rok, Czerniowce.
Audiencja Iwana Mykulińskiego wielkiego księcia Zakonu u metropolity lwowskiego kościoła katolickiego Mieczysława Mokrzyckiego – czy wiedział, kim naprawdę są ci ludzie?

Wielka mistyfikacja - formalnie Zakon Rycerzy Michała Archanioła, w rzeczywistości organizacja założona przez Służbę Bezpieczeństwa Ukrainy pozostająca pod kontrolą rosyjskich służb specjalnych.

Konferencja w Lublinie powołująca przeorię polską. Pierwszy z lewej – Mykoła Hinajło, obok wielki mistrz Zakonu Iwan Mykuliński. Na pierwszym planie Piotr Stech, wielki przeor na Polskę zamordowany w marcu 2016 roku w Łucku.

Rycerze Zakonu w rzeczywistości oficerowie rosyjskich i ukraińskich służb specjalnych wręczają papieżowi Janowi Pawłowi II order Chrystusa Zbawiciela.
Papież Polak nie wiedział z kim się spotyka ani kim są ci ludzie.

Kto wprowadził w błąd Jana Pawła II odnośnie tożsamości stojących za nim ludzi? Kto zorganizował to spotkanie i jaki był jego cel? To pytania, na które odpowiedź dotąd nie padła.

28 kwietnia 2001 rok Lwów. Zakon - czyli towarzystwo od oficerów rosyjskich i ukraińskich służb specjalnych po następcę tronu króla Francji. Na zjęciu: książę Karol Filip Orleański podpisuje list dziękczynny o przejęciu w poczet książąt Zakonu Rycerzy Michała Archanioła.

22 stycznia 2008 rok, Kijów.
Prezydent Ukrainy Wiktor Juszczenko nagradza hrabiego Igora Mazepe jednego z najbogatszych Ukraińców i zarazem członka Zakonu orderem za zasługi trzeciego stopnia.

CZĘŚĆ II

LEWIATAN
Marzec - Wrzesień 2016

ROZDZIAŁ I

NIEWYGODNY ŚWIADEK

Petro Stech bał się i tego nie krył. Był potężnym chłopem, byłym komandosem armii radzieckiej, do tego mądrym, ustosunkowanym i doświadczonym człowiekiem, który wie, kiedy się bać. I teraz się bał. A jeżeli taki człowiek się bał, mogło oznaczać to tylko jedno: że należało się bać.

Rozmawialiśmy we trzech w jednym z lubelskich mieszkań, wynajętym specjalnie na tę okazję, i radziliśmy, co robić dalej. We trzech – bo „trzecim do brydża" był major Tomasz Budzyński, organizator spotkania, który zabiegał o nie u Stecha od dwóch miesięcy. Dokładnie od przełomu czerwca i lipca 2015 roku, gdy po siedmiu latach rozłąki odzyskaliśmy kontakt i nawiązaliśmy współpracę.

To spotkanie i ta rozmowa były właśnie efektem naszej współpracy.

Idąc na rozmowę z Petro Stechem, ukraińskim adwokatem mieszkającym w Polsce od lat, wiedziałem o nim już to i owo. A to, co wiedziałem, było bardzo interesujące.

Wiedziałem na przykład, że oprócz zajmowania się działalnością prawniczą, Petro Stech parał się także biznesem. Był udziałowcem kilku działających w Polsce przedsiębiorstw, między innymi firmy VIP International, aktywnej w branży informatycznej, założonej do spółki z innym obywatelem Ukrainy, Wiktorem Sobetskim. Wiedziałem, że Stech był wielokrotnie prześwietlany przez Agencję Bezpieczeństwa Wewnętrznego, a wcześniej przez Urząd Ochrony Państwa jako osoba podejrzana o działalność na rzecz rosyjskich i ukraińskich służb specjalnych, ze szczególnym uwzględnieniem rosyjskiego GRU. Wiedziałem też, że miał świetne kontakty w SBU w Łucku i we Lwowie, gdzie często przebywał i gdzie spotykał się z funkcjonariuszami tej służby na poziomie kierownictwa jednostek. Poza wszystkim wiedziałem wreszcie, że Petro Stech poruszał się swobodnie także w świecie ukraińskiej polityki i wielkiej kijowskiej finansjery, co z kolei umożliwiało mu prowadzenie interesów w branży paliwowej i pośredniczenie w zakupie polskich nieruchomości dla obywateli Ukrainy oraz dla firm i organizacji ukraińskich.

Jednym słowem – wiedziałem o Petro Stechu dość, by niczemu się nie dziwić. Nie dziwiło mnie zatem, że człowiek o takich koneksjach i takich zainteresowaniach tak ochoczo szukał znajomości wśród polskich polityków. A skoro szukał, to i znalazł. Tu najlepsze relacje łączyły go z Krzysztofem Kamińskim, niedoszłym dyplomatą (na placówkę do Nowej Zelandii delegował go minister i „profesor" Władysław Bartoszewski – w rzeczywistości człowiek bez matury – ale po zmianie władzy wyjazd nie doszedł do skutku), za to doszłym adwokatem, posłem na Sejm trzech kadencji i politykiem czterech partii: od Konfederacji Polski Niepodległej, poprzez Ruch Społeczny Akcja Wyborcza Solidarność i Stronnictwo Konserwatywno-Ludowego, po Platformę Obywatelską. Dzięki takim i podobnym relacjom, a także dzięki współpracy z kolejnymi konsulami Ukrainy w Lublinie Piotr Stech przez szereg lat poznawał polityków właściwie wszystkich możliwych opcji politycznych i biznesmenów w całej wschodniej Polsce – w tym na przykład obecnego prezydenta Lublina, Krzysztofa Żuka – a przez te z kolei kontakty wychodził na forum ogólnokrajowe.

Gdy robiłem research, a potem jeszcze przeglądałem przygotowane przez majora dossier Stecha, wśród jego rozlicznych znajomości moja uwagę przykuły zwłaszcza dwie postaci, których ścieżki przecięły się w jednym punkcie. Pierwszą był profesor Jan Pomorski, czołowy przedstawiciel lubelskiego establishmentu, historyk i prorektor UMCS, wespół z którym Stech prowadził kilka spółek biorących udział w prywatyzacji polskich uzdrowisk. Profesor Pomorski, historyk z zacięciem biznesmena i polityka, zasiadał we władzach Nałęczowskiego Towarzystwa Inwestycyjnego, Uzdrowiska Konstancin-Zdrój oraz spółki Uzdrowiska Polskie Zarządzanie – w której udziały miał i ma NTI. W tym kontekście już tylko jako ciekawostkę potraktowałem informację, iż profesor przez kilka lat był reprezentantem lubelskiej spółki giełdowej Interbud w Łucku na Wołyniu. Innego rodzaju ciekawostką był fakt, że w tym drugim przypadku interesy ułatwił profesorowi nie kto inny, jak właśnie Petro Stech, wykorzystując do tego „kanały" wypracowane u ukraińskich polityków i decydentów z SBU.

Drugą, jeszcze bardziej interesującą personą wydawał się – i taką bez wątpienia był – Mykoła Hinajło, stacjonujący między innymi w Polsce emerytowany radziecki żołnierz, a potem prawosławny ksiądz i współzałożyciel Zakonu Rycerzy Michała Archanioła. Ta z kolei informacja była istotna o tyle, że to głównie z powodu Zakonu Petro Stech od kilku lat pozostawał w zainteresowaniu ABW. Przyczyna tego zainteresowania była prosta – Stech był przedstawicielem Zakonu w Polsce, a moi informatorzy z ABW wiązali Zakon z kupnem uzdrowisk w Konstancinie, Iwoniczu i Kamieniu Pomorskim przez tzw. „grupę wschodnią" – i koło się zamykało.

Historia z uzdrowiskami zaczęła się w 2011 roku, gdy dzięki przychylności, urzędników Ministerstwa Skarbu, uzdrowiska w podwarszawskim Konstancinie – sprzedane za siedemdziesiąt pięć milionów złotych – Kamieniu Pomorskim – dziewięć milionów i trzysta tysięcy złotych – oraz Iwoniczu-Zdroju – piętnaście milionów złotych – trafiły w ręce tak tzw. „grupy wschodniej". Formalnie nabywcą uzdrowisk były „Uzdrowiska Polskie Fundusz Inwestycyjny Zamknięty Aktywów Niepublicznych" utworzony przez powołaną do życia jesienią 2010 roku spółkę Nałęczowskie Towarzystwo Inwestycyjne SA. Według jednak danych ABW kluczową rolę w całej tej operacji odgrywał człowiek z ukraińskim paszportem, powiązany z rosyjskim GRU – Petro Stech.

Po przejęciu uzdrowisk „grupa wschodnia" rozwinęła żagle i przygotowywała się do kupna pakietu w spółce Polskie Tatry, która jest właścicielem pensjonatów Antałówka, Biały Potok, Telimena, willi Pan Tadeusz, hotelu Tatry, obiektów gastronomicznych Zajazd Kuźnice, Szałas pod Wilkiem, Karczma Biały Potok, Chata Zbójnicka, a także obiektów rekreacyjnych i sportowych, m.in. Aquaparku Zakopane. Z moich informacji wynikało, że zawarcie umowy prywatyzacyjnej oznaczałoby de facto oddanie pod kontrolę przybyszy ze Wschodu, turystów z Rosji i krajów byłego Związku Radzieckiego, dla których Zakopane jest jednym z głównych miejsc zimowych wypraw do Europy. Tylko dzięki informacjom, które przez polskie służby specjalne zostały skierowane do Ministerstwa Skarbu Państwa, udało się temu zapobiec. W efekcie MSP poinformowało o zamknięciu bez rozstrzygnięcia procesu prywatyzacji spółki Polskie Tatry SA. Wszystkie informacje, które miałem z dwóch niezależnych źródeł, nieoficjalnie potwierdziłem jeszcze u informatora w ABW, z którym poznał mnie major Budzyński. Do moich newsów mój rozmówca dodał garść swoich. Okazało się, że związki z Zakonem miał także Andrzej Lepper i właśnie tymi tropami postanowiłem podążyć, rozsyłając wici na prawo i lewo, w związku z przygotowywaną o Lepperze książką. Koniec końców, w konsekwencji tych „tropów" dotarłem do Petera Stecha. Określenie „dotarłem" nie do końca zresztą oddaje stan faktyczny, bo tak naprawdę dotarł major Budzyński, który przez długi czas przekonywał Stecha do spotkania ze mną. I jak zawsze – przekonywał skutecznie. Bo tak już po prostu było i tak major działał na ludzi.

I właśnie teraz rozmawialiśmy z Petro Stechem – ale rozmowa nie kleiła się. Przeszkadzał strach, bo Peter Stech bał się i wcale tego nie krył. Paradoks polegał na tym, że ten sam strach był powodem, dla którego w ogóle rozmawialiśmy i dla którego właśnie się spotkaliśmy. Po kilku miesiącach bezowocnych rozmów majorowi udało się namówić Stecha do spotkania ze mną tylko dlatego, że ten – jak sam przyznał – zaczął odczuwać zagrożenie i najzwyczajniej w świecie obawiał się o własną skórę. W takich razach zawsze powstawał dylemat: milczeć czy właśnie mówić? Moje osobiste doświadczenia podpowiadały, że to nie chowanie głowy w piasek, a właśnie dzielenie się wiedzą i uruchamianie reakcji łańcuchowej dawało osłonę – ale były to moje doświadczenia i moje zdanie, którego Stech nie musiał przecież podzielać. Koniec końców adwokat przyszedł na spotkanie, ale wciąż nie był przekonany, czy uczynił słusznie.

I wciąż się wahał.

– Czemu ta sprawa tak pana wciągnęła? – zwrócił się do mnie z pytaniem, gdy przy trzeciej godzinie rozmów o niczym i trzeciej już butelce Finladii rozluźnił się na tyle, by choć na chwilę przestać się bać.

– Bo taką mam pracę i mimo wszystkich rozczarowań wciąż jeszcze wierzę w jej sens. A przynajmniej próbuję wierzyć – sprostowałem. – Ale jest jeszcze coś. Przyjaźniłem się kiedyś z kimś, kto wniósł oskarżenie przeciwko złym ludziom, a potem rzekomo się powiesił. Rodzina nigdy w to nie uwierzyła. Tłumaczyli, że ożenił się, urodziło mu się dwoje dzieci, powodziło im się świetnie pod każdym względem, więc zeznali na policji, że to na pewno nie było samobójstwo...

– I jak skończyła się ta smutna historia?
– Nijak. Policja umorzyła dochodzenie.

– No właśnie – powiedział Petro Stech i zamyślił się nad czymś głęboko. A i ja przez chwilę zamyśliłem się nad tym, czy aby w tej właśnie chwili nie pogrzebałem swojej szansy. Zamiast bowiem przekonać Stecha, że nie jest wyjściem uciekać bez końca i warto podjąć wyzwanie z otwartą przyłbicą – a jeśli już uciekać, to wyłącznie do przodu – przestraszyłem go, jakby jeszcze za mało był przestraszony. Po chwili jednak doszedłem do wniosku, że paradoksalnie może dobrze się stało, bo wiedziałem, że to nie zabawa, a jeśli tak, to decyzja, taka czy inna, powinna być wyłącznie jego decyzją i nikogo innego. Czy to pod wpływem takich myśli, czy jeszcze innych refleksji – dość, że postanowiłem dokończyć, co zacząłem.

– Proszę posłuchać jeszcze jednej historii, którą opowiedział mi kiedyś pewien oficer służb tajnych. Mówił, że do powieszenia człowieka potrzeba kilku silnych facetów, bo człowiek walczący o życie ma nadludzkie siły. Ale bywa i tak, że może tego dokonać jeden mężczyzna, z telefonem komórkowym w ręku. Przypuśćmy, że na telefon przychodzi zdjęcie wykonane kilka sekund wcześniej. Na zdjęciu widnieje dziecko człowieka stojącego obok mężczyzny. Człowiek dostaje krótką informację: za minutę dziecko zginie, ale może też żyć długo. Wystarczy, że człowiek stojący obok mężczyzny z telefonem komórkowym w ręku włoży na szyję pętlę i zrobi, co ma zrobić. Życie za życie. Jeśli ma się pewność, że człowiek z telefonem nie blefuje, wybór jest niewielki. Najciekawsze w tej historii było to, jak oficer tajnych służb, od którego usłyszałem tę opowieść, zareagował na moje pytanie. Zapytałem mianowicie, czy to historia hipotetyczna, czy też coś, co wydarzyło się naprawdę. I wie pan, co mi odpowiedział?

– Co?

– Nic. Spuścił tylko wzrok i przez jakiś czas patrzył w ziemię. Zrozumiałem, że opowiedział historię autentyczną, na którą natknął się w tym bagnie nazywanym przez niego „służbą".

– Nieprawdopodobna historia.

– Powiedziałbym – nieprawdopodobnie prawdziwa. Jeśli miałby pan ochotę docisnąć owego oficera i dopytać o pointę, to ma pan okazję, bo siedzi naprzeciw pana. To nasz major we własnej osobie.

– O ... wydusił z siebie krótko Stech. I tylko tyle, po prostu – „o", co i tak było bogatą wypowiedzią w porównaniu do majora, który nie powiedział dokładnie nic i tylko łypał w milczeniu spod oka.

Przez moment milczeliśmy wszyscy, najwyraźniej jednak adwokata coś nurtowało, bo po chwili postanowił rozwinąć swoją wypowiedź.

– Dlaczego opowiedział mi pan tę historię? – spytał.

– Bo to jest ta przyczyna, dla której zawracamy panu głowę. To analogia, myślałem że to oczywiste.

– Nic nie jest oczywiste.

– Pozwoli pan, że się z nim nie zgodzę. Ani ja, ani major Budzyński nie wierzymy, że Andrzej Lepper zabił się sam. A nie wierzymy, bo jest dla nas oczywiste, że w taki czy inny sposób – w jaki to już kwestia czysto techniczna – ktoś upozorował samobójstwo i ktoś zadbał, by tak już zostało. Sądzimy, że ta tragedia jest elementem większej całości i chcielibyśmy poznać tę całość – chcielibyśmy poznać prawdę, po prostu.

– Czy jeśli ją poznacie, życie będzie lepsze? – spytał patrząc mi prosto w oczy.

– Wierzę, że prawda, to coś, co jest dla nas tak bardzo ważne i tak bardzo nas obchodzi, a co tak trudno wyrazić słowami, bo często brakuje odpowiednich słów. Wierzę, że prawda to wolność, w poszukiwaniu której człowiek pokona każdą przeszkodę i przeskoczy każdy mur, bo to coś, co leży w samej naturze każdego człowieka – odparłem.

Petro Stech przetarł oczy i oburącz przesunął po czole. Najwyraźniej jeszcze coś w sobie ważył, bo milczał przez chwilę, nim odparł

– Nie byłoby mnie tutaj, gdyby nie to, że pewne sprawy zaszły tak daleko. Dajmy sobie trochę czasu – zaproponował. – Nie mogę popełnić kolejnego błędu, bo zbyt wiele ich już popełniłem. W tym wypadku granica błędu, to jak różnica pomiędzy życiem i śmiercią. Nie przesadzam – popatrzył na mnie uważnie raz jeszcze. – Słyszałem, że pan też naraził się potężnym siłom i sporo ryzykował.

To nie było pytanie, ale potwierdziłem skinieniem głowy.

– Dlatego wiem, że zrozumie pan moje obawy. Sprawdzę coś i na następnym spotkaniu powiem więcej. Jedno mogę jednak powiedzieć już teraz: jesteście dużo bliżej niż wam się wydaje.

Stech wstał, najwyraźniej szykując się do wyjścia.

– Niech pan jeszcze nie wychodzi – pierwszy zareagował Tomek. Tak było zawsze. Reagował, gdy ja dopiero zastanawiałem się, czy reagować. – Proszę nam rzucić choć jakiś ochłap – dodał pojednawczo, nie chcąc za mocno naciskać na wyraźnie zastraszonego adwokata.

– Jakiś ochłap? – powtórzył jak echo, po czym usiadł z powrotem i znów zamyślił się na chwilę. – Dobrze, coś wam dam. Teraz to ja opowiem pewną historię. Proszę posłuchać. Wielu ukraińskich biznesmenów obracających wielomilionowymi kwotami, by wytransferować dewizy, musi korzystać z nielegalnych sposobności. Wszystko przez restrykcyjne prawo dewizowe. Pamiętajcie, że Ukraina jest krajem dolarowym, co oznacza, że rozliczenia wewnętrzne w obrocie gospodarczym odbywają się w dolarach amerykańskich. Hrywna jest walutą śmieciową i żaden poważny biznesmen nie ulokuje depozytów w tej walucie. Ale wróćmy do sedna – oczywiście możliwe jest założenie rachunku, dajmy na to, w jednym z oddziałów banku cypryjskiego funkcjonującego na Ukrainie, ale obawa przed infiltracją SBU i przez służby skarbowe powoduje, że dla swoich walorów finansowych biznes ukraiński wykorzystuje bardziej bezpieczny, alternatywny i dyskretny kanał przerzutowy. Taki „kanał" jakim dysponuje Cerkiew Prawosławna, czy Zakon Rycerzy Michała Archanioła. Za swoje usługi cerkiew zwyczajowo pobiera jeden, góra półtora procenta, prowizji od przekazywanej kwoty. Pamiętajmy też o innej ważnej kwestii – Cypryjska Cerkiew Prawosławna jest udziałowcem kilku banków na Ukrainie, a także współwłaścicielem jednego z największych banków na Cyprze – Banku Hellenica, który posiada oddziały i w Rosji i na Ukrainie. No więc, przechodząc do clou – kilkukrotnie byłem świadkiem, jak Andrzej Lepper i Mykoła Hinajło rozmawiali w cztery oczy o transferach dużych kwot. To były bardzo duże sumy. – Stech na moment zawahał się. – Rozmawiali w cztery oczy, ale cienkie ściany plebanii mają uszy – wyjaśnił widząc nieme pytanie w oczach Tomka. I także w moich oczach. – No więc później, w trakcie libacji, Hinajło opowiadał mi, że chodzi o jakieś pieniądze Samoobrony, ale nie tylko. Andrzej Lepper, za pośrednictwem Hinajły, transferował pieniądze na Cypr i także do Grecji, motywując to dużymi wpłatami „darczyńców" i „pomocą" ze strony jakiejś fundacji założonej przez oficerów Wojskowych Służb Informacyjnych. Słyszałem, że jednym z założycieli tej fundacji był Janusz Maksymiuk. Skądinąd wiem, że w tej samej sprawie – w sprawie transferów – Lepper jeździł też do Feliksa Siemienasa, który hoduje karpie w Grecji. To tyle na początek.

Popatrzyliśmy z majorem na siebie w milczeniu, myśląc zapewne dokładnie o tym samym: o zdefraudowanych miliardach z fundacji „Pro Civili", których pewna część trafiła w ręce Andrzeja Leppera. W jaki sposób? Za czyją przyczyną? Czy miał z tym cokolwiek wspólnego Janusz Maksymiuk, jeden z założycieli „Pro Civili" i najbliższy współpracownik Andrzeja Leppera? A może kanał ten uruchomili prawdziwi kreatorzy Andrzeja Leppera, oficerowie Wojskowych Służb Informacyjnych, których mrowie kręciło się w okresie prosperity wokół przywódcy Samoobrony? Na tym etapie rozwiązywania zagadki trudno było stawiać jakieś twarde hipotezy, te jednak – jak zwykle w sprawach oczywistych – same się narzucały.

Są chwile, gdy wiesz, że przeszedłeś przez most i jesteś w innej rzeczywistości. Tym mostem miał być dla nas Petro Stech, człowiek, który już teraz wyjaśnił wiele, ale który dopiero miał złożyć wyjaśnienia, po których ziemia zatrzęsłaby się na dobre. Miał złamać obowiązującą zmowę milczenia i uruchomić pierwszy kamień, który spowoduje lawinę.

Petro Stech wstał, podał nam prawicę i skierował się do wyjścia. – Odezwę się niebawem – rzucił na odchodne. Podszedł do drzwi i gdy stał już w progu, odwrócił się do nas jeszcze na jedną maleńką chwilę. – Jeśli chcecie poznać prawdę o tej sprawie i nie tylko o tej, pytajcie o spotkania nad Jeziorem Świteź. Tam znajdziecie, czego szukacie.

Ruszyłem szybkim krokiem w stronę drzwi, by dowiedzieć się czegoś więcej – ale jego już nie było. Obiecałem sobie, że następnym razem docisnę mocniej i wydobędę na światło dzienne tę jego tajemnicę.

I tak właśnie wyglądało moje pierwsze spotkanie z Peterem Stechem.

Czy mogłem wtedy przypuszczać, że będzie to zarazem nasze ostatnie spotkanie i że następnego razu nie będzie już nigdy?

ROZDZIAŁ II

ZAKON

Mężczyzna powiedział, co miał do powiedzenia i teraz milczał, przyglądając mi się uważnie, a ja przyglądałem się jemu.

Byłem zmęczony, ledwo żywy ze zmęczenia.

Poprzednią noc spędziłem wertując starannie udokumentowane i zaopatrzone w odsyłacze akta oraz historie poszczególnych wątków śledztwa. Obejmowały wszystkie elementy dochodzenia, zarówno prokuratorskiego, jak i mojego własnego, dziennikarskiego śledztwa, w którym wspierał mnie major Tomasz Budzyński. Tak naprawdę zresztą trudno mi było ocenić, czy to on wspierał mnie, czy też raczej to ja wspierałem jego, bo obaj zaangażowaliśmy się w wyjaśnienie tej historii bez reszty. Dla mnie – jak wierzyłem – miała stanowić brakujące domknięcie koła pozwalające poznać i ostatecznie zrozumieć opatrzone klauzulą najwyższej tajności tajemnice III RP, dla majora Budzyńskiego zaś – cóż, wciąż była to dla mnie zagadka. Nie potrafiłem pojąć, z czego wynika aż tak wielkie zaangażowanie tego oficera ABW po przejściach, w wyjaśnienie tej historii. Ufałem instynktowi, a on podpowiadał mi, że major ma cenne informacje. Czułem, że coś skrywa, jakąś tajemnicę. Byłem tym zaintrygowany, ale zgodnie z obietnicą nie naciskałem, by mi ją wyjawił. Uznałem, że skupię się na swojej robocie – i tak się stało.

Tak więc poprzedniej nocy dokonałem analizy całościowego materiału, jaki udało nam się zebrać. Była to bardzo interesująca lektura, to znaczy, jeżeli ktoś interesował się śmiercią, upodleniem, szantażami, kłamstwami i zbrodnią. Zastanawiałem się, dokąd zmierza to wszystko, cała ta niezwykła sprawa, w której nie tylko nie było nic rutynowego, ale też nic nie było tym, czym wydawało się, że jest. Świat iluzji, kreowanej rzeczywistości i wielkiej mistyfikacji, jednym słowem – świat służb specjalnych, czuć było w tej sprawie na odległość.

W materiałach, które przejrzałem, nie znalazłem jednak nic nowego, nic o czym bym nie wiedział. Spędziłem jałowe popołudnie i wieczór na próbach zestawienia dokumentów, ale żadna nowa okoliczność nie zaczęła się z tego wyłaniać. Cały materiał niewątpliwie dowodził jednego: Andrzej Lepper nie popełnił samobójstwa i przy odrobinie dobrej woli tego można było dowieźć – wykazać jak na pewno nie było. Do udowodnienia pozostawała jednak trudniejsza część łamigłówki – wykazanie jak było. A na to nie byliśmy jeszcze gotowi. Brakowało kilku ważnych danych, a tropy mogące pomóc je uzyskać biegły na Wschód.

W najgorszym stanie był najważniejszy wątek śledztwa – ukraiński, zawierający wiele niewiadomych. Zaledwie przed kilkoma miesiącami odkryliśmy nowe tropy, które wymagały jeszcze sprawdzenia i rozwinięcia, ale tu mieliśmy już mocny punkt zaczepienia, a może nawet coś więcej – w zasięgu wzroku mieliśmy punkt zwrotny dla zrozumienia i wyjaśnienia całej tej historii.

„Punkt zwrotny" miał swoje imię i nazwisko i oczywiście nazywał się Piotr Stech. Człowiek ów, choć z oporami i wyrażając przy tym obawy o swój los, podczas spotkania pomimo wszystko zaczął mówić. Mieliśmy podstawy uważać, że niezwykła wiedza, którą już nam ujawnił, to dopiero początek nici, który poprowadzi do kłębka. Stech powiedział sporo, a miał powiedzieć jeszcze więcej, ale właśnie przed momentem dowiedziałem się, że nic więcej nam już nie powie. Trudno bowiem powiedzieć coś, gdy człowiek znajduje się półtora metra pod ziemią, w dodatku będąc martwym – a taką właśnie informację przyniósł nam przed chwilą milczący teraz, siedzący naprzeciw mnie i majora, mężczyzna.

Na moment jego twarz zlodowaciała, a może tylko tak mi się wydawało, bo po chwili coś na kształt uśmiechu politowania przemknęło przez jego twarz. Nieznajomy sięgnął do teczki, z której wyjął kilka kartek dokumentów i pchnął je w moją stronę, bez słowa. Wziąłem pierwszą z wierzchu i zacząłem czytać. Były to dokumenty z sekcji zwłok „naszego człowieka", Petro Stocha vel Piotra Stecha, znanego lubelskiego adwokata, który – jak się właśnie dowiedziałem – zginął w niewyjaśnionych okolicznościach, zaledwie kilka dni temu.

Cała ta sprawa coraz mniej mi się podobała, co nieznajomy z pewnością zauważył widząc moją minę. A podobała mi się coraz mniej nie tylko z powodu wielkich nadziei, jakie wiązałem z wiedzą i kontaktami Stecha, które mogły pchnąć wyjaśnienie okoliczności śmierci Andrzeja Leppera na nowe i bynajmniej nie ślepe, tory. Podobała mi się coraz mniej także dlatego, że Piotr Stech był jednym z bohaterów mojej książki „Czego nie powie Masa o polskiej mafii", wydanej w październiku 2015 roku, w której figurował w kontekście opisu pewnej organizacji – Zakonu Rycerzy Michała Archanioła. Ta z kolei organizacja – jak już wiedziałem – kooperowała z Andrzejem Lepperem i grupą jego współpracowników. Zastanawiałem się, co oznacza dla mnie ta nowa okoliczność, którą właśnie odkryłem.

A zastanawiałem się, bo już wiedziałem, czym jest Zakon. A najciekawsze informacje w tym zakresie przekazał mi major. który opowiedział o swoim spotkaniu z profesorem Olegiem Soskinem. Według relacji byłego szefa delegatury ABW w Lublinie było tak:

***

– Oleg Soskin – mam przyjemność z panem Tomaszem Budzyńskim?

– Dzień dobry panie profesorze – odpowiedziałem zaskoczony.

– Nasz wspólny znajomy przekazał mi pańską prośbę o spotkanie w Kijowie, ale to będzie trudne ponieważ przez najbliższe tygodnie jestem w długiej podróży po Europie, gdzie mam prelekcje na kilku sympozjach. Teraz jestem w Pradze, ale jutro będę uczestniczył w międzynarodowym sympozjum pod Warszawą w hotelu Double Tree Hilton. Panele robocze kończą się o godzinie dziewiętnastej, więc moglibyśmy, jeśli w dalszym ciągu pana to interesuje, spotkać się i porozmawiać.

– Tak panie profesorze, jestem w dalszym ciągu zainteresowany spotkaniem z panem i jutro będę o dziewiętnastej w hotelu Hilton.

Pożegnaliśmy się zdawkowo i zacząłem przygotowywać się do spotkania.

Wiedziałem, że profesor będzie wymagającym rozmówcą ze względu na ogromną wiedzę dotyczącą interesujących mnie zagadnień.

Skąd się wziął pomysł takiego spotkania? Zasugerowali to moi ukraińscy rozmówcy, którzy mówili o Instytucie Transformacji Społeczeństwa, jednym z działających na Ukrainie think tanków założonym przez profesora Soskina, promującym proatlantycki kurs Ukrainy.

Instytut jest organizacją pozarządową, prowadzi badania w dziedzinie reform gospodarczych, transformacji ustrojowej, administracji publicznej i bezpieczeństwa narodowego. Do umówienia spotkania z Olegiem Soskinem wykorzystałem kontakty z polskich kręgów dyplomatycznych i po kilku dniach uzyskałem informację, że spotkanie będzie możliwe w Kijowie, ale w bliżej nieokreślonym terminie – z powodu ogromu zajęć profesora i licznych wyjazdów za granicę. Usłyszałem, że profesor dostał numer mojego telefonu i obiecał, że po ustabilizowaniu sytuacji zawodowej skontaktuję się ze mną.

Czekałem na sygnał, aż pewnego dnia odebrałem telefon z nieznanym mi polskim numerem i usłyszałem śpiewny ukraiński głos z twardym rosyjskim akcentem...

Nazajutrz, zgodnie z umową, przyjechałem do hotelu Hilton i wszedłem do holu. W „naszym" świecie służb specjalnych nie istnieją niektóre pojęcia funkcjonujące w świecie „zwykłych śmiertelników". Nikt od nikogo nie wymaga rekomendacji wystarczy „wspólny" znajomy i jego prośba nawet w najbardziej odległych zakątkach świata – to jest najistotniejsza rekomendacja. Nikt nikomu nie przedstawia CV, bo po co? Przecież i tak zawierałoby informacje niezgodne z rzeczywistością. Nikt nikogo nie pyta o powód rozmowy, bo każdy zdaje sobie sprawę, że odpowiedź i tak nie byłaby zgodna z prawdą. Po co więc tracić czas na zbyteczne pytania?

Nasze spotkanie było z gatunku tych, które przebiegać miało według takiego właśnie scenariusza. Wystarczy wyrazić chęć, a każdy wie, że trzeba drugiej osobie pomóc, oczywiście nie narażając interesów swojej „organizacji". Wchodząc do holu hotelu Hilton zdawałem sobie sprawę, że będę rozmawiał z „naszym" partnerem i nie pomyliłem się. Profesor Soskin siedział na hotelowej kanapie, jak stary wytrawny wywiadowca, w rogu holu, mając za plecami ścianę, a z miejsca, w którym się znajdował, miał możliwość lustracji i kontroli otoczenia oraz wszystkich przechodzących wokół ludzi. Jakby co – miał też możliwość ewakuacji. Dla osób szkolonych w tych kwestiach to pozycja naturalna wynikająca z podświadomości, ale także znak rozpoznawczy dla drugiej osoby. Nie potrzebne zdjęcie – aby rozpoznać przyszłego rozmówcę, wystarczy przeanalizować zachowanie. I tak było tym razem. Nie musiałem korzystać z telefonu, by na pewniaka podejść do przyszłego interlokutora.

– Profesor Oleg Soskin? – zapytałem wyciągając rękę na powitanie. – Tomasz Budzyński – przedstawiłem się. – Byliśmy umówieni na spotkanie.

– Witam, miło mi pana poznać – odpowiedział profesor przyglądając mi się z zaciekawieniem z za grubych szkieł okularów. – Mam nadzieję, że nie będziemy tutaj rozmawiali, bo wszędzie jest monitoring, a chyba zależy nam obu na dyskrecji.

– Mam propozycję. Wiem, że mieszka pan w centrum Warszawy, to może pojechalibyśmy tam w spokojne miejsce i zjedli kolację – zaproponowałem.

– Z przyjemnością przystaję na pana propozycję. Jutro od dziewiątej uczestniczę w sympozjum. Z wiel-

ką zatem przyjemnością rozprostuję nogi i powdycham świeżego powietrza, o ile to możliwe w centrum miasta.

Droga do Warszawy upłynęła nam na pogawędce dotyczącej tematów sympozjum i różnic pomiędzy infrastrukturą Polski i Ukrainy, jednym zdaniem rozmawialiśmy o wszystkim i niczym. Po przyjeździe do centrum poszliśmy na spacer, by po kilkunastu minutach zająć miejsce w przytulnej restauracji, na tyłach dawnych Domów Towarowych Centrum.

– Jak się panu podoba Warszawa – zagaiłem rozmowę?

– Ładne miasto, ale panie Tomaszu, nie po to się spotykamy, by rozmawiać o walorach turystycznych waszej stolicy – stwierdził profesor, okazując się osobą konkretną.

– Dobrze panie profesorze – zacząłem. – Przygotowuję materiał o byłym wicepremierze, Andrzeju Lepperze, i potrzebuję informacji o charakterze jego pobytów na Ukrainie w kontekście powiązań z organizacją o nazwie Zakon Rycerzy Michała Archanioła. Wiem, że została założona w Czerniowcach w 1997 roku. Od pana oczekiwałbym opinii dotyczącej prawdziwego charakteru działalności tej organizacji – wyłożyłem swoją sprawę na stół, jak karty w pasjansie.

– To dobrze się składa, bo poznałem Andrzeja Leppera, na Białorusi w 2010 roku. Był wtedy, wraz z tym waszym aresztowanym szpiegiem rosyjskim, Mateuszem Piskorskim, obserwatorem wyborów prezydenckich. Występowaliśmy nawet razem w białoruskiej telewizji, w takim programie mającym na celu uwiarygodnienie działalności Aleksandra Łukaszenki. Zapamiętałem, że

Lepper chwalił stosunki gospodarcze na Białorusi. Łukaszenko celowo przed wyborami rozluźnił trochę możliwości prowadzenia działalności gospodarczej przez podmioty prywatne i zagraniczne, by pokazać, że jest trochę liberałem. Ale to trwało tylko chwilę, potem znów wszystko wróciło do normy – powiedział profesor z pasją.

– Nie wiedziałem o tym fakcie, to znaczy o fakcie waszej znajomości – poprawiłem się. Jakie miał pan spostrzeżenia na temat naszego polityka?

– Znaliśmy się słabo, ale zdążyłem zauważyć, że to tuzinkowy polityk. Co zwróciło moją uwagę, to fakt, że dobrze mówił w języku rosyjskim. Jego stereotyp funkcjonujący w Polsce wydaje mi się dalece odbiegający od rzeczywistości. Ale tak bywa, bo politycy na użytek polityki wewnętrznej odgrywają rolę inne niż poza granicami kraju. Więcej z Andrzejem Lepperem się już nie widziałem, ale czytałem, że jakiś czas potem popełnił samobójstwo w lokalu partyjnym w Warszawie.

– 5 sierpnia 2011 roku znaleziono go wiszącego niedaleko stąd, w Alejach Jerozolimskich 30, w lokalu partyjnym. Ale to, czy było to samobójstwo, to już sprawa bardzo problematyczna – odpowiedziałem. – Interesuje mnie pana opinia o stowarzyszeniu funkcjonującym na Ukrainie pod nazwą Zakon Rycerzy Michała Archanioła. Pamięta pan sprawę z 2007 roku, kiedy mówiono o kontaktach Andrzeja Leppera, wówczas wicepremiera, z Mykołą Hinajło, księdzem Prawosławnej Cerkwi Ukraińskiej Patriarchatu Kijowskiego, mającego związki z rosyjskimi służbami specjalnymi, prawda? Pytam, bo czytałem jedną z pańskich wypowiedzi na ten temat. Jestem przygotowany do rozmowy z panem w dość do-

brym stopniu, mam bogatą literaturę dotyczącą Zakonu i jego działalności – nadinterpretowałem to i owo, bo moja faktyczna wiedza o Zakonie wynikała z innych, poza oficjalnych, źródeł.

– Ma pan na myśli zapewne Kroniki Zakonu wydawane oficjalnie przez Mykulińskiego, mistrza Zakonu. Może je pan wyrzucić do kosza na śmieci – chociaż nie. Kroniki są istotne, bo od czegoś trzeba zacząć, a one dają jakieś tam pojęcie historyczne, choć w ogóle nie ukazują istoty zagadnienia, ani ludzi powiązanych z Zakonem. Ale skąd pan je ma? Przecież to wewnętrzne wydawnictwo członków Zakonu. Raczej nie rozpowszechniane na masową skalę – zaciekawił się profesor.

– Dostałem od znajomego na Ukrainie, ale nie pytałem w jaki sposób je zdobył – kłamałem jak z nut.

– Zna pan trochę historię Ukrainy po 1991 roku w kontekście historii służb specjalnych naszego państwa? – zapytał profesor.

– Orientuję się dobrze w tym zagadnieniu – odpowiedziałem z przekonaniem, aczkolwiek zdawałem sobie sprawę, że w porównaniu z wiedzą profesora moja wygląda miernie. – Zamieniam się w słuch, profesorze.

– Po powstaniu niepodległej Ukrainy w 1991 roku, kiedy nie istniała jeszcze Służba Bezpieczeństwa Ukrainy, jedyną służbą specjalną była post radziecka KGB, opierająca się całkowicie na ludziach „dawnej" – raczej „dotychczasowej" – KGB. Pierwszym szefem tej instytucji został Mikołaj Gołuszko, dotychczasowy szef ukraińskiej KGB, który to stanowisko zajmował przez kilka miesięcy. Gołuszko wiedząc że jego czas minie szybko dokonał rzeczy niebywałej – skopiował archiwa ukraiń-

skiej KGB i wywiózł do Moskwy. Oczywiście na Łubiance znajdowały się mikrofilmy akt ukraińskiej KGB jak i każdej innej republiki ZSRR, ale nie były aktualizowane, a dzięki przejęciu naszych akt były kompletne. To dzięki temu Rosjanie mogą praktycznie kontrolować każdą dziedzinę życia na Ukrainie ponieważ tak jak i was, tak również u nas większość dysydentów zajęła najważniejsze stanowiska w strukturach państwowych samorządowych czy gospodarczych. Łudzicie się, że odcięliście pępowinę zależności w tym względzie, ale to tylko złudzenie. Rosjanie mieli dostęp do waszych archiwów SB i WSW oraz teczek agentury i do dziś mają doskonałe rozpoznanie, jeśli chodzi o osoby, które zajmowały się działalnością opozycyjną, pod każdym względem i pod każdym kątem.

Wiedzą, kto był osobowym źródłem informacji, kto jakie ma słabostki i jakie zależności występują pomiędzy dawnymi kolegami opozycjonistami, osobiste, biznesowe i polityczne. Na Ukrainie mamy większą świadomość tego zjawiska, niż u was, ale to już wasz problem.

Muszę to z przykrością stwierdzić, że FSB, SWR i SBU to w pewnym sensie synonimy. Dopiero teraz to się zmienia, jednak na znormalizowanie tej sytuacji potrzeba lat. Ale wracając do Zakonu Rycerzy Michała Archanioła, bo ten temat interesuje pana najbardziej – jakich informacji pan potrzebuje ? – zapytał Soskin

– Opowiada pan tak ciekawie, że słuchałem jak student wykładu.

– Stare przyzwyczajenie z uczelni. Człowiek nigdy nie pozbywa się pewnych zachowań– uśmiechnął się Soskin.

– Wspomniał pan, że jest to stowarzyszenie – jest to

pewne uproszczenie ponieważ nie da się przełożyć pewnych kwestii prawnych z polskiego systemu prawnego na ukraiński. Lepiej, gdybyśmy używali określenia „organizacja", to bardziej odpowiada rzeczywistości. Organizacja czyli Zakon Rycerzy Michała Archanioła została założona w 1997 roku przez ludzi związanych z generałem Aleksandrem Skipalskim i pułkownikiem Iwanem Mykułyńskim działaczami Związku Oficerów Ukrainy, która powstała jako organizacja tajna w 1989 roku. Pierwszy z nich, to były zastępca szefa SBU, drugi zaś – emerytowany pułkownik armii radzieckiej. Musi pan wiedzieć, że podobne organizacje powstawały pod auspicjami Prawosławnej Cerkwi Patriarchatu Moskiewskiego z inspiracji rosyjskich służb specjalnych na terenie Ukrainy już od początku lat dziewięćdziesiątych. Tego typu organizacje są bardzo niebezpieczne dla państwa ukraińskiego, a ich zasadą działania jest tajność – mają tajne statuty, tajne listy członków i prowadzą niekontrolowaną przez nikogo działalność finansową.

– Dlaczego państwo ukraińskie nie kontroluje ich działalności? Nie chce, czy nie może? – zapytałem zaciekawiony.

– Na Ukrainie jest inna pozycja Cerkwi Prawosławnej, niż związków wyznaniowych na zachodzie Europy. Weźmy na przykład monastyry, czyli prawosławne klasztory – funkcjonuje niepisana umowa, że państwo nie kontroluje w żaden sposób ich działalności służby państwowe nie mają możliwości sprawdzić kto przebywa na terenie monastyrów, jaka jest działalność finansowa, gdzie lokowane są pieniądze z dotacji itp.

– Nawet policja czy straż graniczna nie ma prawa wejść na teren monastyrów? – zapytałem zdziwiony informacją.

– No właśnie nie ma i to jest problem,bo powstałe organizacje vide Zakon Rycerzy Michała Archanioła znajdują się pod ścisłą kuratelą monastyrów i Cerkwi Prawosławnej korzystając z jej szeroko rozumianej infrastruktury – finansowej i logistycznej, a więc są poza kontrolą państwa.

– Ale z tego co wiem oficjalnie publikują swoje dokumenty, listy członków sprawozdania z działalności.

– A skąd pan wie, że są prawdziwe? – zauważył profesor. – Widzi pan, tak naprawdę nikt nie wie, jakie działania kryją się pod płaszczykiem tak rozumianej statutowej działalności i dlatego uważam, że są bardzo niebezpieczne dla struktur państwa, są po prostu poza wszelką kontrolą. Weźmy na przykład taki Rotary Club, który działa oficjalnie, ma swoje siedziby na całym świecie, prasę, listy członków są jawne a wszyscy wiedzą, że jest przybudówką masonerii. Ale niech pan spojrzy nawet na oficjalnych członków Zakonu Rycerzy Michała Archanioła – biznesmeni pokroju Iwana Mazepy, członkowie wymiaru sprawiedliwości wszystkich szczebli od prokuratur obwodowych po Sąd Najwyższy, politycy wszystkich szczebli od gubernatorów po deputowanych, funkcjonariusze służb specjalnych, wojskowych. To potężna organizacja zdolna wywierać nieformalny wpływ na bieg wielu spraw od polityki po sprawy gospodarcze czy dotyczące wymiaru sprawiedliwości. Tak więc zainteresowanie polskich służb specjalnych kontaktami wicepremiera Andrzeja Leppera z przedstawicielami tej

organizacji uważam za działanie zupełnie prawidłowe i uzasadnione.

Tak więc wiedziałem o Zakonie Rycerzy Michała Archanioła dość, by nie dać się zwieść mistyfikacji.

Zakon został zarejestrowany w 1997 roku jako stowarzyszenie powstałe z inicjatywy pułkownika rezerwy Armii Radzieckiej, Iwana Mykulyńskiego i od tego czasu, dysponując w krótkim czasie kwotą o wartości dwudziestu milionów dolarów niewiadomego pochodzenia, rozbudowywał swoje struktury – na Ukrainie i daleko poza Ukrainą: w Europie Zachodniej, Rosji, a nawet w Kanadzie.

Na Ukrainie do organizacji wstępowali politycy, naukowcy, artyści, biznesmeni i wojskowi, poza granicami kraju – głównie członkowie ukraińskich organizacji nacjonalistycznych OUN/UPA. Zakon od początku aktywnie uczestniczył w życiu publicznym Ukrainy, a wśród rozlicznych funkcji, jakie pełnił, przewidziano także rolę autorytetu, czyli opiniotwórczą. I tak najbardziej patriotycznie nastawieni do rzeczywistości ukraińscy politycy, sympatycy Bandery et consortes, otrzymali od Rycerzy Zakonu szereg nagród i odznaczeń, zaś były prezydent, Wiktor Juszczenko, „załapał się" nawet na Order Chrystusa Zbawiciela.

Rzecz jasna, nie każdy może zostać członkiem takiego Zakonu. Trzeba uzyskać co najmniej dwie rekomendacje długoletnich członków, przejść roczny okres próbny i wykazać się prawdziwie patriotyczną postawą. Co to oznacza na Ukrainie, można się tylko domyślać. Tak czy inaczej, przyjęcie w struktury poprzedzone jest rytuałem inicjacji, zaś uczestnictwo w organizacji podlega stałej ocenie przez mocno sformalizowany hierarchiczny system. Organizacja ma też własny kodeks i sąd honorowy, którego przewodniczącym jest prezes Sądu Konstytucyjnego Ukrainy.

Reasumując – pozornie działalność Zakonu Rycerzy Michała Archanioła nie budzi zastrzeżeń, bo jakie zastrzeżenia może budzić Zakon odwołujący się do Świętego Michała, którego priorytetem jest wychowanie społeczeństwa w duchu patriotyzmu i dbałość o wizerunek ojczyzny poza granicami kraju, prawda?

Żeby było bardziej interesująco, wpływy Zakonu sięgają dalej niż ktokolwiek mógłby pomyśleć i tak na przykład honorowym kawalerem Orderu Zakonu Rycerzy Michała Archanioła został Karol Filip Orleański, wnuk hrabiego Paryża i księcia Francji, Henryka Orleańskiego, uznawanego przez stronnictwo orleańskie za króla Francji. Jednym zdaniem – towarzystwo od poradzieckich wojskowych po następcę tronu króla Francji.

Taka jest wersja oficjalna, ale czy jest to wersja prawdziwa?

Niewiele osób ma świadomość, że służby specjalne wywodzące się z dawnego Związku Radzieckiego, dawniej i dziś tworzyły i tworzą instytucje i organizacje, fundacje i szkoły, a nawet zakony i kościoły, których działalność statutowa była i jest „przykrywką" dla działalności faktycznej.

I tak było w tym wypadku.

Zakon naprawdę, to organizacja tajemnicza i niebezpieczna, w której jednym z naczelnych praw jest „zasada omerty", mafijnej zmowy milczenia. To organizacja operująca na styku biznesu i polityki, powiązana z wojskowymi służbami specjalnymi powstałymi po rozpadzie Związku Radzieckiego, założona przez byłych oficerów radzieckich służb wywiadowczych – pułkownika Iwana Mykulyńskiego i majora Mykoła Hinajłę, który w 1998 roku zakończył służbę wojskową i został kapłanem Kościoła Prawosławnego – i dokładnie przefiltrowana przez SBU.

A to i tak drobny fragment świata ludzi, których prawica po latach intryg i knowań nie wie już, co czyni lewica, świata, w którym wykreowana rzeczywistość toczy walkę o palmę pierwszeństwa z iluzją, ta zaś – z mistyfikacją.

By zrozumieć prawdziwy cel działalności Zakonu Rycerzy Michała Archanioła i prawdziwy jej charakter, konieczne jest przytoczenie faktów z historii niepodległej Ukrainy i zarazem historii służb specjalnych tego kraju w kontekście powiązań z rosyjskimi służbami specjalnymi – i to nie historii oficjalnej, lecz tej prawdziwej, powziętej od wysokich rangą oficerów Służby Bezpieczeństwa Ukrainy, powstałej 20 września 1991 roku na bazie KGB.

Do momentu konfliktu z Rosją SBU była silnie spenetrowana przez służby specjalne Rosji, a większość jej oficerów pracowała na dwie strony: i dla Ukrainy, i dla Rosji. Tę „dwoistość" można było dostrzec właściwie od samego początku powstawania ukraińskich służb specjalnych. Pierwszym szefem SBU został Mikołaj Hołuszko, a jego zastępcą Jewhen Marczuk, obaj wywodzący się z Zarządu V KGB, którego zadaniem było rozpracowywanie środowisk dysydenckich. W listopadzie 1991 roku szef ukraińskich służb specjalnych Hołuszko wyjechał do Moskwy i już nie wrócił, bo został... zastępcą ministra bezpieczeństwa Rosji. Wkrótce potem awansował na stanowisko szefa Federalnej Służby Kontrwywiadu Rosji – następczyni KGB – przemienionej następnie w Federalną Służbę Bezpieczeństwa Rosji, czyli obecną cywilną służbę specjalną Rosji. Po jakimś czasie okazało się, że do Moskwy Kałuszko nie pojechał z pustymi rękami, bo wyjeżdżając zabrał ze sobą najcenniejsze „klejnoty" z archiwów SBU. Ten z kolei fakt na długie lata pozwolił rosyjskim służbom specjalnym kontrolować wszystkie dziedziny życia polityczno-gospodarczego na Ukrainie.

Następcą Hołuszki został Jewhen Marczuk, a z kolei jego następcą Wołodymir Radczenko. Ten ostatni przynajmniej niczego nie udawał i już otwarcie dążył do pełnego zacieśnienia związków z Rosjanami. A że przez wzgląd na skalę nasycenia ukraińskich służb specjalnych agentami GRU i FSB lojalność ukraińskich oficerów i tak pozostawiała wiele do życzenia, przyjęty przez szefa kierunek powitano w służbach z zadowoleniem i satysfakcją. Fakt, że połowę wyższych oficerów owych służb stanowili Rosjanie z pewnością Radczence nie utrudnił zadania.

W efekcie w ciągu ostatniego ćwierćwiecza stosunki SBU z rosyjskimi służbami specjalnymi, zarówno cywilnymi, jak i wojskowymi, układały się dobrze, a nawet bardzo dobrze i nie zmienia niczego w tej ocenie fakt, że w okresie rządów prezydenta Juszczenki, w latach 2005-2009, SBU na krótko przeorientowała się na współpracę z partnerami zachodnimi, między innymi z ABW. Nie zmienia niczego – bo zarówno polskie, jak i zachodnie służby specjalne w tym wypadku miały wiedzę, którą mieć powinny i zgodnie uważały Ukrainę za terytorium działania FSB i GRU. Jeżeli już nie z innych względów, to z pewnością przez wzgląd na „statystykę" niepozostawiającą złudzeń w kwestii nasycenia SBU agentami rosyjskich służb specjalnych, tak wojskowych jak cywilnych. Drastycznym przykładem potwierdzającym ów fakt były próby otrucia premiera Ukrainy, Wiktora Juszczenki. Istotną rolę mieli tu odegrać generałowie Służby Bezpieczeństwa Ukrainy, w tym sam szef SBU, Ihor Smieszko oraz jego zastępca, Wołodymir Saciuk, który w imieniu prezydenta Leonida Kuczmy nadzorował SBU. Saciuk nigdy nie przyznał się do winy, nie zdradził, na czyje działał zlecenie, ale kilka miesięcy po próbie otrucia Juszczenki uciekł do Rosji, gdzie od ręki dostał paszport, obywatelstwo i awans na generała FSB.

Gdy zatem pięcioletnie rządy Juszczenki dobiegły końca, wszystko wróciło do „normy" i Rosjanie znów mogli poczuć się na Ukrainie jak u siebie. Po obaleniu Wiktora Janukowycza w 2014 roku rozpoczęła się kolejna próba oczyszczania SBU i wywiadu ukraińskiego z oficerów mających przeszłość w rosyjskich służbach specjalnych. Nikt jednak, kto choć trochę zna realia nie może mieć złudzeń, że będzie to proces łatwy i szybki.

Gdyby ktoś zadał pytanie, jak w kontekście tego wszystkiego wyglądały sprawy Zakonu Rycerzy Michała Archanioła, usłyszałby prostą historię. Wołodymir Radczenko, szef SBU w czasie, gdy powstawał Zakon, nie był typem pioniera, a raczej człowieka, który w specyficzny sposób pojmował swoje czasy. Radczenko wierzył, że w dynamicznie zmieniającej się rzeczywistości pewne rzeczy powinny pozostać niezmienne. Pod tym pojęciem rozumiał nie tylko ścisłą kooperację z rosyjskimi służbami specjalnymi, ale też wierną kontynuację wyniesionych z czasów KGB metod – w nieco jednak ulepszonej formie. To Radczenko wymyślił, by wspierając rozkwit organizacji monarchistycznych i zakonów – którym patronowały wszystkie kościoły prawosławne, od Cerkwi Prawosławnej Patriarchatu Moskiewskiego i Kijowskiego po Autokefaliczną Cerkiew Prawosławną – zachować nad nimi kontrolę. To także on wpadł na pomysł, by poprzez budowanie środowisk monarchistycznych i religijno-masońskich docierać do wpływowych osób ze świata bynajmniej nie tylko ukraińskiej polityki, kultury, nauki i wojska.

A wszystko to oczywiście pod pełną kontrolą Służby Bezpieczeństwa Ukrainy – a tak naprawdę pod ochroną jej rosyjskich patronów. Za decyzją Radczenki o budowie pod kontrolą SBU – w rzeczywistości FSB i GRU – organizacji monarchistycznych i zakonów kryła się logiczna i przebiegła gra – gra, która była konsekwencją spuścizny po czasach minionych, ale która była kontynuowana przez następnych kilkadziesiąt lat i przetrwała w nieznacznie tylko zmienionej formie aż do czasów dzisiejszych.

Zasad tej gry nie podważyły ani zmieniające się rządy, ani nawet konflikty.

Czy to bowiem tylko przypadek, że od momentu rozpoczęcia konfliktu rosyjsko-ukraińskiego majątek prezydenta Ukrainy, Petro Poroszenki oparty w dużej mierze na fabrykach słodyczy w Rosji, pomnożył się znacząco?

Czy to przypadek, że podczas spotkania prezydentów Polski i Ukrainy ten ostatni miast sprawami wagi państwowej, interesował się możliwością budowy fabryki czekolady w Polsce?

Tak było i tak jest – bo wojna wojną, a interesy interesami.

Czy Andrzej Lepper mógł nie wiedzieć, w jak brudny wchodzi świat, gdy poprosił Piotra Podgórskiego, pochodzącego z Chełma swojego doradcę do spraw Ukrainy o ułatwienie kontaktu z przedstawicielami Zakonu Rycerzy Michała Archanioła?

Wszystko zaczęło się wiosną 2004 roku, gdy Podgórski szybko wspinał się po szczeblach partyjnej hierarchii i gdy jego relacje z Andrzejem Lepperem były więcej niż poprawne. Politolog po UMCS w Lublinie, który zrobił doktorat z socjologii – według majora Budzyńskiego, normalną praktyką jest, że na uczelniach ukraińskich kupuje się doktoraty – na Ukraińskiej Akademii Technologicznej (tej samej, której doktorat honoris causa otrzymał później Andrzej Lepper, a na której profesorem został Janusz Maksymiuk) był w owym czasie pupilem Leppera, zaangażowanym w partyjną pracę, a potem także w kampanię, w trakcie której miał nakłonić strongmena Mariusza Pudzianowskiego do poparcia Samoobrony (według relacji samego Podgórskiego nie musiał specjalnie nakłaniać – pięćset tysięcy złotych szybko załatwiło sprawę).

Podgórski sprawiał wrażenie energicznego i operatywnego, opowiadał o planach uruchomienia Polsko

-Ukraińskiego Instytutu Gospodarki i Nauki, chwalił się „dojściami" do ważnych, a niekiedy po prostu „ciekawych" ludzi na Ukrainie – i nie tylko na Ukrainie. Działaczom Samoobrony opowiadał na przykład, że miał bliskie związki z przywódcą gangu pruszkowskiego Andrzejem Kolikowskim, pseudonim „Pershing", ale czy była to prawda, nikt nie wiedział. Nagrodą za aktywną działalność Podgórskiego w Samoobronie miała być funkcja konsula we Lwowie, ale gdy okazało się, że nic z tych planów nie wyjdzie, przyjaźń się skończyła i jak to w życiu bywa, zamieniła w niechęć. To jednak było dopiero później.

W związku z prośbą Andrzeja Leppera wiosną 2004 roku Podgórski udał się do mieszkającego w Lublinie mecenasa Petra Stecha. Ten urodzony we Lwowie adwokat był absolwentem Wydziału Prawa Katolickiego Uniwersytetu Lubelskiego i mieszkał w Lublinie już od początku lat dziewięćdziesiątych, gdzie ściśle współpracował z ukraińskim konsulatem usytuowanym w tym mieście. Wcześniej, przed przyjazdem do Lublina, Stech służył w armii radzieckiej, w jednostce elitarnych wojsk powietrzno-desantowych i stacjonował na Półwyspie Kolskim, w zamkniętej strefie wokół Murmańska. Tam po raz pierwszy zetknął się ze służbami specjalnymi byłego Związku Radzieckiego – z GRU. Mimo usilnej pracy i wielkiego zaangażowania majora ABW Tomka Budzyńskiego nie udało się ustalić charakteru relacji Stecha z GRU – w oparciu jednak o znajomość pragmatyki służb specjalnych za pewnik można przyjąć, że nie były to relacje towarzyskie.

W tym miejscu konieczna jest ważna dygresja.

Major Tomasz Budzyński, były szef delegatury Agencji Bezpieczeństwa Wewnętrznego w Lublinie, dla wyjaśnienia nieznanych mi – i nieznanych chyba prawie nikomu – okoliczności życia i śmierci Andrzeja Leppera odegrał rolę absolutnie szczególną. Gdy natrafiając na mur milczenia albo gorzej, mur dezinformacji, rozkładałem ręce w geście bezradności, on znajdował odpowiedzi na wszystkie pytania. Wydobywał je w przeróżny sposób. Częstokroć wprost od najbliższych współpracowników Andrzeja Leppera, z którymi, niezależnie ode mnie, na przestrzeni ostatnich kilkunastu miesięcy odbył dziesiątki spotkań, w Polsce i na Ukrainie, a częstokroć od swoich informatorów. A jednak było coś jeszcze, coś nieokreślonego, co powodowało, że Tomek miał swoje źródła informacji, do jakich dostępu nie miał nikt inny. Owo nieokreślone „coś" stanowiło jego tajemnicę, która – jak zrozumiałem – wiązała się jeszcze z inną tajemnicą, dotyczącą jego zaangażowania w tę sprawę. Póki co, nie chciał o tym mówić, zaś ja, zgodnie z daną mojemu koledze obietnicą, niczego na razie nie dociekałem czekając, aż wyjawi mi ją sam, w dogodnym dla siebie miejscu i czasie. Fakt pozostawał jednak faktem, że owo nieokreślone „coś" sprawiało, iż major dysponował informacjami absolutnie z najwyższej półki i wszystkie te newsy dostarczał mnie. W trakcie ponadrocznej współpracy nad rozwikłaniem tajemnic życia i śmierci Andrzeja Leppera nie przekazał mi ani jednej informacji, która nie okazałaby się prawdą, nie podał żadnego faktu, który nie znalazłby potwierdzenia w dokumentach, nagraniach bądź in-

nych materiałach. Mówiąc potocznie – tu nigdy nie było lipy, za to zawsze można było liczyć, że wszystko będzie tak, jak być powinno. Jednym zdaniem – major stanowił klasę samą w sobie. Każdy głupi może zdobyć informację taką czy inną, ale zweryfikować ją i potwierdzić – to już wyższa szkoła jazdy. Tomasz Budzyński był świetnie obeznany z archiwami, powiązaniami, sprawami gospodarczymi, przede wszystkim jednak potrafił perfekcyjnie zbierać informacje o każdym najdrobniejszym nawet elemencie, który dotyczył Andrzeja Leppera.
Jako się rzekło, przez długi, bardzo długi czas nie wiedziałem, na czym polega jego tajemnica, choć pewnych rzeczy domyślałem się od samego początku.
Jej pełne wyjaśnienie poznałem dopiero jakiś czas później i było to wyjaśnienie niezwykłe...

Oprócz współpracy z ukraińskim konsulatem w Lublinie, Petro Stech pełnił funkcję sędziego Sądu Arbitrażowego przy Izbie Przemysłowo-Handlowej we Lwowie. Jednocześnie w Lublinie rozpoczął aplikację adwokacką i do spółki z żoną założył Biuro Doradztwa Gospodarczego, które ułatwiało prowadzenie interesów w Polsce obywatelom Rosji i Ukrainy. Od 2000 roku prowadził własną kancelarię adwokacką w Lublinie i rozwijał specjalizację w sprawach gospodarczych. Pomagał również Ukraińcom, którzy w Polsce popadli w konflikt z prawem. W tym samym czasie wszedł w skład Ukraińskiego Towarzystwa Prawniczego w Polsce, a kilka lat później został upoważnionym przez Radę Najwyższą Ukrainy przedstawicielem tego kraju do spraw ludności ukraińskiej w Polsce.

A jednak to nie te wszystkie sukcesy, funkcje i zaszczyty były przyczyną, dla której wiosną 2004 roku Piotr Podgórski udał się z wizytą do lubelskiego, pochodzącego z Ukrainy, cenionego i powszechnie szanowanego adwokata.

Powód był zgoła inny.

Niespełna rok wcześniej zarządzeniem nr 6 Wielkiego Mistrza Zakonu z dniem 1 lipca 2003 Petro Stech został mianowany Wielkim Przeorem Zakonu Rycerzy Michała Archanioła na Polskę, a już niecałe dwa miesiące później, 29 września 2003 roku, uroczyście, z wielką pompą, odbyła się inauguracja działalności przeorii. Zakon w Polsce rozwijał się dynamicznie, ale jeszcze bardziej dynamicznie rozwijał się Stech, który robił w Zakonie zawrotną karierę. W krótkim czasie, za zasługi wniesione w działalność na rzecz rozwoju organizacji, został odznaczony Orderem Michała Archanioła, a potem kolejnymi orderami – Orderem Wielkiego Mistrza Zakonu i orderami zaprzyjaźnionych organizacji zakonnych z Zachodniej Europy. Analiza informacji i dokumentów wskazuje, że Petro Stech, wprowadzony do Zakonu przez Mykołę Hinajłę był – obok właśnie Hinajły, Wielkiego Mistrza Zakonu Iwana Mykulyńskiego oraz Igora Mazepy, kijowskiego przedsiębiorcy i jednego z najbogatszych Ukraińców – kluczową postacią w strukturach organizacji.

Podgórski wiedział o tym wszystkim, bo poznali się ze Stechem jakiś czas wcześniej, podczas pobytu Podgórskiego na Ukrainie, i teraz postanowił zrobić z tej znajomości dobry użytek.

Słowo do słowa i tak ustalono szczegóły spotkania Andrzeja Leppera i Mykoły Hinajły.

Pierwsze spotkanie szefa Samoobrony i ukraińskiego księdza odbyło się kilka tygodni później w Lublinie – a potem już poszło. Z czasem kontakty zacieśniały się coraz bardziej, dzięki czemu przewodniczący Samoobrony zaczął realizować plan stworzenia wizerunku polityka rangi międzynarodowej – oczywiście w rozumieniu doradców partii, której przewodził. Do czego było mu to potrzebne i jaki był cel realizacji takiego planu? Wbrew pozorom odpowiedź nie jest trudna.

Wielkim zamierzeniem politycznym - to fakt potwierdzony „materiałami operacyjnymi" i relacjami najbliższych współpracowników szefa Samoobrony – był dla Andrzeja Leppera wybór na urząd prezydenta Polski. I Lepper ten, mogłoby się wydawać abstrakcyjny, zamiar konsekwentnie utrzymywał. Aż do roku 2007, gdy wskutek oskarżeń w „seksaferze" i „aferze gruntowej" jego polityczna kariera uległa załamaniu. Zanim jednak do tego doszło, podczas wyborów prezydenckich w 2005 roku, w pierwszej turze Andrzej Lepper uzyskał wynik znakomity. Na polityka, zdawałoby się bez szans, głosowało ponad piętnaście procent wyborców, co w stawce kandydatów dało mu trzecie miejsce, tuż za Donaldem Tuskiem i Lechem Kaczyńskim. Tym samym szef Samoobrony stał się głównym rozgrywającym drugiej tury wyborów prezydenckich i to dzięki jego poparciu Lech Kaczyński został prezydentem Polski, wyprzedzając zwycięzcę pierwszej tury wyborów, Donalda Tuska.

Jednym z elementów budowy politycznego wizerunku polityka Samoobrony miały być jego osiągnięcia i działania na arenie międzynarodowej, w tym także naukowej.

Tylko nieliczni wiedzą, że Andrzej Lepper był człowiekiem inteligentnym, oczytanym, miłośnikiem dzieł Charlesa de Gaulle'a, wielkiego polityka francuskiego, przywiązującym dużą wagę do podnoszenia własnych umiejętności i do kształcenia.

Był jednak aż nazbyt inteligentnym i pragmatycznym politykiem, by nie zdawać sobie sprawy, że dla części polskiego społeczeństwa – tej tytułującej się inteligencją – jego teoretyczne „osiągnięcia międzynarodowe" były i zawsze będą groteskowe.

Można dużo powiedzieć o Lepperze, ale z pewnością nie to, że był głupcem. Wiedział zatem dobrze, że choćby pękł, u części społeczeństwa nie zmieni wyobrażenia o sobie – o chłopskim watażce blokującym drogi i sejmową mównicę, człowieku niewykształconym i otoczonym miernotami politycznymi, wykreowanymi wśród dołów społecznych. Projekt Leppera nie był jednak skierowany do tej grupy społecznej, lecz do wyborców Samoobrony, do szeroko rozumianego elektoratu wiejskiego i małomiasteczkowego, dla którego niuanse polityki nie były tak istotne, jak efekt wizerunkowy. A na tym polu – polu kształtowania wizerunku dojrzałego polityka z pewnym dorobkiem międzynarodowym i naukowym – ważne było właśnie uzyskanie kilku honorowych doktoratów wyższych uczelni.

Przyszły wicepremier zdawał sobie doskonale sprawę, że uzyskanie podobnych tytułów na uczelniach Europy Zachodniej byłoby nierealne. Jeśli już nie z innych powodów, to z pewnością dlatego, że dla wpływowych lewackich środowisk decydujących o kształcie polityki szkół wyższych we Francji, w Niemczech czy Szwecji honorowy doktorat dla zadeklarowanego katolika, tak otwarcie opowiadającego o przywiązaniu do wartości konserwatywnych, był trudny do zaakceptowania.

Tak więc czy inaczej, dzięki wsparciu Zakonu Rycerzy Michała Archanioła już w 2004 roku Lepper uzyskał tytuł doctora honoris causa Międzyregionalnej Akademii Zarządzania Personelem – pierwszej prywatnej uczelni wyższej na Ukrainie, która miała swoje agendy także w Polsce i kształciła głównie studentów psychologii. Dziwna to była uczelnia i dziwnych uczyła rzeczy, bo adepci Akademii nabywali wiedzy m.in. w zakresie takich specjalności, jak astropsychologia, tarot, numerologia, ekologia umysłu, zagadnienia odmiennych stanów świadomości oraz terapia Indian Hopi. Później okazało się też – co wykryli psychologowie zrzeszeni w Polskim Towarzystwie Psychologicznym – że uczelnia działała w Polsce nielegalnie, w efekcie czego na stronie internetowej MEN ukazała się informacja ostrzegająca przed „studiowaniem" w polskiej filii Międzyregionalnej Akademii Zarządzania Personelem w Kijowie, gdyż dyplomy psychologa uzyskane w Akademii nie mogą być uznawane za równorzędne z polskimi dyplomami magistra psychologii. „Centrum Kształcenia Otwartego w Warszawie nie jest szkołą wyższą, nie może więc prowadzić studiów wyższych na żadnym poziomie. Wyższa Szkoła Społeczno-Ekonomiczna w Warszawie, w której działa Centrum, nie posiada uprawnień na kierunku „psychologia". Międzynarodowa Akademia Zarządzania Personelem z Kijowa działa w Polsce nielegalnie, nie uzyskała zgody na utworzenie swojej jednostki", informował MEN.

Fakt, że uczelnia była „niezwykła" i nauczała rzeczy „niezwykłych" bynajmniej nie przeszkadzał w tym, by od początku funkcjonowania swoim patronatem objęli ją prezydenci Ukrainy Leonid Krawczuk i Wiktor Juszczenko, zaś jej honorowymi profesorami zostali Javier Solana, były sekretarz generalny Unii Europejskiej, Julia Tymoszenko, była premier Ukrainy, oraz... Janusz Maksymiuk. Złośliwi twierdzili, że jedyny przedmiot, jaki mógłby wykładać ten ostatni to „międzynarodowe aspekty handlu bronią", ale kto by się tam przejmował złośliwymi, prawda? Fakt pozostawał faktem – w 2004 roku Andrzej Lepper uzyskał swój pierwszy honorowy doktorat, a już rok później uzyskał doktorat drugi, tym razem Ukraińskiej Akademii Technologicznej. Miał mocnych i wpływowych przyjaciół, ale był zbyt wytrawnym politykiem, by zapomnieć, że w świecie, w którym się obracał, nie było darmowych obiadów i za każdy ktoś kiedyś musiał zapłacić.

Czy już wtedy miał plan, jak zrewanżować się swym ukraińskim protektorom? Nie ma na to jednoznacznej odpowiedzi. To jednak, co udało się potwierdzić, pokazuje, w jak szemrany – i co tu dużo kryć, w jak niebezpieczny – świat na własne życzenie wszedł szef Samoobrony i późniejszy wicepremier RP.

***

– Na prośbę Tomka – nieznajomy zawahał się na jedną małą chwilę – tak naprawdę na pana prośbę, miałem się spotkać z Peterem Stechem i pomówić o kilku sprawach. Szkopuł w tym, że na dwie godziny przed umówionym spotkaniem znaleziono go martwego w jednym z łuckich hoteli – nieznajomy ściszył głos. – Najwyraźniej ktoś bardzo nie chciał, by doszło do tego spotkania. Chyba że wierzy pan, że to był przypadek...

Ostatnią uwagę pozostawiłem bez komentarza.

– Co na to ukraińska policja? – zapytałem.

– A to jest właśnie najciekawsze, bo zwłok pozbyli się błyskawicznie. Denata pogrzebano nazajutrz po śmierci, co w przypadku zabójstw jest zjawiskiem niebywałym, a pikanterii sprawie dodaje fakt, że był to dzień wolny od pracy. Najwyraźniej komuś bardzo się spieszyło. Resztę znajdzie pan w tych dokumentach. Podążyłem za wzrokiem mojego rozmówcy i spojrzałem na kartki papieru, z którymi zapoznawałem się przez chwilę.

– Tu jest napisane, że denat zmarł w wyniku pęknięcia śledziony.

– Zgadza się. Objawy wskazują, że bezpośrednią przyczyną śmierci było pobicie. Zakatowali go po prostu na śmierć.

– Mógłby mi pan opowiedzieć wszystko? Wyłożyć całość na stół jak karty w pasjansie? Bardzo pana proszę, to dla mnie naprawdę ważne. Być może w jakiejś mierze to na mnie spada moralna odpowiedzialność za to, że ten człowiek nie żyje. Muszę to wiedzieć.

– Niech się pan nie roztkliwia. Ktoś, kto zrobił coś takiego, zrobiłby to tak czy owak – odparł krótko. – Ale dobrze, opowiem panu wszystko w detalach, krok po kroku.

13 marca, dwie godziny przed umówionym ze mną spotkaniem, Petro Stech został znaleziony w swoim pokoju w hotelu „Ukraina". Martwy. Jak wykazało oficjalne śledztwo Milicji i Prokuratury Obwodowej w Łucku, bezpośrednią przyczyną zgonu była pęknięta śledziona i trzustka oraz inne obrażenia wewnętrzne powstałe wskutek uszkodzeń tych narządów. Jak zgodnie twierdzili świadkowie ostatnich chwil życia Petra Stecha, denat nie zmarł śmiercią naturalną. W pokoju zajmowanym przez niego musiały przebywać tak zwane osoby trzecie, ponieważ w trakcie czynności śledczych prowadzonych po znalezieniu ciała nie odnaleziono ani portfela, ani osobistych dokumentów Stecha. Dowód osobisty, paszport, karty kredytowe, pieniądze, dokumenty z teczki – i sama teczka – wszystko zniknęło. Prawdopodobnie sprawcy – musiało być ich co najmniej dwóch, bo jak pan wie, Stech to kawał chłopa, 190 cm wzrostu, 130 kg wagi, do tego komandos, niełatwo byłoby załatwić go w pojedynkę – chcieli w razie niepomyślnego rozwoju wypadków upozorować motyw rabunkowy. Znamienne, że choć „Ukraina", najlepszy hotel w Łucku, wyposażony jest w pełny monitoring każdego piętra, to jednak żadnego nagrania nie ma. Akurat bowiem w momencie śmierci Stecha zdarzyła się awaria i monitoring padł. Oczywiście może pan wierzyć, że to tylko przypadek. Ciekawe, prawda?

W tej sprawie zresztą ciekawostek jest więcej – nieznajomy podjął przerwany wątek. – Prowadząca śledztwo w sprawie śmierci Stecha Prokuratura Obwodowa w Łucku, jak wspomniałem, jako oficjalną przyczynę śmierci podała pęknięcie trzustki spowodowane wypitym alkoholem. Szkopuł w tym, że w tę wersję nie wierzą sami śledczy. A wiem o tym, bo mam swoje dojścia. Więcej – panuje tam przekonanie, że Stech został pobity w bardzo fachowy sposób. Jeszcze ciekawsze jest to, że Petro Stech został pochowany nieomal natychmiast, dokładnie nazajutrz po śmierci, a do czynności śledczych nie dopuszczono nikogo, nawet członków rodziny zmarłego. I to mimo faktu, że brat zmarłego, Jura Stech jest znanym we Lwowie adwokatem, byłym prokuratorem i sędzią, który robił wszystko, by dopuszczono go do udziału w czynnościach śledczych. Bezskutecznie. I to chyba byłoby na tyle.

Milczałem, bo odniosłem wrażenie, że wszystko, co było do powiedzenia, zostało już powiedziane.

– Ma pan do mnie jeszcze jakieś pytania? – zapytał przybysz.

Nie miałem żadnych.

– W takim razie pożegnam panów. Sadzę, że jeszcze się zobaczymy – nieznajomy wyciągnął do mnie rękę na pożegnanie. Uścisk miał mocny, ale po dokładnym oglądzie mojej dłoni doszedłem do wniosku, że nie jest złamana i wydawało się, że wszystko było na swoim miejscu. Zostaliśmy z Tomkiem sami. Zapanowało niezręczne milczenie, które przerwał major.

– Co myślisz o tym wszystkim?
– Nie wiem, co myśleć. Chyba to, że śmierć idzie za mną i aż boję się już kogokolwiek o cokolwiek prosić.

To wszystko staje się szalenie niebezpieczne. Jest jakaś granica rozsądku i zastanawiam się, czy właśnie jej nie przekroczyłem.

Tomek patrzył przez chwilę przed siebie, a jego spokojne oczy drgnęły teraz.

– Możesz przestać się nad tym zastanawiać, bo tę granicę przekroczyłeś dawno temu. Musisz się zastanowić nad czymś innym: czy po tym, co przeszedłeś, masz jeszcze w ogóle ochotę brnąć dalej w to wszystko. Może przemyśl to jeszcze raz.

– Przemyślę dobrze.

To była jedna z tych chwil, których boi się każdy z nas, chwil, kiedy trzeba spojrzeć w głąb własnej duszy i stanąć w prawdzie. Wracając do domu po spotkaniu, które napawało tak mało optymistycznie, myślałem o tym, jak dziwnymi zgłoskami pisane są ludzkie losy. Gdy chciałem zostawić za sobą cały ten brudny świat i zacząć wszystko na nowo, on upomniał się o mnie, najwyraźniej nie chcąc zostawić mnie. Było dokładnie jak w biblijnej historii, w której łatwiej było Bogu wyprowadzić Izrael z Egiptu niż „Egipt" z Izraela. Zastanawiałem się, po co mi to wszystko. Teoretycznie znałem odpowiedź: bo ludzie chcą znać prawdę. A jednak w sytuacji, w której po dwudziestu latach demaskowania brudów tego świata i dorabiając się tylko oskarżeń, procesów oraz coraz większej liczby coraz potężniejszych wrogów, miałem dość. Zdrowy rozsądek po raz kolejny podpowiadał mi, że to nie może skończyć się dobrze. Zostanę pedofilem, kryminalistą? A może będzie jeszcze gorzej, może zdarzy się coś takiego, co spotkało mojego kolegę z ABW i zostanę zakopany półtora metra pod ziemią, w zapomnianym przez Boga i ludzi miejscu, które odkryje przypadkiem ktoś, kiedyś, za wiele lat, a może nigdy? Przecież tylko nadzwyczajny zbieg okoliczności spowodował, że majorowi się udało – nie tylko przeżył, ale na kanwie traumatycznego doświadczenia odzyskał wiarę w Boga i odmienił swoje życie. A potem pomyślałem o sobie i o swoim życiu. Liczba wariantów, które rysowały się przede mną, zmierzała ku nieskończoności, ale łączyło je to, że wszystkie bez wyjątku nastrajały raczej mało optymistycznie. W najlepszym bowiem razie – myślałem – o ile nie wrobią mnie w coś jeszcze raz, tylko tym razem skuteczniej niż w przypadku „afery marszałkowej" i nawet nie spadnie mi na głowę cegła w drewnianym kościele, i może nawet rodzina zniesie jeszcze to wszystko przez jakiś czas, to i tak pewnie skończę jako pełen wyrzutów sumienia, sfrustrowany ojciec, który poniewczasie zorientuje się, że gonił za wiatrem, a tymczasem, gdy przebywał na setkach rozpraw i procesów, rozmów z prokuratorami czy informatorami, jego dzieci dorosły i poszły dalej własną ścieżką życia. Zawsze mogę napisać kolejną książkę czy artykuł, ale czasu zabranego dzieciom nic nie wróci, bo kiedy ich dzieciństwo minie, to już na zawsze. Przypomniałem sobie, jak ksiądz Stanisław Małkowski mający wieloletnie doświadczenie w posłudze w Hospicjum „Res Sacra Miser" na Krakowskim Przedmieściu w Warszawie opowiadał kiedyś, że rozmawiał z tysiącami ludzi, którzy przed śmiercią żałowali wielu czynów i zaniechań: że za mało okazywali uczucia współmałżonkom, że w pogoni za karierą zapomnieli o rodzicach, że za mało czasu poświęcili dzieciom – jednym słowem żałowali wszystkiego, tylko nie tego, że za mało pracowali. Bo tego nie żałował akurat nikt. W kontekście takich przemyśleń zastanawiałem się, co dalej. Napiszę książkę o tym jak i dlaczego zamordowano Andrzeja Leppera – bo tak było! – a tym samym po raz n-ty poruszę niewidzialne moce. Potem, o ile wytrwam, napiszę kolejną książkę i może jeszcze następną. Kolejne miesiące poza domem lub co gorsza w domu, ale nieobecny duchem, kolejni wpływowi „przyjaciele", którzy wykonają kolejną „pracę", by mnie dopaść, zniszczyć lub co najmniej szargać reputację – a może gorzej. Od dawna wiedziałem, iż to, że w ogóle jeszcze żyję, to składowa wielu szczęśliwych zbiegów okoliczności. Najpierw mnie zlekceważyli, potem próbowali zrobić ze mnie przestępcę lub co najmniej szaleńca, a gdy to się nie udało, uznali zapewne, że moja śmierć przyniosłaby tylko rozgłos moim książkom, co z punktu widzenia tych ludzi nie byłoby wskazane, więc wzięli się na dobre za niszczenie mojej reputacji. Tu na razie się zatrzymali, ale kto da gwarancję, że na tym się skończy? Całkiem niedawno, po wygranym procesie, w którym moimi przeciwnikami byli urzędujący prezydent Polski i służby specjalne, myślałem o tym, że to już koniec. Tymczasem po kolejnych atakach czarnego PR pojąłem wreszcie, że – jakby powiedział były brytyjski premier Winston Churchill – to nie jest koniec, to nie jest początek końca, to nie jest nawet koniec początku. Historia zatoczyła krąg i trzeba było podjąć decyzję: zawierzyć, iż dobro i odwaga to rękojmia, że wszystko się ułoży – lub nie zawierzyć. Zastanawiając się, co robić, przypomniałem sobie modlitwę Ojca Pio: „Przeszłość moją Panie polecam Twemu miłosierdziu, teraźniejszość moją polecam Twojej miłości, a moją przyszłość oddaję w ręce Twej Opatrzności". Jakże bliskie wydały mi się słowa tej modlitwy. Machinalnie wziąłem do ręki pilota i włączyłem pierwszy lepszy kanał. Haley Joel Osment mówił właśnie do Kevina Spaceya o swoim pomyśle. Mówił, że chciałby zrobić kilka dobrych uczynków dla kilku obcych osób, prosząc, by następnie one zrobiły to samo dla innych obcych osób. Miało to być formą prośby do Boga, by dopomógł matce pokonać chorobę. Pomyślałem, że trzeba wiary dziecka, by wpaść na podobny pomysł... Wiedziałem, co będzie dalej, bo wielokrotnie oglądałem ten oparty na prawdziwej historii film. Reporter stacji telewizyjnej na drugim końcu Ameryki dotrze do recydywisty, który zachowa się altruistycznie wobec obcego człowieka i uratuje mu życie. A potem, po nitce do kłębka, poprzez setki osób, dziennikarz dotrze do małego chłopca, którego grał właśnie Haley Joel Osment. I jak się okaże, to właśnie on, wspierany przez nauczyciela, w którego postać wcielił się Kevin Spacey, swoją dziecięcą wiarą uruchomił wielki ruch bezinteresownego wsparcia angażujący tysiące osób w całej Ameryce. I tego wszystkiego dokonał jeden mały chłopiec, który miał wiarę... Czasami, by coś zrozumieć, nie trzeba wiele, wystarczy tylko impuls, błysk chwili. I tak właśnie było teraz, kiedy przypomniałem sobie oparty na prawdziwej historii film pokazujący, że nikt z nas nie jest samotną wyspą i wszystko co robimy, każdy najdrobniejszy element naszego życia, każdy człowiek, a nawet wypowiedziane słowo ma znaczenie dla nas lub dla innych ludzi. I nagle wszystko stało się dla mnie jasne, bo wszystko się ze sobą powiązało. Jak na barwnym filmie, odtwarzanym klatka po klatce, zobaczyłem niezwykłe epizody i sytuacje z ostatnich lat oraz niezwykłych ludzi, których spotkałem na swojej drodze, a na których niezwykłość nie zwróciłem wcześniej uwagi. Kobieta, która „przypadkowo" wstąpiła do kościoła Świętego Stanisława Kostki w Warszawie, by tym samym uratować mi życie po próbie samobójczej, bo – jak mówiła później – „coś" kazało jej tam pójść; pani Teresa, która miała odejść ze szpitala tuż przed tym, zanim ja tam trafiłem, ale „coś' kazało jej zostać jeszcze chwilę – bez jej pomocy nie miałbym szans stanąć na nogi; ksiądz Jarek z Siedlec, który niezwykłym zbiegiem okoliczności pojawił się „przypadkiem" w moim życiu, dokładnie w tym momencie, w którym tego potrzebowałem; nieznajoma z Warszawy, którą widziałem tylko ten jeden jedyny raz – właśnie wtedy – a która wiedziała o mnie dwie rzeczy, których nie wiedział nikt i której także „coś" kazało podejść na ulicy do obcego człowieka, czyli do mnie, by postawić go na nogi po kolejnym załamaniu; moi nowi przyjaciele z Białej Podlaskiej, którzy pojawili się w moim życiu nagle, w najtrudniejszym jego momencie i intuicyjnie, jakby mieli szósty zmysł, zawsze reagowali wtedy, gdy tego potrzebowałem najbardziej; dwa „przypadkowe" spotkania z ludźmi, dzięki którym uniknąłem sideł zastawionych na mnie przez pułkowników Wojskowych Służb Specjalnych, Aleksandra Lichockiego i Leszka Tobiasza – nawet o tym nie wiedząc, a dowiadując się wiele miesięcy później; „przypadkowo" spotkana, a dawno niewidziana znajoma, przez którą opóźniłem wyjazd z Białej Podlaskiej do Warszawy, dzięki czemu niezwykły szpikulec rozerwał mi oponę w mieście, przy prędkości 50 km/h, nie zaś w trakcie jazdy poza miastem, przy prędkości znacznie wyższej, a to spowodowało, że zniszczony do granic kasacji został wbijający się w mur samochód, nie zaś jego kierowca; major Tomasz Budzyński, który po siedmiu latach milczenia znalazł w sobie odwagę i siłę, by mi wybaczyć i skontaktować się ze mną w ostatniej chwili przed zakończeniem procesu, a następnie opowiedzieć w sądzie całą prawdę; zabrzański komornik, który omyłkowo wysłał do mnie pismo, bez którego sąd nie miałby szans wysłuchać zeznań Krzysztofa Winiarskiego, bo dopiero w komorniczym piśmie podany był jego właściwy adres; dziesiątki innych osób, często zupełnie mi obcych (a później jakże bliskich) i anonimowych, które pojawiły się nie wiadomo skąd, ale zawsze mówiąc i czyniąc dokładnie to, czego w danej chwili potrzebowałem najbardziej; i wreszcie moje życie – to, że mając wrogów jakich miałem, wciąż żyłem i wciąż byłem wolnym człowiekiem. Przypomniałem sobie słowa majora ABW, który niczym Łazarz wstał ze swojego grobu, by zacząć nowe życie: „Od tamtej pory żyję tak, jakby każdy dzień był cudem. Bo dla mnie tak jest". Myślałem o tym, jak wielką słuszność miał mój przyjaciel, kiedy mówił, że tragedia jest zarazem wyzwaniem i szansą, bo bez ciemności nie poznalibyśmy światła. I kiedy dodawał, że w każdym, największym nawet pogorzelisku, zawsze żarzy się życie. A skoro tak jest, to zawsze można rozdmuchać ten płomień – i znaleźć w sobie siłę, by zacząć od nowa. Za oknem wstawał pierwszy od bardzo dawna bezchmurny dzień. Zbliżał się świt. Pamiętam, że zdążyłem jeszcze uśmiechnąć się do swoich myśli, bo już wiedziałem co robić. Wiedziałem, że w pierwszej kolejności zadbam o rodzinę, bo ojciec musi być ostoją miłości i spokoju i wiedziałem, że to już zawsze będzie mój priorytet. Ale wiedziałem też, że bez względu na to, co przyniesie los, źli ludzie nie zawrócą mnie z obranej drogi dążenia do prawdy. Pójdę nią dalej wierząc, że każdy dzień jest cudem.

A potem zasnąłem. I spałem długo.

ROZDZIAŁ III

TEST

– To była decyzja pod wpływem chwili. Gdy dotarłem do Włodzimierza Wołyńskiego, zapadał już zmierzch. Plebania usytuowana jest na obrzeżach, to jakaś zapadła dziura za rogatkami miasta. Z zewnątrz budynek sprawiał wrażenie opuszczonego i wszystko to wyglądało bardzo dziwnie. Domyślasz się na pewno, że nerwy miałem napięte jak postronki i w ogóle czułem się, jakbym przyjechał na miejsce zbrodni. Ksiądz już na mnie czekał, bynajmniej nie z odbezpieczoną bronią, a z obiadem. Kawior, ryba i ziemniaki. Udawał roztargnionego, ale od początku wiedziałem, że to blef. Swój pozna swego. Długa to była rozmowa. Nie chcę ci niczego sugerować. Zależy mi, żebyś pogląd wyrobił sobie sam...

Słuchając majora pomyślałem, że jest twardszy niż sądziłem. Zwłaszcza po tym, co przeżył. Po śmierci Petro Stecha wiedzieliśmy, że teraz musi nadejść jedna z tych chwil, których boi się każdy z nas. Chwil, kiedy trzeba spojrzeć prawdzie w oczy i stanąć z niebezpieczeństwem twarzą w twarz. Byliśmy świadomi tragicznej wymowy śmierci lubelskiego adwokata oraz faktu, że jeżeli nie uczynimy czegoś, i to prędko, to ta historia także dla nas może mieć przykry koniec – i że może to nastąpić bardzo szybko. Nie mieliśmy złudzeń, że śmierć Stecha była przypadkiem. Nie zamierzaliśmy też udawać, że wiemy, kto zamordował Andrzeja Leppera ani jaki związek ma ta sprawa z innymi tragicznymi wydarzeniami. Mimo że z każdym dniem wiedzieliśmy coraz więcej, do poznania całej prawdy wciąż jeszcze było daleko. Czuliśmy, że jesteśmy na dobrym tropie i konsekwentnie zbliżamy się do prawdy, ale zarazem mieliśmy świadomość, że ten, kto pilnował tej sprawy po obu stronach granicy, nie popełni błędu zaniechania. Swoją pewność czerpaliśmy z doświadczenia. W sytuacji, w jakiej się znaleźliśmy, najlepszym rozwiązaniem – może nawet jedynym rozwiązaniem – wydawało się wywołanie reakcji łańcuchowej, o której tyle razy mówiliśmy. By to jednak osiągnąć, konieczne było podjęcie ryzyka, i to nie byle jakiego ryzyka, a na to, po traumatycznych doświadczeniach, jakie obaj mieliśmy za sobą, nie miał ochoty żaden z nas. Dlaczego? Bo każde ryzyko ma swoje granice, a mieliśmy zgodne wrażenie, że wszystkie granice przekroczyliśmy dawno temu.

A jednak Tomek zdecydował się zagrać va banque.

Nie po raz pierwszy zdumiała mnie jego odwaga i determinacja.

– Dlaczego nie powiedziałeś mi o swojej decyzji?

Major milczał i tak naprawdę nie musiał odpowiadać – bo znałem odpowiedź.

– Bo wiedziałeś, że stanąłbym na uszach, by cię od tego odwieść – bardziej stwierdziłem niż spytałem.

– Wiedzieliśmy obaj, że któryś z nas powinien tam pojechać. Więc pojechałem. Próbowałem ci o tym powiedzieć – odparł.

– Próbowałeś – powtórzyłem jak echo, bo rzeczywiście przypomniałem sobie, jak Tomek mówił, że któryś z nas powinien pojechać na spotkanie z księdzem Hinajłą. Co innego jednak teoretyczne rozważania, a zupełnie co innego taki wyjazd, w takim kontekście...

– Gdyby coś się stało, nikt nie wiedziałby nawet, gdzie cię szukać – zauważyłem z wyrzutem.

– Aż tak lekkomyślny nie jestem – zaoponował. – Tu i ówdzie zostawiłem kilka informacji i jakby co, ty też byś się dowiedział. Ale zmieńmy temat. Chcesz posłuchać, z czym przyjechałem?

Skinąłem w milczeniu głową.

– Wsłuchaj się dobrze. Nagranie jest przeczyszczone, bo w tle było włączone radio, ale da się wszystko zrozumieć – major włożył pendrive'a do laptopa. Z głośnika przenośnego komputera popłynął głos radiowego spikera, na który nałożyły się głosy rozmówców.

***

– Niech się pan rozgości.

– Mogę zapalić?

– Oczywiście. Jak pan do mnie trafił?

– Jak pan wie, niedawno zginął Piotr Stech, który z kolei sporo wiedział o śmierci Andrzeje Leppera. Wiem, że obaj byli księdzu znani. I że często tu przyjeżdżali.

– Dużo ludzi do mnie przyjeżdża, także takich, których nie znam prawie wcale. Dla przykładu – pan do mnie teraz przyjechał, chociaż się nie znamy.

– Ale w rozmowie telefonicznej ksiądz się zgodził, bym przyjechał.

– Byłem pana ciekaw, po prostu, ale zostawmy to. Pozwoli pan, że najpierw ja zadam pytanie?

– Proszę bardzo.

– Po co pan się w to pakuje? Andrzej Lepper i Piotr

Stech są martwi, jak ta ryba, którą ma pan na talerzu. A ludzie, którzy teoretycznie mogą za tym stać, nadal żyją.

– Jak widzę, ksiądz myśli tak, jak ja. Bo ja też nie wierzę, że te dwie śmierci to kwestia przypadku.

– Powiedziałem „teoretycznie", ale niech będzie. Powiem panu szczerze, że kiedy zginął Piotrek, sam przestraszyłem się nie na żarty. Ale zanim zaczniemy, jeszcze tylko jedno pytanie.

– Proszę.

– To, co pan teraz robi, to jest jakaś organizacja czy prywatnie?

– Prywatnie. Przygotowuję i oceniam materiały. Jestem na początku drogi. Rozmawiam z ludźmi, jeżdżę, pytam i akurat ksiądz jest w tej mojej łamigłówce brakującym ogniwem, które mnie interesuje. Chciałbym się skupić na działalności Andrzeja Leppera po 2007 roku, która jest mało znana. Istnieje dużo publikacji i materiałów z okresu wcześniejszego, ale od kiedy Lepper przestał być premierem, jego działalność była opisywana słabiej. Poza wszystkim interesuje mnie też Zakon i osoba księdza.

– Co konkretnie pana interesuje?

– Przeczytałem w artykule, że służył ksiądz w Polsce, w wojsku, w lotnictwie.

– W lotnictwie.

– W jakich miastach?

– Żagań, Szprotawa, Zielona Góra, Głogów, Legnica, Krzywa. Jako ciekawostkę mogę panu powiedzieć, że w Legnicy było liceum ukraińskie dla mieszkających na Dolnym Śląsku Ukraińców, wysiedlonych w ramach Ak-

cji Wisła w latach 1945-1947. Poznałem tam członków i władzę stowarzyszeń ukraińskich. Może na tej podstawie – wiedzy o mojej przeszłości i służbie w jednostce armii radzieckiej w Polsce – polskie media podały, że byłem oficerem GRU? Oprócz tego, że zostałem duchownym, udzielałem się politycznie, byłem radnym do sejmiku wołyńskiego i szefem sztabu wyborczego generała Aleksandra Skipalskiego, generała SBU. Ja i Skipalski pochodzimy z tych samych okolic Lubomla.

– Skipalski też należy do Zakonu?

– Tak, należy. Podobnie jak członkowie Sądu Najwyższego Ukrainy, inteligencja i ci, którzy myślą o Ukrainie, dlatego nazywali nas „mularze". Oleg Soskin, ten profesor i założyciel Instytutu Transformacji Społeczeństwa, który twierdzi, że Zakony zgrupowane wokół Cerkwi Prawosławnej na Ukrainie są wykorzystywane przez rosyjski wywiad, kłamie. Zakony pozostające pod „opieką" Cerkwi Prawosławnej Patriarchatu Kijowskiego nie są wykorzystywane ani przez SBU, ani przez rosyjskie służby specjalne. Nasze spotkania są otwarte dla wszystkich, nie mamy nic do ukrycia. Zakon jako organizacja jest zarejestrowany w Ministerstwie Sprawiedliwości od 1997 roku. W czasach Związku Radzieckiego byłem członkiem tajnego wtedy Związku Oficerów Ukrainy, po uzyskaniu niepodległości przez Ukrainę działającego już oficjalnie i może niektórzy to mylą.

Major wcisnął pauzę.

– Przerywam ten jeden jedyny raz, bo teraz będzie ciekawostka. Dokładnie w tym momencie zadzwonił telefon. Domyśl się kto dzwonił.

– Oleg Soskin?

– Bynajmniej. Generał Skipalski, były zastępca szefa SBU, współtwórca kontrwywiadu wojskowego Ukrainy. Interesujące, nieprawdaż? Chyba że chcesz wierzyć, że to przypadek...

Major ponownie uruchomił nagranie, na którym pojawił się dźwięk dzwoniącego telefonu.

– *O, witam pana generała. Widzę, że mam podsłuch. Skąd wiesz, że rozmawiamy z panem, który przyjechał z Polski? Rozmawiamy o Andrzeju Lepperze. Ciekawa rozmowa...*

– *To ja wyjdę na papierosa, porozmawiajcie sobie...*

– *Nie, nie, proszę zostać. My porozmawiamy później...*

– *Przepraszam cię. Oddzwonię za dwie, trzy godziny...*

To generał Skipalski, członek Zakonu. Kiedyś był funkcjonariuszem KGB, potem zastępcą szefa naszej służby bezpieczeństwa, dobry człowiek. Spotkaliśmy się po raz pierwszy na tajnym posiedzeniu Związku Oficerów Ukrainy. Byli tam także inni oficerowie ze Lwowa i Wołynia. Podczas tajnego spotkania członkowie ZOU planowali stworzenie struktur armii ukraińskiej i ukraińskich służb specjalnych w niepodległym państwie ukraińskim zdając sobie sprawę, że czasy Związku Radzieckiego jako całości odchodzą do lamusa. ZOU w zamyśle założycieli miał pełnić rolę kuźni kadr dla armii ukraińskiej i służb specjalnych, budować je w oparciu o zasady patriotyzmu w połączeniu z wartościami prawosławnymi.

– To był związek ogólnokrajowy na całej Ukrainie, nie tylko na Wołyniu?

– Na całej Ukrainie.

– W jakim stopniu odchodził ksiądz z wojska?

– Odchodziłem w stopniu kapitana, ale z etatu zastępcy dowódcy brygady, czyli tak naprawdę z etatu majora i takie uposażenie otrzymałem. Po wybuchu wojny w Donbasie zostałem ponownie zmobilizowany, ale otrzymałem już stopień pułkownika. Mogłem odmówić służby w wojsku ze względu na duchowny stan, ale nie odmówiłem. Byłem normalnym żołnierzem liniowym, a nie kapelanem wojskowym, chociaż jako ksiądz odprawiałem pogrzeby. Powołanie otrzymałem do zwykłego wojska, nie lotnictwa, bo odszedłem z armii na emeryturę kilkanaście lat temu, no i ze względu na wielki skok technologiczny. Z dzisiejszym sprzętem nie poradziłbym sobie. Na froncie przebywałem ponad dziewięć miesięcy i pełniłem funkcję zastępcy szefa brygady do spraw wychowania. Za zasługi wojenne zostałem odznaczony przez ministra i awansowany do stopnia pułkownika. Wielu wiernych miało do mnie pretensje, że byłem zwykłym wojskowym, który zabijał ludzi, a potem wkładał sutannę i spowiadał, ale ja myślę, że robiłem to, co trzeba było robić. A na froncie tak naprawdę to nie wróg był najgorszy, a szerzące się w szeregach naszych żołnierzy pijaństwo. Dochodziło do sytuacji, gdy musiałem przypinać pijanych żołnierzy do drzewa w obawie przed strzelaniem do współtowarzyszy w okopach. Zdarzało się też, że pijani żołnierze bawiąc się odbezpieczonymi granatami powodowali śmierć kolegów. W razie niesubordynacji żołnierzy miałem upoważnienie do użycia broni, bez wyroku sądu wojskowego.

Po powrocie z Donbasu organizowałem pomoc dla armii ukraińskiej, bo była słabo wyposażona. Z Polski przywoziłem mundury i kamizelki kuloodporne. Konwoje z pomocą dla naszej armii zdarzały się nawet cztery razy w miesiącu. Ochotnicy z Wołynia zawozili do Donbasu lekarstwa, żywność i artykuły pierwszej potrzeby.

– Proszę wybaczyć to pytanie, ale czy Zakon powstał na bazie ZOU?

– Wielkim mistrzem Zakonu jest pułkownik Iwan Mykulyński, członek Centralnego Komitetu Związku Oficerów Ukraińskich. To powinno panu wystarczyć.

– Według niektórych opinii ZOU jest organizacją odwołującą się do ideologii Stepana Bandery.

– To nie tak. My, jako działacze związku, opieramy swoją działalność na zasadach patriotycznych, a nie nacjonalizmu, aczkolwiek te dwa pojęcia są sobie bliskie. Wy Polacy macie swoją tradycję narodową, godło, ziemię, ojczyznę, które decydują o waszej tożsamości jako narodu. My też tak mamy. To nie jest nacjonalizm, a patriotyzm, który nie szkodzi naszym sąsiadom, a spaja Ukrainę jako państwo, szczególnie w dzisiejszych czasach, czasach agresji rosyjskiej. Oglądałem ten film „Wołyń". Co mogę powiedzieć? To jest totalna bzdura. Ci, którzy pokazują takie rzeczy, to barany. Za rozpowszechnianiem tych bzdur stoją określone siły polityczne zmierzające do skłócenia Polaków i Ukraińców. W rozmowach z Andrzejem doszliśmy do wspólnego wniosku, że owszem, było różnie w naszych historiach, ale to, co złe, należy pominąć, żeby się nie powtórzyło, a to, co dobre, rozwijać. Byłem niedawno w Lublinie i ktoś pytał mnie o ten wasz „Wołyń", jak tam moje wra-

żenia po obejrzeniu filmu. Odpowiedziałem, że jeżeli chodzi o sceny masakry, jakie został przedstawione, to nie mam żadnych zastrzeżeń. Ale film przedstawia wizję reżysera. To nie jest film dokumentalny, to publicystyka.

– Nie publicystyka, to film fabularny.

– Film ukazuje Ukraińców jako gówno, pijaków, przestępców, morderców. Żaden ksiądz prawosławny nigdy nie święcił kos, siekier w cerkwi. A nawet jak coś takiego miało miejsce, to były to sporadyczne przypadki. Wydarzeniom z 1943 roku winni są niemieccy i rosyjscy komuniści, którzy skłócili Polaków i Ukraińców mieszkających na Wołyniu. Podłożem konfliktu między Polakami a Ukraińcami na terenie zachodniej Ukrainy, a przede wszystkim na Wołyniu, była prowadzona przez władze polskie represyjna polityka wobec ludności ukraińskiej, czego przykładem było osadnictwo wojskowe. Polegało na zasiedlaniu rdzennie etnicznych terenów ukraińskich przez element polski. Opowiem, co było we wsi mojego dziadka. Podczas jakiegoś święta, kiedy wszyscy byli już pijani, zauważono, że w oddali idzie grupa Polaków. Jeden z Ukraińców pobiegł ostrzec wieś przed nadciągającym niebezpieczeństwem krzycząc, żeby wszyscy wsiadali na wozy i uciekali. I w drodze do wioski został zabity, zarąbany, przez Polaków. Niektórzy już o tym zapomnieli, ale ci, co pamiętają, przekazują tę historię dalej. Przyszedł Niemiec i przyszła sowiecka partyzantka, byli Polacy, Żydzi i wszyscy walczyli ze sobą nawzajem. Wszyscy bili się między sobą. Jedni drugich nastawiali na siebie. Z jednej strony banderowcy, Sowieci, Polacy, wszyscy walczyli przeciwko sobie. Tak, zabijali...

No, ale zmieńmy temat. Mieliśmy mówić o Andrzeju Lepperze. Jako polityk, w stosunkach gospodarczych realizował kilka przedsięwzięć na terenie Ukrainy między innymi w specjalnej strefie ekonomicznej w Jaworze w obwodzie lwowskim. Jako ministra rolnictwa i wicepremiera rządu polskiego oficjalnie interesowało go wszystko to, co mogłoby zacieśnić stosunki gospodarczo -polityczne między Polską a Ukrainą. Jak już został wicemarszałkiem, to dzięki moim znajomościom spotkał się z przewodniczącym Rady Najwyższej, Igorem Sisarenko. Zaangażowanie w strefę ekonomiczną w Jaworowie możliwe było dzięki kontaktom Piotra Stecha, zainwestowano tam około 50 milionów. Ale dzięki Andrzejowi możliwe stało się zacieśnienie kontaktów między polskimi i ukraińskimi uczelniami, a to pomogło nawiązać kontakty między samorządowcami województw przygranicznych. Andrzej Lepper załatwiał też na Ukrainie swoje własne, prywatne interesy, między innymi ten doktorat honoris causa na Akademii Technologicznej. Chciał zyskać tytuł, żeby podnieść prestiż na arenie międzynarodowej. Wie pan, że rozmawiałem z Podgórskim?

– To wy się znacie?

– Tak.

– Nie będę go oceniał, bo nie jestem od oceniania innych ludzi...

– A Podgórski? On jest taki...

– Zawsze taki był. Ksiądz pewnie o tym słyszał, co Andrzej Lepper mu udowodnił. No, że żona Podgórskiego wcale nie... no... Wiemy o co chodzi, prawda? Podczas tego wątku lubelskiego „seksafery”, że...

– Że on wykorzystał tę małą...

– Poznałem jego żonę. Ona jest pod jego dużym wpływem.

– Jeśli można tak powiedzieć, jest troszeczkę takim chamem.

– Myślę, że to bardzo delikatne określenie.

– Nie... no tak. Jego głównym celem kręcenia się wokół Andrzeja Leppera była chęć otrzymania konsulatu we Lwowie.

– Ksiądz wie, że przecież to było nierealne, choćby dlatego, że już raz był karany.

– Może. Nie wiem skąd on pochodzi, czym się zajmuje, gdzie był. Niektóre znajomości pruszkowskie...

– Tak. Rozmawiałem z nim. On sam powiedział, że znał Pershinga.

– No, co powiedzieć?

– Nie no, sam znam wiele osób, które znały Pershinga i nie do końca ci ludzie byli przestępcami. Nie byli nikim znaczącym.

– Co Podgórski opowiadał?

– Twierdził, że miał oryginał nominacji księdza na doradcę Andrzeja Leppera, która nie została zarejestrowana. Powiedział, że wyrwał to Maksymiukowi.

– Kłamał. Kto wyrwał?

– Podgórski. Ksiądz mnie pyta, to odpowiadam, powtarzam słowa, które słyszałem. Dla mnie Podgórski też nie jest osobą wiarygodną.

– Dobry chłopak, ale z tym oryginalnym zaświadczeniem Andrzeja, że jestem jego doradcą w sprawach społecznych na Ukrainie, to rzeczywiście skłamał. On miał kopię poświadczenia. Dałem ją Piotrowi Stechowi, a oryginał zatrzymałem dla siebie, mam go zresztą do dziś. Z Andrzejem Lepperem – bo to pana interesuje najbar-

dziej – spotykałem się wtedy w Warszawie w siedzibie partii i dwukrotnie w sejmie. W tamtym czasie Podgórski parę razy przyjeżdżał, kręcił się koło Piotrka Stecha. Kiedyś przyszedł do mnie i powiedział, że mam pojechać do Polski, że będzie czekał na mnie samochód z kierowcą, który zawiezie mnie do telewizji i tam miałem odpowiadać na pytania kiwając tylko głową. Miałem za to otrzymać 50 tysięcy dolarów.

– Chyba złotych?

– Nie – dolarów.

Wcześniej Podgórski podczas rozmowy w moim domu szantażował mnie. Mówił, że jeśli nie wystąpię w programie telewizyjnym i nie pogrążę Andrzeja Leppera, to sprowokuje sytuację, w której podczas mojego wyjazdu do Polski funkcjonariusze Straży Granicznej lub celnicy znajdą przy mnie narkotyki albo inne kompromitujące materiały. Podgórski powiedział też, że jeśli się zgodzę, to otrzymam obiecane 50 tysięcy dolarów.

– To ksiądz miał wystąpić w jakiej roli?

– Miało to związek z „aferą gruntową" i „seksaferą". Propozycja przedstawiona przez Podgórskiego zakładała moje uczestnictwo w bliżej nieokreślonym programie telewizyjnym, którego celem było udzielanie zdawkowych odpowiedzi na pytania. Odmówiłem, a podczas rozmowy z Podgórskim i jego żoną Anną zauważyłem, że mają aparaturę podsłuchową.

– Nagrywał?

– W moim mieszkaniu! Podgórski wjechał na Ukrainę przez Zosin posługując się bliżej nieokreśloną legitymacją.

– Mógł mieć legitymację asystenta społecznego Andrzeja Leppera.

– Jak zobaczyłem, że nagrywa, spojrzałem na niego i powiedziałem: Piotrze, co ty, masz mnie za barana? Nagrywasz? W tej chwili wzywam policję i straż graniczną. W ciągu dwóch minut wsiadł do swojego samochodu – a jeździł BMW – i za pół godziny przekroczył drugie przejście graniczne, Rawa Ruska-Hrebenne, bojąc się, że w Zosinie zostanie zatrzymany i przeszukany. Nie lubię, jak mnie ktoś nagrywa...

– Przetłumaczyłem artykuł z tygodnika „Nowymar" i była tam informacja o księdzu. Chciałbym zadać kilka pytań, jeśli można, bo na podstawie tego artykułu rodzą się pewne niejasności co do znajomości Andrzeja Leppera z księdzem. Udzielił ksiądz wywiadu łuckiej gazecie, który przedstawiony jest w formie artykułu, prawda? Ksiądz wspominał, że to przez Podgórskiego poznał Andrzeja Leppera...

– Poznałem go przez Piotra Stecha. Byłem wtedy wielkim kanclerzem Zakonu Rycerzy Michała Archanioła, o którym prasa pisała, że jest organizacją powiązaną z masonerią. Dziś jestem zastępcą duchowym. Pierwszą osobą jest wielki mistrz, drugą ojciec duchowy, trzecią kanclerz. Ojciec duchowy nazywany jest w strukturach zakonnych szarym kardynałem. Wielki mistrz rządzi wszystkim w zakonie, ale w niektórych sytuacjach rządzi ojciec duchowy, na przykład w sprawach święcenia nowych członków czy święcenia na barona. Ważną instytucją w strukturach zakonu jest sąd honoru, w skład którego wchodzą trzy osoby, ale nie może to być ani wielki kanclerz, ani wielki mistrz. Prezesem sądu honorowego

jest Kostecki, prezes sądu konstytucyjnego Ukrainy. Ale wróćmy do przerwanego wątku.

Mieliśmy dobre kontakty z polskimi Braćmi Kurkowymi i zależało nam, jako organizacji, na rozwinięciu kontaktów na terenie Polski. Minęło dużo czasu i mogę się mylić, ale to Piotr Stech przedstawił mi Podgórskiego, nie odwrotnie. Tak to zapamiętałem. Później spotkaliśmy się z Lepperem w Kijowie podczas Pomarańczowej Rewolucji, gdzie cały czas chodziło z nim dwóch, trzech mężczyzn. Jednym z nich był Piskorski, rzecznik prasowy, zaś drugim Czarnecki, eurodeputowany Samoobrony. Spotkaliśmy się ze studentami i profesorami przebywającymi na Majdanie. Zależało nam na nawiązaniu kontaktów między polskimi i ukraińskimi środowiskami uczelnianymi. Nasze rozmowy z Andrzejem Lepperem dotyczyły głównie Samoobrony. Lepper bardzo mocno akcentował obawy dotyczące przejęcia polskiej ziemi po wstąpieniu Polski do Unii Europejskiej przez obywateli innych krajów unijnych. Widział pozytywy wstąpienia Polski do Unii Europejskiej, ale jako reprezentant polskiej wsi wyrażał duże obawy z tym związane. Andrzej Lepper akcentował wielką rolę polskiej wsi, narodowej tradycji, religii i wartości koniecznych do przetrwania polskości. Widziałem w nim osobę prostolinijną i bezpośrednią w formułowaniu swoich osądów oraz myśli politycznych. Po atakach na niego związanych z „aferą gruntową" i „seksaferą", jakie miały miejsce na przełomie 2006/2007 roku zauważyłem u niego dużą zmianę w zachowaniu. Nie był już tak bezpośredni i otwarty jak wcześniej. Zaczął uważać na słowa dobierając je odpowiednio. Nigdy nie uwierzyłem, że popełnił samobójstwo.

Ze swoim systemem wartości był prawdziwym Polakiem i praktykującym katolikiem. Widać to było, kiedy chodziliśmy po kościołach i cerkwiach, które bardzo lubił zwiedzać i w których lubił się modlić. Modlił się między innymi w Sofii Kijowskiej i wielu innych miejscach. Cechowała go wyjątkowa pobożność. W czasach, kiedy był jeszcze wicepremierem, odwiedzałem go w sejmie. Oskarżenia Podgórskiego, że wynosiłem poufne dokumenty z polskiego sejmu są bzdurne i niedorzeczne.

– Jak Lepper komentował prowokacje Podgórskiego?

– Nie podobała mu się ta cała sprawa. Mnie zresztą też. Powiedziałem Lepperowi, że Podgórski chciał zostać konsulem. Przyjeżdżając na Ukrainę oszukiwał Andrzeja co do istoty swoich pobytów tutaj, a ja dzięki znajomościom wiedziałem o nim wszystko. Wiem dużo, bo choć odszedłem ze służby dziesięć lat temu, to znajomości pozostały. Poza tym w każdym większym mieście mamy swoich braci zakonnych, którzy dużo wiedzą. Dzięki rozbudowanym kontaktom potrafiliśmy zorganizować wizytę władz Zakonu w Watykanie u Jana Pawła II. Przygotowanie tego spotkania trwało około trzech miesięcy. Wszystko to było możliwe dzięki księdzu metropolicie Mokszyckiemu, który jest baronem naszego zakonu. Dużo by mówić.

– To obywatele polscy mogą należeć do Zakonu?

– Mogą i należą. Powiedziałem przecież, że do Zakonu należy arcybiskup Mokszycki.

– Jak był w Rzymie, też należał do Zakonu?

– Tak, jak był w Watykanie sekretarzem papieża to należał.

– Sekretarzem Jana Pawła II?

– No, wytłumaczę. Kiedyś kardynał Dziwisz był sekretarzem papieża. Dostał tytuł barona zakonu. Natomiast arcybiskup Mokszycki został odznaczony orderem Zakonu i tytułem honorowego członka. Członkami Zakonu mogą być obcokrajowcy pod warunkiem spełniania określonych zasad wynikających z zewnętrznego statutu organizacji.

– Często Andrzej Lepper przyjeżdżał na Ukrainę?

– Często. Przed objęciem stanowisk państwowych przyjechał na Ukrainę trzykrotnie, potem dużo częściej. Kilkakrotnie przyjechał też po 2007 roku, kiedy przestał już zajmować urzędy państwowe. Był obserwatorem wyborów w 2010 roku na Ukrainie, które wygrała partia Janukowycza. Andrzej Lepper nie prowadził interesów na Ukrainie z myślą głównie o sobie. Proszę pamiętać, że króla stawia i rozgrywa świta.

– Maksymiuk?

– Nie tylko. Byli jeszcze inni.

– Kto taki?

– A nie pamiętam. Widziałem finansistów, którzy byli na spotkaniu.

– Żebym dobrze zrozumiał – rozgrywały go pewne sfery finansowe? Tak?

– Możliwe.

– Ale polscy bankowcy, finansiści czy wasi?

– Polscy.

– Jedno nazwisko niech mi ksiądz powie.

– Nie pamiętam, ale sporo widziałem. Mogę opisać jak wyglądał, ale nazwiska nie pamiętam. Może sobie przypomnę. To co nadzorował Piotr Stech, to wiedziałem, ale o innych sprawach mniej. Wiedziałem dużo na

temat Kazimierza Dolnego, bo tam był robiony biznes. Trzeba przecież z czegoś żyć.

– Kazimierz Dolny czy Nałęczów?

– Nałęczów i Kazimierz. W Kazimierzu robiliśmy spotkania biznesowe, przyjeżdżał lewy biznes, przyjeżdżał Piotr Stech, ale przy tych interesach w Nałęczowie chodzili cwaniacy, o których pisano w ogólnopolskiej i lubelskiej prasie. To też spory temat.

– Chodzi o zakup tych uzdrowisk? Czy tak?

– Nie tylko uzdrowisk. Chodzi także o produkcję nalewek i kwasów.

– Stąd szły na to pieniądze?

– I stąd szły pieniądze, i z Polski, i jeszcze „wycyganione" było. Koło tego chodzą teraz adwokaci.

– Czyli to prawda, że Pomorski był w to zamieszany?

– Prawda. Niech pan przekaże Izie (Stech), żeby skontaktowała się ze mną, ale nie telefonicznie, tylko na „fejsie" czy przez pocztę elektroniczną.

– Powiem, żeby zadzwoniła.

– Nie, nie, bo ja wiem, że słuchają.

– Jeszcze miał ksiądz przypomnieć sobie nazwisko tego finansisty.

– Taki gruby. Nie pamiętam.

– Zapytam jeszcze o okoliczności śmierci Piotra Stecha. Iza powiedziała mi, że miał pękniętą śledzionę.

– W tym roku widzieliśmy się tylko raz. Zawsze mu mówiłem, żeby dał mi znać z jednodniowym wyprzedzeniem o swoim przyjeździe. W tym dniu w Łucku był na imprezie.

– Mówiła mi żona Stecha, tydzień po jego śmierci, że nie znaleziono w pokoju, gdzie zmarł, żadnych dokumen-

tów, paszportu, niczego.

– Możliwe, bo drzwi do pokoju nie były zamknięte na klucz. Wiem, że były otwarte. Nie mogę powiedzieć nic więcej.

– To Piotrek był z kimś w pokoju?

– Nie sądzę. Poszedł do swojego pokoju sam.

– To kto mu ukradł pieniądze, paszport i wszystko inne?

– Nie mogę powiedzieć.

– Iza ma podejrzenia co do okoliczności śmierci Piotra.

– Do tej pory nie miałem okazji porozmawiać ze wszystkimi uczestnikami spotkania, na którym był Piotrek. Nie chcę o tym mówić, bo nie chcę nic wyjaśniać na policji.

– Przypomniał sobie ksiądz nazwisko tego finansisty?

– Nie przypomniałem. Wiem tylko, że miał na imię Kazimierz. Jest na zdjęciach...

***

– I co o tym myślisz? – zapytał major.

– Nie mówi wszystkiego, co wie. To pewne. I może jeszcze to, że tam, gdzie już mówi – mówi niecałą prawdę, a to oznacza, że mówi częściowe kłamstwo. Jednym zdaniem – nie kupuję tej jego ckliwej historyjki o honorze i patriotyzmie. Nikt by tego nie kupił.

– I ja tak sadzę. Wytrawny kłamca przeplata kłamstwo prawdą albo na tyle blisko trzyma się prawdy, że nigdy nie masz pewności. Oskarżony o kłamstwo, które okaże się prawdą, zyskuje pewien kredyt, który może pokryć sporą ilość kłamstw. Myślę, że dokładnie taką grę prowadził nasz ksiądz. Mówił prawdę tylko tam, gdzie wiedział, że ja wiem, na przykład w sprawie prywatyzacji uzdrowisk. Tam jednak, gdzie nie miał pewności, unikał odpowiedzi lub mówił nieprawdę.

– Dlaczego jednak w ogóle zgodził spotkać się z tobą i poświęcił ci tyle czasu? Po co to wszystko?

– To ważne pytanie: „po co?" Ale są ważniejsze: dlaczego urządzili tę demonstrację z generałem Skipalskim? Dlaczego zaraz potem ostrzegał i groził, jak postępuje z tymi, którzy nagrywają skrycie. A przecież graliśmy uczciwie – nagrywał on, nagrywałem ja, wygrał ten, kto miał lepszy sprzęt nagrywający. Sam sobie odpowiedz: jak wielkie jest prawdopodobieństwo, że Skipalski zadzwonił dokładnie w tym momencie, w którym Hinajło wywołał jego nazwisko? Przypadek? Za długo żyję na tym świecie, by wierzyć w takie przypadki.

– Twoje wnioski? – spytałem.

– Nasuwają się same. To był test. Wprawdzie test bardzo niebezpieczny, bo nie wiedzieli, z czym przyjeżdżam i jak się zachowam, ale zaryzykowali. Chcieli mnie sobie obejrzeć z bliska. Wiem to na pewno, bo wiem, gdzie wypatrywać kamer, a w tym jednym niewielkim pomieszczeniu wypatrzyłem aż trzy. Analizowali każde moje słowo i każdy mój gest, i pewnie gdybym tylko ich czymś zaniepokoił, rzeczywiście zatrzymałaby mnie straż graniczna pod byle pretekstem albo najpewniej w ogóle nie dojechałbym do granicy, bo zgarnąłby mnie pierwszy napotkany radiowóz. Bóg raczy wiedzieć, co byłoby dalej.

– Zgarnął? Na jakiej podstawie? – zapytałem, choć już ułamek sekundy później wstydziłem się zadanego pytania, tak było głupie w swojej naiwności.

– Znaleźliby pewnie papierosy bez akcyzy, narkotyki w bagażniku albo świadka, który by mnie „widział", jak okradałem bank. Potencjalnych wariantów jest tyle, że ich liczba mogłaby zmierzać do nieskończoności. Tak to działa. W ABW, jak trzeba było, nie takie rzeczy robiliśmy. Wiesz o tym przecież dobrze.

– Wiem – rzuciłem krótko. – Nie ulega dla mnie wątpliwości przynajmniej jedno.

– Że prędko na Ukrainę nie pojedziesz.

– Nie wybieram się – zastanowił się przez moment – choć tak naprawdę to i tak nie ma znaczenia.

– Nie ma znaczenia? – powtórzyłem. Zauważyłem, że zaczyna wchodzić mi to w krew.

– Jeśli ktoś naprawdę będzie chciał coś zrobić, to zrobi to po którejkolwiek bądź stronie granicy.

Teraz to ja zastanowiłem się przez moment.

– To jednak znaczy, że wiedzą o nas dużo więcej niż zakładaliśmy, być może nawet wiedzą wszystko, być może nawet słuchają tej rozmowy.

– To ostatnie raczej bym wykluczył, bo wiem jak sprawdzić to i owo, ale oczywiście z naciskiem na „raczej". Co do pierwszego zdania, to masz rację: z pewnością wiedzą o nas dużo i są na naszym tropie. Ale to właśnie chciałem sprawdzić. Bo tego ci nie powiedziałem, że był to test dla obu stron. Oni chcieli sprawdzić nas, a ja chciałem sprawdzić ich i teraz już wiemy o sobie nawzajem – że wiemy.

– To oznacza – zauważyłem – że wchodzimy na nieznane wody.

– To oznacza –- poprawił – że już od dawna na nich jesteśmy.

ROZDZIAŁ IV

PROMESA

Następny miesiąc spędziłem na zajmowaniu się tym, czym zajmowałem się „od zawsze” – to znaczy, czym zajmowałem się do czasu, nim ludzie na wysokich stołkach, sprzedajni prokuratorzy oraz ich pomagierzy ze służb specjalnych pod patronatem prezydenta Polski Bronisława Komorowskiego wzięli się za mnie na serio i na kilka lat zamienili moje życie w przedpiekle, doprowadzając do załamania i próby samobójczej. Jednym zdaniem zajmowałem się archiwami, powiązaniami, sprawami gospodarczymi i łączeniem tych wszystkich „kropek” i „kropeczek”, które dotyczyły Andrzeja Leppera. Jeśli tylko pojawiały się jakieś informacje, odnajdowałem je, a pomagał mi w tym zastęp informatorów z dawnych lat, tych wszystkich, którzy mi jeszcze pozostali i którym jeszcze chciało się grzebać w brudach tego świata.

Reszty dokonały nieograniczone – jak autentycznie uważałem obserwując jego pracę – możliwości i niebywała, aż niepokojąca mnie, bo wyglądająca wręcz na sprawę osobistą, determinacja majora Tomasza Budzyńskiego, byłego szefa delegatury ABW w Lublinie. Kontakty i możliwości Tomka w połączeniu z bezprecedensowym poziomem motywacji umożliwiły mi poznanie Andrzeja Leppera od każdej możliwej strony.

Zastanawiałem się, jak określić to, co odkryłem – a raczej co wspólnie odkryliśmy.

Jeśli to, co zgotowano mnie, nazywałem „przedpiekłem”, to jak określić świat, w który dał się uwikłać szef Samoobrony? Nie miał złych intencji – po kilkunastomiesięcznej, precyzyjnej analizie jego życia nie miałem co do tego najmniejszych wątpliwości. A jednak dał się wciągnąć w taki gąszcz działań na styku polskich, ukraińskich i rosyjskich służb specjalnych, jakiego nie widziałem jeszcze nigdy i nigdzie. Był jak piłka, którą grano lub jak posłaniec, który biega między miernotami na wysokich stołkach, tytułowanymi dla niepoznaki „autorytetami”. Dopiero teraz zrozumiałem, że Andrzej Lepper takim, jakim był, czyli w sumie dość prostolinijnym, naiwnym człowiekiem, ani lepszym, ani gorszym od innych, w tym cynicznym świecie złych, pokrętnych ludzi pozbawionych zasad, ludzi, których prawica po latach intryg i knowań nie wiedział już, co czyni lewica – nie miał najmniejszych szans. Dopiero teraz zrozumiałem, że to nie mogło skończyć się dobrze – nie mogło skończyć się inaczej niż się skończyło.

Od czego zaczęło się to wszystko?

Od powstania partii „Przymierze Samoobrona” w styczniu 1992?

A może jeszcze wcześniej, od roku 1991, kiedy to wskutek tak zwanego Planu Balcerowicza tysiące rolników wpadło w beznadziejną pułapkę kredytową?

Jest faktem, że to właśnie te dramaty stały się zalążkiem przyszłych wydarzeń i wielkiej kariery politycznej prostego rolnika z Zielnowa, który został wicepremierem.

27 lipca 1991 roku został zawiązany w Darłowie komitet protestacyjny, którego głównym postulatem była pomoc gminnych władz dla rolników poszkodowanych przez powódź. W ciągu kilku miesięcy komitet protestacyjny z Darłowa przekształcono w Wojewódzki Komitet Protestacyjny w Koszalinie. Przywódcami protestu byli Stanisław Muszyński i Andrzej Lepper, którzy w tamtym czasie nie byli w ogóle przygotowani do realizacji poważniejszych wystąpień na szerszą skalę. Ot naturszczycy, których do wyjścia na ulicę zmusiła pogłębiająca się zapaść materialna. Rolnicy z Darłowa nawiązali kontakt z innymi protestującymi grupami i ośrodkami na terenie całego kraju – między innymi w Białej Podlaskiej, Zamościu i Nowym Mieście Lubawskim – i tak na przełomie września i października 1991 roku zorganizowano pod Sejmem pierwszą dużą manifestację protestacyjną. Lepper był tylko jednym z prekursorów rodzącego się ogólnopolskiego ruchu społecznego, ale już wtedy został „zdiagnozowany" i wytypowany przez pewne „środowiska" do realizacji dalekosiężnych celów politycznych. W styczniu 1992 roku Sąd Okręgowy w Warszawie oficjalnie zarejestrował Związek Zawodowy Rolnictwa Samoobrona, którego założycielami byli Andrzej Lepper, Maria Zbyrowska, Józef Żywiec, Renata Beger, Genowefa Wiśniowska – prawdziwi rolnicy mający faktyczne problemy ze spłatą kredytów zaciągniętych na działalność gospodarczą, ale oprócz nich w komitecie założycielskim Związku znaleźli się Roman Wycech, syn marszałka Sejmu w okresie PRL i Paweł Skórski, były oficer SB, zastępca Leppera.

Faktycznym twórcą sukcesu organizacyjnego i wizerunkowego Andrzeja Leppera w tamtym czasie był jednak – o czym wie niewiele osób – Edward Kowalczyk, były minister łączności w rządach Józefa Cyrankiewicza, Piotra Jaroszewicza i Edwarda Babiucha, wiceprezes NIK i wicepremier w rządzie Wojciecha Jaruzelskiego, wielokrotny poseł na Sejm. Na początku lat dziewięćdziesiątych Kowalczyk wycofał się z czynnej polityki i rozpoczął współpracę ze Stanisławem Tymińskim, a po nim – z Andrzejem Lepperem. Czego szukał profesor cybernetyki w tak, wydawałoby się, egzotycznym politycznie towarzystwie? Otóż Kowalczyk jako pierwszy dostrzegł ogromny potencjał polityczny u chłopskiego przywódcy i postanowił oszlifować ten „diament". Aż do swojej śmierci był „cichym" doradcą przywódcy Samoobrony, udzielającym mu wskazówek odnośnie kierunków polityki wewnętrznej i sposobów realizacji celów.

Początek lat dziewięćdziesiątych to czas, gdy wicepremierem i ministrem finansów w nowym rządzie „wolnej Polski" cały czas pozostawał Leszek Balcerowicz. Na jego ponowne powołanie presję wywierała ambasada Stanów Zjednoczonych, traktując tę postać jako gwaranta realizacji amerykańskich interesów gospodarczych w Polsce. Nie tylko zresztą amerykańskich. Ówczesny minister finansów Niemiec, Theo Weigel uznał publicznie Balcerowicza jeszcze w 1990 roku za „najlepszą inwestycję niemiecką w Polsce". Z perspektywy lat i analizy wydarzeń łatwiej zrozumieć, czyje interesy naprawdę reprezentowali tacy politycy, jak „Król Europy" Donald Tusk czy ekonomista rodowodem z Instytutu Podstawowych Problemów Marksizmu-Leninizmu przy KC PZPR, Leszek Balcerowicz.

Rząd Bieleckiego–Balcerowicza kontynuował plany Sorosa–Sachsa. Sam Balcerowicz, dusząc popyt, realizował politykę recesji gospodarczej jako antidotum na wszystkie problemy ekonomiczne. W efekcie jego działalności w 1991 roku produkcja przemysłowa spadła o kolejnych dwanaście procent, a produkt krajowy brutto o siedem procent. Największe załamanie nastąpiło w transporcie, hutnictwie, górnictwie, przemyśle włókienniczym i elektromaszynowym, rekordowo wzrosło bezrobocie, osiągając poziom ponad dwóch milionów osób bez pracy, czyli ponad dwanaście procent ogółu „siły roboczej". Jednorazowe przejście w rozliczeniach wymiany handlowej ze Związkiem Radzieckim z rubli transferowych na wolne dewizy, bez zastosowania „amortyzatorów" tego szoku w postaci towarowej wymiany barterowej, doprowadziło do spadku polskiego eksportu o połowę i radykalnego wzrostu cen rosyjskich nośników energii, a w efekcie do pogłębienia recesji. Liberalny rząd Bieleckiego–Balcerowicza przyspieszył proces administracyjnej wyprzedaży przedsiębiorstw wybranym podmiotom w Polsce i za granicą, zainteresowanym przejęciem za bezcen polskiego majątku narodowego. Metodą likwidacyjną, doprowadzając do bankructwa i sprzedaży za bezcen, już tylko w pierwszym rzucie sprywatyzowano dwieście czterdzieści siedem przedsiębiorstw, dokonano też prywatyzacji kapitałowej dwudziestu czterech firm, przy czym kolejne dwieście pięćdziesiąt przygotowano do sprzedaży rynkowej. A wszystko to w sytuacji, gdy zdolność do wykupu polskiego majątku przemysłowego przez polskie społeczeństwo sięgała niewiele ponad jeden procent jego wartości księgowej, a możliwości uwłaszczenia pracowniczego i obywatelskiego były celowo przez czynniki polityczne blokowane. Tym samym stworzono idealną sytuację rynkową dla wyprzedaży polskich przedsiębiorstw za bezcen, głównie w ręce obcego kapitału, nomenklaturowych działaczy postkomunistycznych i także tych działaczy opozycji solidarnościowej, którzy zawarli z komunistami układy. Oczywiście nie zapomniano także o ludziach powiązanych z peerelowskimi służbami specjalnymi, o „wizjonerach biznesu" – na jakich kreowano później różnej maści Kulczyków, Wejchertów, Walterów et consortes.

Wszystkie te działania w sposób naturalny rodziły bunt społeczny i tworzenie się podatnego gruntu dla partii protestu społecznego, które jednak także – bo nic nie zostawiono przypadkowi – były kreowane przez „środowiska" zmierzające do uzyskania kontroli nad sytuacją polityczną i które politykę kontroli realizują skutecznie do dziś. „Środowiska" owe wywodziły się w głównej mierze z Wojskowej Służby Wewnętrznej przekształconej w 1991 roku w Wojskowe Służby Informacyjne, w mniejszym stopniu – z rozwiązanej Służby Bezpieczeństwa, której liczni oficerowie w „wolnej Polsce" „przekwalifikowali się" na oficerów Urzędu Ochrony Państwa. Inicjatywa nadzorowania nie była jednak samoistnym pomysłem osób związanych ze służbami specjalnymi i aparatczykami partii nieboszczki. Starożytną sentencję „wszystkie drogi prowadzą do Rzymu" wypadało zmodyfikować tylko nieznacznie, wręcz kosmetycznie, zamieniając „Rzym" na „Moskwę" – i już wszystko się zgadzało. Fakt, że upadł Związek Radziecki nie oznaczał bynajmniej, że upadła koncepcja rosyjskiej strefy wpływów w Europie Środkowo-Wschodniej. Rosjanie mieli i mają w Polsce tysiące „pretorian" w osobach dawnych żołnierzy WSI oraz – co ważniejsze – w osobach ich agentury ulokowanej we wszystkich możliwych strukturach biznesu, mediów, bankowości i wielkiej polityki. To nie przypadek, że w III RP, nazywanej dla niepoznaki „wolną Polską" po włączeniu któregokolwiek kanału TVN – telewizji powstałej dzięki funkcjonariuszom i współpracownikom WSW oraz WSI czy Polsatu – stworzonego przez Zygmunta Solorza vel Zygmunta Kroka vel Piotra Podgórskiego – komentatorów vide generał Marek Dukaczewski, były szef WSI czy generał Gromosław Czempiński, były szef Wywiadu i UOP, twórca tak zwanego „kapitalizmu bezpieczniackiego", było więcej niż grzybów w dobrym barszczu.

By nie stracić kontroli nad żadnym aspektem sytuacji politycznej, na takim podłożu – podłożu słusznego niezadowolenia społecznego, wynikającego z bandyckiej grabieży majątku narodowego prowadzonej przez tak zwane „elity" – na początku lat dziewięćdziesiątych powstała partia „X", egzotycznego polskiego biznesmena działającego w Peru, Stana Tymińskiego. Działa tu prosta zasada – jeśli nie można zablokować pochodu, najlepiej stanąć na jego czele i poprowadzić na manowce. Czas pokazał, jak wielką iluzją były wybory prezydenckie, w których trzeba było dokonać selekcji pomiędzy Stanem Tymińskim, Lechem Wałęsą a Tadeuszem Mazowieckim – wybór, który w gruncie rzeczy nie był żadnym wyborem. Świat wielkiej mistyfikacji, iluzji, kreowanej rzeczywistości miał święcić w Polsce tryumfy jeszcze przez dwadzieścia następnych lat – a w jakiejś mierze święci tryumfy do dziś – ale skąd Polacy mieli się o tym dowiedzieć, skoro wszystkie nitki w swoich brudnych łapskach trzymali właśnie ci, którzy tę rzeczywistość kreowali?

Przy okazji lansowania Stana Tymińskiego objawiła się inna ciekawa postać. Piotr Tymochowicz – bo o nim mowa – określający się jako specjalista od tworzenia wizerunku politycznego rozpoczynał karierę w latach osiemdziesiątych, prowadząc z Krzysztofem Surgowtem program telewizyjny „Halo komputer", a było to w czasach, gdy komputery znano tylko z opowieści. Potem była firma PR, aż przyszedł czas na projekty polityczne – tu Tymochowicz zawsze mógł liczyć na przychylność mediów, jakiej zazdrościło mu wielu. Po rozstaniu z Tymińskim, który rozbłysnął jasnym, lecz krótkotrwałym światłem, w następnych latach Tymochowicz dziwnym trafem objawiał się zawsze tam, gdzie pojawiali się liderzy nowych partii i ruchów wykorzystujący niezadowolenie społeczne. Tak było najpierw z Andrzejem Lepperem, a gdy jego najlepszy czas minął – z Januszem Palikotem.

Tymochowicz działał w oparciu o określony schemat: odpowiedni dla konkretnego zapotrzebowania politycznego człowiek, potężna promocja w mediach i skok poparcia – a u swoich podopiecznych wszczepiał zawsze naczelną zasadę marketingu politycznego, według której nie jest ważne, czy o człowieku mówią dobrze czy źle, ważne, żeby mówili i nie przekręcali nazwiska. Bo polityk przegrany – to polityk zapomniany. Tę zasadę aż do przesady starał się przyswoić Andrzej Lepper, który – jak w rozmowie z Tomkiem Budzyńskim wspominał Leszek Bubel, ale też wielu innych – każdy dzień zaczynał „prasówką" i konferencją prasową. To było jednak już później, gdy „projekt Samoobrona" ruszył pełną parą.

Projekt ten na poważnie został „odpalony" na przełomie 2000/2001 roku, gdy zbliżały się wybory parlamentarne i gdy po czterech latach burzliwych rządów Akcji Wyborczej Solidarność i Unii Wolności, skompromitowanych aferami i nieudolnością w zarządzaniu państwem, partie prawicowe zgrupowane w AWS i liberalna UW szykowały się do oddania władzy postkomunistycznemu Sojuszowi Lewicy Demokratycznej.

Do tego momentu Andrzej Lepper był co najwyżej politycznym straszakiem, który w razie potrzeby uruchamiano. W pierwszych latach działalności Samoobrona nie była partią liczącą się na polskiej scenie politycznej. Związana ze środowiskami nacjonalistycznymi skupionymi wokół byłego posła Polskiej Partii Przyjaciół Piwa, Leszka Bubla, miała marginalne znaczenie. W wyborach parlamentarnych w 1993 roku występując pod nazwą „Samoobrona Andrzeja Leppera" uzyskała bardzo słaby wynik 2,7 procent poparcia i to mimo że z list ugrupowania startowali znani i lubiani Kazimierz Górski, Władysław Komar, Jerzy Kulej czy Andrzej Supron. W kolejnych wyborach do parlamentu, w 1997 roku, tym razem występując pod nazwą „Przymierze Samoobrona" ugrupowanie Andrzeja Leppera uzyskało wynik jeszcze gorszy – 0,08 procent poparcia. Wydawałoby się – gorzej być nie może, „projekt Samoobrona" właśnie sięgnął dna i dalsze starania nie mają najmniejszego sensu. Tu jednak dała o sobie znać twarda skóra szefa

Samoobrony, który nie zamierzał się poddawać. Należał bowiem do tych nielicznych, którzy potrafią zadać wiele ciosów – ale jeszcze więcej potrafią przyjąć.

Przed wyborami w 2001 roku sondaże znów nie dawały Samoobronie najmniejszych szans, ale właśnie wtedy nastąpił przełom – a nastąpił za sprawą generałów, którzy postanowili na serio zająć się Andrzejem Lepperem i jego partią.

Było ich wielu, ale najważniejsze postacie, które w tamtym czasie pojawiły się wokół Leppera, to generał Zygmunt Poznański, absolwent Akademii Sztabu Generalnego Sił Zbrojnych ZSRR imienia Woroszyłowa, nieformalnie dowodzący „frakcją wojskowych" w Samoobronie i Kazimierz Głowacki, kursant specjalistycznych szkoleń operacyjnych w GRU, były szef Wojskowych Służb Informacyjnych. W szeroko rozumianej grupie doradców Samoobrony było wielu innych wojskowych, na przykład Zdzisław Kazimierski, były dowódca Warszawskiej Dywizji Zmechanizowanej w Legionowie, ale jako szczególnie ważna postać na tym polu jawił się pułkownik Marek Mackiewicz, były wiceszef kontrwywiadu wojskowego.

Tak więc Andrzej Lepper otoczony został szczelnym kordonem byłych żołnierzy Wojskowych Służb Informacyjnych, wykonujących w dalszym ciągu polecenia generała Marka Dukaczewskiego, pełniącego funkcję szefa WSI i realizującego szereg interesów i przedsięwzięć z prezydentem Aleksandrem Kwaśniewskim i w mniejszym stopniu z premierem Leszkiem Millerem. Przywódca Samoobrony musiał realizować w działalności partyjnej wytyczne otrzymywane z siedziby WSI, czego przykładem był stosunek do ustawy forsowanej przez niektórych polityków Sojuszu Lewicy Demokratycznej, mającej na celu połączenie wywiadu wojskowego i cywilnego, co SLD obiecało przed wyborami w ramach szeroko rozumianej reformy cywilnych służb specjalnych. W trakcie prac nad ustawą o WSI politycy Sojuszu zmienili jednak zdanie, a posłowie Samoobrony, rzecz jasna, wsparli projekt rządowy. Tym samym zachowane zostało status quo i WSI pozostały w starym kształcie organizacyjnym.

Przewodniczący Samoobrony myśląc na poważnie o zajęciu się polityką zmuszony został do odsunięcia od siebie ludzi głoszących jakoby poglądy antysemickie, czyli działaczy skupionych wokół Leszka Bubla. No bo jak by to wyglądało – przywódca partii mającej odgrywać ważną rolę w polskiej polityce antysemitą? Zwłaszcza że przecież najpoważniejsze i najbardziej opiniotwórcze media, z Gazetą Wyborczą na czele, znajdowały się w rękach osób pochodzenia żydowskiego.

Kreując Andrzeja Leppera generałowie nie mogli pozwolić sobie na ryzyko, by szef Samoobrony pozostał bez kontroli. I tak u boku Leppera pojawiła się postać Janusza Maksymiuka. Kim był ów człowiek? Absolwent Akademii Rolniczej, dyrektor PGR w Karpaczu, członek PZPR, uczestnik obrad Okrągłego Stołu po stronie rządowej, poseł na Sejm z poparcia PSL, a potem SLD – od 2001 roku doradca Andrzeja Leppera i dyrektor biura krajowego Samoobrony RP. Ale to niepełna informacja. W kwietniu 1989 roku, jeszcze przed powstaniem rządu Tadeusza Mazowieckiego, powstała spółka Cenrex, przechodząca później szereg modyfikacji, która uzyskała koncesję na obrót sprzętem specjalnym – czyli handel bronią – a w której ważną rolę odgrywał właśnie Janusz Maksymiuk. Kilka lat później natomiast powstała fundacja założona przez żołnierzy WSI, „Pro Civili", której jednym z „ojców założycieli" był Janusz Maksymiuk – i to właśnie on poznał Andrzeja Leppera z Konstantym Malejczykiem, byłym szefem WSI.

Prócz „wzmocnienia" składu Samoobrony osobą Janusza Maksymiuka, zadbano także o przygotowanie merytoryczne przewodniczącego partii. I w tym momencie wkroczył na scenę Piotr Tymochowicz.

Strategia kampanii wyborczej sprowadzała się do zmiany prząśnego wizerunku Andrzeja Leppera, przeobrażenia wiejskiego watażki w poważnego polityka, a przy okazji do zmiany wizerunku partii w ogóle. Przewodniczący podjął naukę retoryki, erystyki – sztuki prowadzenia sporów – ripostowania, taktyki przejmowania inicjatywy w dyskusjach itp. Specjaliści pracowali też nad modulacją głosu szefa „Samoobrony", zmianie na niższy, budzący większe zaufanie. I tak, wskutek marketingowych zabiegów i kuglarskich sztuczek, Samoobrona stała się trzecią siłą w parlamencie uzyskując ponad dziesięcioprocentowe poparcie wyborców, wprowadzając 53 parlamentarzystów i 2 senatorów. Mówiąc wprost – Samoobronie pozwolono wejść do gry nie wtedy, kiedy Andrzej Lepper tego chciał, ale wtedy, kiedy mu na to pozwolono i kiedy wymagała tego sytuacja polityczna, bo mogło to przynieść wymierne korzyści. Przez prawie dziesięć lat Lepper bezskutecznie próbował otworzyć drzwi na salony polskiej polityki, aż nagle, raptem w ciągu kilku miesięcy, stał się wraz z Samoobroną trzecią siłą polityczną w kraju.

Zachęceni sukcesem generałowie postanowili jeszcze mocniej wesprzeć partię i zabezpieczyć jej długofalowe funkcjonowanie – było wszak wiele spraw do załatwienia i sporo interesów do zrobienia, jak na przykład przejęcie rynku paliwowego przez Rosjan i oddanie pod ich kontrolę przemysłu energetycznego, chemicznego czy innych segmentów polskiej gospodarki. Rozochocony prywatyzacją Telekomunikacji Polskiej Jan Kulczyk, na której zarobił krocie nie inwestując nawet złotówki, też przecież planował następne interesy, a Samoobrona, choć partia opozycyjna, to jednak w głosowaniach częstokroć popierała koalicję SLD – PSL i tak naprawdę w dużej mierze to dzięki niej udało się postkomunistom dotrwać do końca kadencji.

Oczywiście Lepper nie był głupi i doskonale zdawał sobie sprawę, że jest kontrolowany i rozgrywany. Wierzył jednak, że koniec końców to on zostanie głównym rozgrywającym – ale tu się straszliwie pomylił.

Bo rozgrywany był do samego końca, do ostatnich chwil swojego życia.

Skalę tych „rozgrywek" zrozumiałem dopiero po odsłuchaniu rozmowy, jaką major ABW Tomasz Budzyński odbył ze Stanisławem Kowalczykiem, bliskim współpracownikiem przewodniczącego Samoobrony i zarazem synem człowieka, którego Leppera „stworzył" i wykreował. Major przyjechał do mnie kilka dni po spotkaniu, by zostawić jego zapis.

– To było 27 października. Siedzieliśmy w pubie przy Madalińskiego w Warszawie, gdzie wpada co piątek i gdzie czuje się jak w domu. To było drugie nasze spotkanie. Wiedziałem, że czegoś się obawia i nie spodziewałem się za wiele, dlatego to, co usłyszałem, wprawiło mnie w osłupienie. To jeden z tych puzzli, którego nam brakowało i którego – mówiąc szczerze – nie spodziewałem się już odnaleźć. Posłuchaj zresztą sam. Ja lecę do Warszawy, może dziś jeszcze wyrwę coś z prokuratury.

Chciałem zapytać go jeszcze o to i owo, ale nim zdążyłem się zorientować, jego już nie było.

Podszedłem do komputera, podpiąłem pendrivea i włączyłem zapis nagrania. Przez słyszalny w tle restauracyjny gwar z trudnością przebiła się rozmowa dwóch mężczyzn. Dobre dwie minuty były ledwie słyszalne. Zdążyłem tylko skonstatować, że Stanisław Kowalczyk nawiązuje do wcześniejszej rozmowy, dotyczącej handlu bronią przez firmę Naturapol, należącej do Mieczysława Meyera, Tomasza Walendzika, Mirosława Rudowskiego i Krzysztofa Sikory.

Z treści rozmowy można było wysnuć wniosek, że z firmą związany był też Andrzej Lepper...

– Przedsiębiorczy generałowie kasują magazyny z bronią. Muszą coś z nią zrobić, ale nie jest to takie proste. Trzeba mieć gdzie je wyeksportować. Nie jest tak łatwo sprzedać broń. Trzeba mieć kontakty.

– Panie Stanisławie, mówimy o oficjalnym kanale?

– Mówimy o tym, jak to robił Inter-Commers. Oficjalnie lady chłodnicze, automaty do lodów, a w kontenerach wyjeżdżała broń. Przyjeżdża do Andrzeja Leppera pewna kobieta z synem i podpisują kontrakt na buraki, cebulę i inne artykuły rolne. Osoba, która podpisała ten

kontrakt w banku załatwia promesę. Promesa działa w ten sposób, że aby dostać pieniądze, kontrakt musi zostać zrealizowany. I tak się stało, kontrakt został zrealizowany, towar został dostarczony. Tylko, że to nie były buraki, ziemniaki i cebula. Pytanie, co wyjechało z Polski?

– Zaczął pan od tego, więc domyślam się, że broń.

– Andrzej Lepper zorientował się, że został oszukany, odnośnie tego, co wyjechało z Polski. Bał się o swoje życie i chciał o tym komuś powiedzieć.

– Z kim chciał się skontaktować?

– Z Kaczyńskim. Andrzej Lepper zorientował się, jak go wkręcono. Kto walczy dzisiaj tą bronią w Syrii i Iraku?

– Mam pytanie. Czy pan był tym świadkiem, który kontaktował się z Tomaszem Sakiewiczem? Kim była ta kobieta z kontraktu?

– To była podstawiona osoba. Przedstawiała się jako minister edukacji.

– Jakiego kraju?

– Nie pamiętam. Musiałby pan zapytać Rudowskiego.

– Co ma do tego Agnieszka Maćkówka?

– Ona przysłała tego biznesmena. Na czym rzecz polegała? Trzeba było pojechać do tego banku arabskiego, aby odebrać pieniądze. Tłumaczyła, że nie wypada, żeby Andrzej Lepper tam jechał, aby zrealizować promesę. Gdyby były to płody rolne, to nie byłoby sprawy, bo byłoby bezpiecznie.

– Tym kimś był Tomasz Walendzik? Pytam, bo Walendzik był jednocześnie udziałowcem firmy Naturapol. To o tej sytuacji chciał Lepper powiedzieć Kaczyńskie-

mu? No, ale zastanówmy się tak naprawdę, o czym chciał powiedzieć? O tym, że są firmy, które handlują bronią przez podstawione osoby?

– Niech pan weźmie pod uwagę wcześniejsze działania Macierewicza dotyczące weryfikacji WSI. Do kogo Lepper miał się zwrócić? Niech pan się zastanowi. To był 2011 rok, kiedy to Platforma Obywatelska była u szczytu władzy.

– Dukaczewski udzielał wywiadów w telewizji. A ta minister – jaką faktyczną rolę pełniła? Kim była?

– Ona podpisała kontrakt.

– To była minister z tamtego kraju, jak rozumiem? Z kraju arabskiego?

– Tak. Kontrakt był na ręku, wszystko podpisane. Towar pojechał. Pojechały kontenery do Gdańska. A jeszcze, co ciekawe, pani Violetta Gut była przewodniczącą Związku Celników. Otworzyli kontener, a tam worki kartofli, cebuli. Dalej już nie grzebali. Nie szukali. To nie pierwszy taki numer. Tak robił Inter-Commers. Jeździli do Włoch, gdzie kupowali lady chłodnicze. A co faktycznie wyjeżdżało z Polski? Przecież nie jest to tajemnicą.

– Ma pan rację. Zdaje się, że ktoś coś tam o tym wspominał. Pana szwagier pracował w tym Inter-Commersie?

– Tak, ale jak się zorientował, gdzie pracuje, to wyjechał na stałe do Anglii.

– Ale co mu groziło tak naprawdę?

– Wie pan, nigdy nie wiadomo, co komu strzeli do głowy. Zabrał dwóch synów, zostawił żonę, która musiała opiekować się chorą matką i wyjechał. Mają ludzie rozum i się boją. Szaleńców w tych formacjach jest dużo. Bardzo zależy mi na tym, żeby ta książka się ukazała.

– Rozumiem, że w tym kontekście płody rolne sprzedawała firma, która...?

– Ta, którą razem z Bogdanem Sochą i Rudowskim założył Andrzej Lepper.

– W dokumentach rejestrowych Naturapol Andrzej Lepper nie figuruje?

– On nigdzie nie figuruje.

– Figuruje, bo założył własną działalność gospodarczą, a wcześniej z Piotrem Rybą, współoskarżonym w aferze gruntowej, założył firmę Apa Trade.

– Niech pan się zastanowi, czy to co mówię, jest prawdopodobne? Czy promesa została zrealizowana i co tam pojechało? Andrzej Lepper nikomu o tym nie mówił. Najpierw chciał porozmawiać o tym z Jarosławem Kaczyńskim.

– Ale pan o tym wie, że to była broń?

– Znam wiele faktów. I mówię na zasadzie racjonalności.

– Czy pozostali wiedzieli? Bo przecież według KRS-u Sikora jest prezesem tej firmy.

– Nie mogę się za nich wypowiadać.

– Czyli to nie było wyłudzenie promesy?

– Panie Tomku, przecież nie można wyłudzić pieniędzy promesy.

– Można.

– Ale tym razem było inaczej. Kontrakt został zrealizowany. „Ziemniaki, buraki, cebula" popłynęły do kraju arabskiego.

– Czego Walendzik się boi, że siedzi w Dubaju?

– A gdzie ma siedzieć? Lepper nie żyje, to co?

– Pieniądze z realizacji kontraktu miały pójść w ca-

łości dla Leppera?

– Tak, na kampanię wyborczą, ale zyski z kontraktu przejęli inni. Więc po co Walendzik ma wracać i narażać się na niebezpieczeństwo? Wróci za jakiś czas.

– Więc on przewalił te pieniądze?

– Wygląda na to, że nie rozliczył się z panami generałami.

– No dobrze, a rozliczył się z Lepperem i firmą Naturapol? Był stratny Lepper i generałowie WSI.

– No to panie Tomku dodam panu kolejny element. Na ten temat musiała wiedzieć coś rodzina. Po śmierci Andrzeja Leppera zatrudnili detektywa Krzysztofa Rutkowskiego w celu poszukiwania pieniędzy z interesów, które prowadził Lepper. Rodzina musiała wiedzieć coś na temat tych interesów.

– Może jakiś dokument zostawił na ten temat. Dokument zabezpieczający jego interesy. Ale oni też się przecież boją o swoje życie. Panie Stanisławie, jaki interes mieli generałowie żeby uciszyć Andrzeja Leppera?

– Nie powiem panu, co się wydarzyło. Znam tylko mały fragment wydarzeń. Byłem tylko obserwatorem. Bałem się i dlatego odszedłem.

– Czy Meyer o tym wiedział?

– Musi zadać pan to pytanie osobom, które brały w tym udział. Obawiam się, że boją się wszyscy.

– Czy Andrzej Lepper aż tak bał się tematów ukraińskich?

– Każdy by się bał. Wie pan tematy ukraińskie, białoruskie są bardzo niebezpieczne.

– Jak się nazywał ten profesor, który przygotowywał Andrzeja Leppera do kariery politycznej?

– On nie był profesorem, tylko doktorem. Pracował w Polskiej Akademii Nauk. Był on także konsultantem w Biurze Ochrony Rządu. Stąd wiem, że był ze służb bo ja też tam pracowałem. W Internecie nie znajdzie pan tego nazwiska.

– Jaki cel miał kontakt Sakiewicza z Lepperem?

– Sakiewicz miał pośredniczyć w umówieniu spotkania z Jarosławem Kaczyńskim. Handel bronią miał być interesem, który umożliwiał uzyskanie środków finansowych na kampanie wyborczą i powrót do polityki.

– Gdzie był zatrudniony Andrzej Lepper? W fundacji czy w partii?

– Andrzej Lepper nigdy i nigdzie nie był zatrudniony. Nigdy nie brał pieniędzy.

– Musiał być zatrudniony ponieważ pobierał zasiłek chorobowy.

– Nie był zatrudniony. To jest kwestia dezinformacji. Przewodniczący partii, związku, nigdy nie był zatrudniony.

– Informacje te podaje prokuratura. Panie Stanisławie od kogo dowiedział się pan o promesie?

– Powiem panu jak to było. Przyszedłem do biura. Siedział tam Meyer. Przyniosłem trzy czwarte wódki. Piliśmy wódkę z Meyerem. Przyszedł Lepper. Napił się kieliszek. Tylko kieliszek. Lepper nie lubił alkoholu wbrew temu co wszyscy myślą. Nikt nigdy nie widział go pijanego, a przesłuchiwano sto siedemdziesiąt dwie osoby i każdą osobę o to pytano.

– To Rudowski robi z niego alkoholika. Jaki cel w tym miał? Bo to jest oczernianie.

– Nikt nie widział go pijanego publicznie. Niech

przeczyta pan dokładnie te zeznania. W takich okolicznościach człowiek raczej nie fantazjuje, raczej mówi co wie. A z Meyerem wódkę piłem ze trzy razy. Opowiadał mi o różnych tam interesach, wszystkich interesach między innymi z Ireneuszem S. Powiedziałem mu no to bierz kasę i wiej. No i tak zrobił.

– Oni wypompowali go z pieniędzy i później założyli mu sprawę. To znaczy nie im, tylko tej spółce z Nałęczowa, która nazywała się M. Sowińska Spółka z o. o.

– Nie znam tej sprawy i nie chcę nawet w to wnikać. To są mętne interesy, samo błoto panie Tomku.

– Wie pan, nie błoto. Według Ireneusza S., a to był naiwny facet, dał się wciągnąć. Sprawa polegała na tym, że Ireneusz S. zlecił restrukturyzacje swojej firmy, za namową Andrzeja Leppera, spółce powiązanej z Mieczysławem Meyerem i Wiolettą Gut, która nazywała się M. Sowińska. Spółka z Nałęczowa zamiast prowadzić restrukturyzację firmy Ireneusza S. zażądała przeniesienia wierzytelności nieruchomości, jako zabezpieczenie roszczeń o wypłatę wynagrodzenia za restrukturyzacje jego firmy. Restrukturyzacja polegała na całkowitej wyprzedaży majątku spółki Ireneusza S., którą prowadził Mieczysław Meyer i Wioletta Gut. Ireneusz S. zorientowawszy się, że jest w sposób zwyczajny okradany interweniował u Andrzeja Leppera, a nawet jego żony, w kwestii wyjaśnienia zamiarów i działań przeprowadzonych przez spółkę z Nałęczowa oraz Mieczysława Meyera. Gdy nie przyniosło to zamierzonego efektu wytoczył spółce przeprowadzającej restrukturyzacje sprawę w sądzie.

– Według Stanisława Kowalczyka Andrzej Lepper, Mieczysław Meyer i Wioletta Gutt prowadząc działania gospodarcze wyszukiwali firm, które mają nieformalne zobowiązania i pomagali w ukrywaniu majątku. Na tym właśnie w swojej działalności bazowała Gutowa i ludzie związani z Andrzejem Lepperem. Z firmy z Nałęczowa przelano na konto Andrzeja Leppera pieniądze należące do firmy Ireneusza S. Pieniądze w kwocie miliona złotych zostały wyprowadzone z konta Andrzeja Leppera i w ten sposób wplątano go w kolejna aferę. Od tej sytuacji wybroniła go Zofia Grabczan podpisując weksel dla Andrzeja Leppera na kwotę miliona złotych. Grabczanowa wystawiła Andrzejowi Lepperowi weksel, jako gwarancje tego, że te pieniądze zostaną zwrócone.

– Panie Stanisławie, próbuję wyjaśnić, zrozumieć całą tę sytuację. Jest firma A w Polsce, jest firma B w Emiratach Arabskich, która chce kupić od nas płody rolne. Bank w Emiratach Arabskich wystawia na pokrycie kontraktu promesę kredytową dla firmy polskiej, jako zabezpieczenie płatności dla strony polskiej. Towar idzie. Promesa jest realizowana. Przez kogo? Przez Walendzika musi być zrealizowana?

– Nie podam panu nazwiska, bo po prostu nie mam takiej wiedzy. A co tak naprawdę pod ten kontakt może zostać wyeksportowane, to już możemy tylko spekulować.

– Która kwota jest prawdziwa? Bo ja słyszałem o kwocie dziesięciu milionów, ale nie wiem – dolarów, euro czy złotych?

– Kwota nie ma znaczenia. Ważne, że była promesa.

– Ważne jest to, że pieniądze z zysku tego kontraktu nie trafiły do polskiej firmy czyli do Naturapol. Dziwne

jest to, że nikt o te pieniądze się nie upomniał. Gdyby był to kontrakt lege-artis, to dostawca by się upomniał o zapłatę należności. Jest to clou programu. Pieniądze z kontraktu nie trafiły do polskiej firmy. Nikt się o nie nie upominał, bo wszyscy bali się ujawnienia tego, co tak naprawdę znajdowało się w kontenerach.

– Sikora, prezes spółki Naturapol i były poseł Samoobrony, nie miał z tym nic wspólnego mimo, że jest były wojskowym. Panie Tomaszu, to człowiek nie tego sortu. On przed Samoobroną miał budkę z kurczakami na bazarze mokotowskim. To wbrew pozorom porządny człowiek. Chociaż jest takie niebezpieczeństwo, że mógł być wykorzystany przez swoich znajomych z wojska, ale według mnie to wątpliwa sprawa.

– Gdyby Walendzik zapieprzył pieniądze z promesy, to musiałby komuś oddać za towar.

– Gdyby zapieprzył, to kraje arabskie upomniałyby się o pieniądze, ale kontrakt został zrealizowany. Niech pan się zastanowi. Arabowie dostali, co chcieli, co prawda nie ziemniaki i buraki, ale pieniądze zostały wypłacone. Walendzik wykorzystał upoważnienie wystawione przez Leppera, przejął pieniądze, rozliczył się z generałami bo inna ewentualność nie wchodziłaby grę, bo gdyby się nie rozliczył, to już by nie żył.

– Analizując dokumenty ze śledztwa wyłapałem, że strasznie Rudowski kłamie.

– To kłamca. Jak będzie pan w swojej książce opierał tezy na zeznaniach Rudowskiego, to się pan skompromituje. On mówił, że był kierowcą Andrzeja Leppera. W życiu nie był jego kierowcą. Nikt nie chce o tym mówić, żeby tej sprawy nie rozdrapywać.

– Wiem panie Stanisławie. Zaprzeczeniem samym w sobie są słowa użyte przez śledczych w uzasadnieniu postanowienia o umorzeniu śledztwa, które muszę zacytować, bo nikt nie da mi wiary, że piszę prawdę: „W szczególności bowiem na podstawie zeznań świadków – członków Samoobrony oraz wyników oględzin punktów dostępnych firmy Roger ustalono, iż w dniu 5 sierpnia 2011 roku system ten nie działał, a tym samym nie było możliwym otwarcie przez Mirosława R. drzwi do pokoju prywatnego Andrzeja Leppera za pomocą kodu". Twierdzenie jest wbrew pozorom prawdziwe, o czym pisałem wcześniej, ale po co Rudowski miał przedostawać się do pokoju Andrzeja Leppera otwierając drzwi za pomocą niesprawnego zamka, jak był dysponentem drugiego kompletu kluczy, którego używał do otwarcia drzwi kiedy chciał posprzątać pokój i łazienkę czy wywietrzyć pomieszczenie, co wykonywał, bo sam tak stwierdził w zeznaniu. Widzi pan, jakie idiotyczne błędy popełniła prokuratura. Ja piszę o niespójności zeznań Borkowskiego i Rudowskiego, a prokuratura bierze stronę. Próbuję udowodnić, że prokuratura opiera większość faktów na zeznaniach Rudowskiego, a Rudowski kłamie. Przeanalizujmy konkretną sytuację. W momencie kiedy Borkowski i Rudowski próbuje dostać się do prywatnych pomieszczeń Leppera, Borkowski pyta towarzyszącego mu Rudowskiego, jaki jest szyfr do zamków elektrycznych. Rudowski odpowiada, że nie działają, ale nie postępuje w sposób naturalny i nie udostępnia drugiego kompletu kluczy, którego jest dysponentem, tylko zdawkowo odpowiada, że nie możliwe jest wejście do pokoju Andrzeja Leppera ze względu na nieczynne zamki. Każ-

dej logicznie myślącej osobie nasuwa się pytanie dlaczego nie otworzył drzwi swoim kompletem? Wniosek z tego, że albo nie miał swojego kompletu kluczy, albo udostępnił je komuś innemu. Pytanie komu?

– Na to nie wpadłem panie Tomku. Ręczę za takie osoby jak Socha, Sochocki, Zaremba, nawet Maksymiuk, ale za Rudowskiego nie dam sobie palca uciąć.

– Dla mnie nie logiczne jest także zachowanie Rudowskiego po odkryciu zwłok Andrzeja Leppera i wyjściu Borkowskiego, kiedy nie powiadamia policji i służb mundurowych o fakcie odkrycia zwłok, tylko w pierwszej kolejności zawiadamia Wiolettą Gutt, Meyera i Maksymiuka czekając na ich przybycie. Niech pan dalej zauważy. Przychodzą o 16:30, a policję powiadamiają po 12 minutach. Do czego jest im potrzebny ten czas?

– Do uzgodnienia zeznań. Ustalają zeznania.

– Zgadza się, ale to do mnie nie przemawia. Jeżeli osoby są niewinne i nic nie wiedzą na ten temat, hipotetycznie, to nie muszą ustalać. Ja gdybym coś takiego zobaczył, to pierwszą rzeczą nie byłoby ustalanie co mówimy policji, tylko dzwonimy na policje i tyle.

– Żąda pan ode mnie odpowiedzi, ale ja jej nie znam.

– Ale ja nie żądam od pana odpowiedzi. Ja tylko analizuję.

– Ja twierdzę, że oni uzgadniali zeznania przed przyjazdem policji.

– Czy szukali czegoś?

– Raczej nie. To pionki, to Gutowa mogła czegoś szukać.

– Panie Stanisławie, mówi pan pionki o tych, którzy handlują bronią?

– Jeszcze raz panu powtarzam Rudowski jest debilem.

On był kierowcą w ZOMO, kierowcą w pogotowiu ratunkowym później kierowca tirów.

– Czy to prawda, jak zeznał, że pożyczył Andrzejowi Lepperowi pieniądze? Raz trzy i pół tysiąca? Raz dwa dziewięćset?

– Ja nie wiem, co on zeznał, ale wiem, że nie miał pieniędzy. Nie miał nawet na opłaty parkingowe.

– Zapytam jeszcze pana jako toksykologa. To, że opóźniono sekcje zwłok Andrzeja Leppera do czterech dni. Jakie środki chemiczne i naturalne mogą spowodować na przykład zwiotczenie mięśni itp.?

– Na przykład pavulon.

– I mimo, że człowiek umiera, to substancja ta rozkłada się w ciele?

– Tak. Kiedy człowiek umiera zanikają funkcje mózgu, ale komórki dalej żyją.

– Komórki po śmierci jeszcze funkcjonują?

– Oczywiście.

***

Są sytuacje, w których wiesz, że przeszedłeś przez most i już nie masz powrotu.

To właśnie była taka sytuacja...

CZĘŚĆ III

ODKUPIENIE

Październik 2016

ROZDZIAŁ I

CO WYDARZYŁO SIĘ NAD JEZIOREM ŚWITEŹ?

– Tak więc było coś niepojętego w decyzji Leppera rzucającego wyzwanie potężnym politycznym przeciwnikom i startującego w wyborach parlamentarnych, w których jego klęska wydawała się oczywistą oczywistością. Wydawało się, że w rozsypującej się machinie partyjnej byłemu wicepremierowi brakowało wszystkiego, od ludzi po pieniądze, a było oczywiste, że tak bez jednych jak i drugich start w wyborach parlamentarnych nie ma najmniejszego sensu. W czym zatem Lepper pokładał swoją nadzieję, której źródła nie widział nikt poza nim samym?

– Szliśmy przez las, a ja słuchałem, jak zaczarowany. Nie przerywałem Tomkowi Budzyńskiemu – majorowi ABW, byłemu szefowi delegatury w Lublinie, z którym zaledwie rok wcześniej odzyskałem kontakt po siedmiu latach milczenia, a który wykazał tak wielkie zaangażowanie i tak wielką determinację, by wyjaśnić wszystkie elementy zbrodni popełnionej na Andrzeju Leperze (bo nie mieliśmy najmniejszych wątpliwości, że była to zbrodnia!) i sprawy z ową zbrodnią związane, że czegoś podobnego nie widziałem nigdy dotąd - ani jednym słowem. Odnosiłem wrażenie, że zamilkły nawet ptaki, a w lesie zrobiło się cicho, jak makiem zasiał. Major tymczasem kontynuował swoją opowieść.

– Oczywiście najłatwiej można by odpowiedzieć, że wskutek nadmiaru problemów były wicepremier po prostu załamał się i stracił kontakt z rzeczywistością. A jednak w tamtym czasie, gdy rankiem 4 sierpnia 2011 roku zmierzał do Warszawy, Andrzej Lepper daleki był od załamania. Przeciwnie. Ci, którzy znali go dobrze – a prowadząc działania, jakie prowadziłem przez szereg lat, należałem do tych, którzy znali go najlepiej – powiedzą później, że był typem fightera. Każdy, kto prześledzi jego drogę, łatwo zobaczy, jak trudno było go złamać. Jeszcze w czasach działalności związkowej, na początku lat dziewięćdziesiątych, kilka razy przebywał w aresztach śledczych, wielokrotnie znajdował się na skraju bankructwa, miał liczne egzekucje komornicze i dziesiątki problemów, które innych łamały jak wiatr drzewa, bo stanowiły śmiertelne zagrożenie dla bytu całej rodziny, w tym małych wtenczas dzieci. Nieliczni wierni współpracownicy, którzy pozostali przy nim do końca, wspominali później, że Andrzej Lepper zawsze wierzył, że nie ma takiej studni, która nie miałaby dna i takiej biedy, której nie da się przetrwać. Był jednym z tych, których siła leży nie tylko w tym, że potrafią zadać wiele ciosów, ale głównie w tym, że jeszcze więcej potrafią przyjąć.

Wbrew zatem późniejszym twierdzeniom prokuratury przewodniczący Samoobrony daleki był od apatii. Miał długofalowy plan i właśnie rozpoczynał jego realizację. Czy jednak był to plan realny, czy tylko stek pobożnych życzeń?

Do rozwiązania pozostały trzy najważniejsze problemy: skąd wziąć pieniądze na spłatę długów i zbliżającą się kampanię wyborczą? Jak doprowadzić do szybkiego i pozytywnego zakończenia procesów? W jaki sposób zabezpieczyć sobie przyszłość? Stosunkowo najprostsze wydawało się rozwiązanie pierwszego problemu.

Nie wiele osób wiedziało, że Andrzej Lepper miał przyznaną promesę kredytowa na dziesięć milionów dolarów w jednym z banków w Zjednoczonych Emiratach Arabskich. Pieniądze te, rzecz jasna, nie były przeznaczone w całości dla Leppera, bo lwią część mieli otrzymać ludzie, którzy zorganizowali całe przedsięwzięcie – jego protektorzy z WSI. A jednak to, co miało zostać, wystarczyło na bieżącą działalność i zabezpieczenie kampanii wyborczej. Pełnomocnikiem całej operacji był Tomasz Walendzik, do którego Lepper miał ograniczone zaufanie, ale to nie on decydował o roli Walendzika w tej historii. Nie wiadomo, co stało się z tymi pieniędzmi po śmierci byłego wicepremiera - to nigdy nie zostało wyjaśnione. Jedyne, co wiadomo na pewno, to że niedługo później WTomasz Walendzik wyjechał do Emiratów. I jeszcze to, że mieszka tam po dziś dzień.

Tak więc Andrzej Lepper miał wizję, jak pozyskać pieniądze i jak je wydać. Wiedział jednak, że aby zakończyć złą passę i realnie myśleć o korzystnym rozwiązaniu wszystkich poważnych problemów, musiał uderzyć bardzo silnie, do tego w tak czułe miejsce, by odeprzeć oskarżenia i odzyskać inicjatywę. Wiedział, co to za miejsce. I wiedział jak w nie uderzyć.

W relacjach między ludźmi w świecie władzy i brudnej polityki, podobnie jak w działalności służb specjalnych, zawsze chodzi o osiągnięcie „celu operacyjnego", czyli specyficznie rozumianej przewagi. Przewaga zaś danego polityka nad innym – podobnie jak jednego państwa nad innym - często nie musi być pochodną jego przewagi w znaczeniu, w zajmowanej pozycji, stanowisku bądź tak czy inaczej rozumianej siły, ale po prostu pochodną informacji. Doskonale wiedzieliśmy o tym w ABW, gdzie zawsze, odkąd tylko sięgam pamięcią, najważniejszą jednostką był Departament Zabezpieczenia Technicznego, powstały w 1999 roku z połączenia Biura Techniki i Biura Obserwacji. Departament ów zajmował się totalną inwigilacją osób będących w zainteresowaniu ABW za pomocą obserwacji i techniki operacyjnej czyli podsłuchu telefonicznego, podsłuchu pokojowego i podglądu dyskretnej fotografii (PDF). Informacje uzyskiwane z jednostek ZT w centrali i delegaturach stanowiły kopalnię wiedzy, niemożliwą do uzyskania metodami pracy operacyjnej, zresztą kiepsko prowadzonej przez ABW. Szacuje się, że około 80 procent informacji wykorzystywanych przez ABW pochodzi z Departamentu Zabezpieczenia Technicznego, stąd powiedzenie: „kto panuje w DZT, ten rządzi w ABW, a kto rządzi w ABW, ten rządzi w kraju".

Tak więc podstawą sukcesu w tym brudnym świecie była informacja i Andrzej Lepper miał do niej dostęp, choć nie zawsze znał źródło jej pochodzenia - do tego jednak dojdziemy. Szef Samoobrony znał wiele tajemnic, spraw opatrzonych klauzulą najwyższej tajności i jak wskazywały wszystkie napływające do mnie „newsy", zamierzał zrobić z nich użytek. Zwłaszcza dwa z moich „kanałów informacyjnych" - zawodowo i towarzysko związane z Konradem Rękasem i Bolesławem Borysiukiem, do roku 2007 zarządzającym Samoobroną na Lubelszczyźnie i kierującym zespołem doradców Leppera, miały świetne rozpoznanie. By to wyjaśnić, trzeba cofnąć się do wydarzeń z roku 2002.

W owym czasie w wyborach samorządowych do sejmików wojewódzkich i organów samorządu terytorialnego partia Andrzeja Leppera uzyskała 16 procentowe poparcie w skali kraju, tymczasem w województwie lubelskim aż 22 procentowe. To z kolei pozwoliło na wygranie wyborów i stworzenie koalicji rządzącej z SLD. Przewodniczącym sejmiku został z ramienia Samoobrony Konrad Rękas, dziennikarz i samorządowiec z Chełma - człowiek mało ciekawy, który później złożył rezygnację z funkcji przewodniczącego wskutek afery ze sfałszowanym indeksem, obecnie funkcjonujący w środowiskach zbliżonych do zatrzymanego za szpiegostwo na rzecz Rosji Mateusza Piskorskiego. Dwaj moi informatorzy brali udział w „imprezach integracyjnych" polityków lubelskiej Samoobrony, zarazem jednak stanowili doskonałe źródła informacji o kontaktach członków tej partii na Ukrainie i Białorusi. Potwierdzenie prawdziwości ich informacji uzyskałem później dodatkowo od Marcina S., działacza Samoobrony, a w następnych latach dyplomaty.

Działacze Samoobrony, w większości ludzie prości, nie zdawali sobie sprawy z niebezpieczeństw czyhających za wschodnią granicą i nie przypuszczali nawet, że ich wyjazdy są ściśle monitorowane przez Służbę Bezpieczeństwa Ukrainy, a zdobyte informacje trafiają bezpośrednio do bratniej Federalnej Służby Bezpieczeństwa w Moskwie. Trzeba przypomnieć, że w owym czasie SBU dowodził generał Wołodymir Radczenko prywatnie przyjaciel i kolega z kursów KGB w Mińsku ówczesnego szefa rosyjskiej Federalnej Służby Bezpieczeństwa Nikołaja Patruszewa. Przy braku zabezpieczenia kontrwywiadowczego i co tu dużo kryć, przy sporej infantylności polityków Samoobrony, na terenie tak newralgicznym z punktu widzenia rosyjskich interesów, jakim była i jest Ukraina – jeszcze całkiem niedawno rosyjskie służby specjalne działały tu swobodnie, traktując Ukrainę jako kraj przyjazny – podopieczni Andrzeja Leppera pozostawali w przekonaniu, że z dala od oczu żon i od kamer dziennikarzy, można do woli oddawać się uciechom życia. I oddawali się, niekiedy „tylko" do granicy dobrego smaku, częściej bardzo daleko poza tą granica. A wszystko to przy pełnej rejestracji ze strony SBU i FSB.

Nie potrafię powiedzieć dokładnie, jak dalece zostało to później wykorzystane przez wspomniane służby, ale sam fakt, że zostało wykorzystane, nie ulega dla mnie najmniejszej wątpliwości. Nie było zresztą w tym nic dziwnego, bo tak stanowiła zwyczajna pragmatyka służb specjalnych - i dopiero brak wykorzystania takich materiałów byłby czymś zgoiła nienormalnym i stanowił zwyczajne marnotrawstwo.

Mając dwa świetnie ulokowane kanały informacyjne w kierownictwie Samoobrony, a nadto dysponując obszerną wiedzą spoza tych źródeł, już później z dystansu, z niejakim rozbawieniem myślałem o przebiegu wątku lubelskiego seks-afery bo doskonale wiedziałem że obciążające Leppera zeznania żony Piotra Podgórskiego i Agnieszki Kowal były niczym innym, jak tylko elementem gry zainicjowanej przez Rękasa i Podgórskiego, którzy zresztą sami byli w tej rozgrywce pionkami wykorzystanymi do robienia wrzawy. Gdy rejwach minął, gdy wszyscy się już nakrzyczeli i nakłamali w mediach do woli, a ludzie zapomnieli, co jest istotą sprawy, Anna

Podgórska usunęła się po cichu na bok – dzięki wpływom ojca, Krzysztofa Dudy, zamojskiego przedsiębiorcy, usunęła się w miarę skutecznie. Z kolei Agnieszka Kowal po złożeniu zeznań w prokuraturze przestraszyła się wezwaniami do sądu i możliwością ujawnienia kasety z seksualnej orgii w jej wiejskim domu pod Lublinem – kaseta była źródłem nacisku, dla którego zdecydowała się składać zeznania w prokuraturze – i najzwyczajniej w świecie uciekła do Włoch, uniemożliwiając tym samym przesłuchanie w charakterze świadka, w toku procesu.

Takimi znaczonymi kartami odbywała się ta brudna gra. Ja zaś sam, dzięki dobrze ulokowanym informatorom, z perspektywy czasu, mogłem doskonale rozeznać się we wszystkich mniej lub bardziej interesujących zdarzeniach dotyczących tej znaczącej w pewnym okresie III RP partii politycznej.

Obok dwóch źródeł w postaci informatorów dodatkowym zaworem bezpieczeństwa dla prawdziwości moich informacji były działania, o których mówić mi nie wolno i jeszcze jeden człowiek - wspomniany Marcin S., który funkcjonował w środowisku byłych działaczy Samoobrony także po roku 2007 i kandydował na stanowisko jednego z dyrektorów w Krajowej Radzie Radiofonii i Telewizji. Ostatecznie nie trafił do KRRiT, a zamiast tego został dyplomatą polskiej ambasady na dalekim wschodzie. W oparciu o wieloletnią praktykę oficera ABW czułem to – choć mieliśmy w kontrwywiadzie żartobliwe powiedzenie, według którego „dowody węchowe" nie są uwzględniane przez sąd - że Marcin nie jest zdolny do konfabulacji. Przeciwnie, należał raczej do ludzi, którzy analizują i potwierdzają uzyskane informacje.

Któregoś razu w 2012 roku, gdy przyjechał na urlop z placówki dyplomatycznej, powiedział mi że ma ważne informacje, pewne i wiarygodne - uzyskane prywatnie i nie związane z pracą zawodową. Według jego relacji wiosną 2011 roku podczas spotkania nad Jeziorem Świteź na pograniczu ukraińsko - białoruskim Andrzej Lepper otrzymał od Ukraińców materiały, także w formie audio, dotyczące nieprawidłowości skandalicznego kontraktu podpisanego w 2010 roku przez wicepremiera Waldemara Pawlaka z wicepremierem Rosji Igorem Sieczinem, generałem KGB, a ówcześnie drugą osobą w Rosji – po premierze Putinie, wbrew pozorom prezydent Miedwiediew w ogóle nie liczył się w tym rozdaniu - odpowiedzialną za sprawy energetyczne, w tym za dostawy rosyjskiego gazu do Polski. Były to informacje najwyższej wagi, a tym samym szalenie niebezpieczne dla ich dysponenta, z gatunku tych, które windują mocno w górę lub zakopują człowieka półtora metra pod ziemią. Dlaczego właśnie te informacje zwróciły moją szczególną uwagę?

Nawet nie dlatego, a przynajmniej nie przede wszystkim dlatego, że takich informacji nie dostaje się ot tak, i było dla mnie oczywistą oczywistością, że Lepper musiał zaoferować coś w zamian – miałem tu swoje hipotezy, bo te same się narzucały, ale o tym za chwilę. Najważniejsze dla mnie w tej historii było co innego: stanowiła uzupełnienie mojej wiedzy pozyskanej wieloma niezależnymi „kanałami" oraz idealne, nieomal dosłowne, potwierdzenie tego, co na ten temat słyszałem wcześniej od dwóch informatorów. Ani Marcin S. – który był nie tyle moim informatorem, co raczej kimś na kształt prywatnego kanału informacji - ani nikt z jego kręgu nie wiedział, kim są i co mówią moje osobowe źródła informacji. Zadałem więc sobie pytanie, które na moim miejscu zadałby sobie każdy: jak to możliwe, że opowiedział mi dokładnie tę samą historię, nieomal kropka w kropkę, co nieznani mu dwaj inni moi informatorzy? Na gruncie logiki i zdrowego rozsądku nie było tu innego wyjaśnienia, jak tylko takie, że są to po prostu informacje prawdziwe.

Początkowo zlekceważyłem wiadomości od moich dwóch informatorów, gdy jednak teraz uzyskałem ich potwierdzenie od Marcina S., nagle zacząłem wszystko rozumieć – niekiedy, by coś zrozumieć, wystarczy błysk chwili – bo wszystkie elementy tej układanki zaczęły do siebie idealnie przystawać. Gdybym jednak jeszcze miał w tym zakresie jakieś wątpliwości, musiałbym je stracić definitywnie po uzyskaniu kolejnej informacji.

Okazało się, że w tym samym czasie, co Andrzej Lepper, nad Świteź przyjeżdżał Aleksiej Miller, prezes Gazpromu. Przyjeżdżał pod pozorem wizyt u rodziny żony, w rzeczywistości jednak co najmniej dwa razy spotkał się z Lepperem! Są takie sytuacje gdy wiesz, że przeszedłeś przez most i już nie masz odwrotu, bo wkroczyłeś w nową rzeczywistość. To właśnie była taka sytuacja. Łącząc wszystkie te kropeczki, wszystkie informacje, jakie miałem teraz przed sobą, nagle wszystko zrozumiałem. Wiedziałem już, co Andrzej Lepper chciał zrobić i wiedziałem, jak chciał to zrobić...

Pierwsza umowa z Rosjanami w ramach tak zwanego kontraktu jamalskiego z 1993 roku, była porozumieniem ramowym i wyjściowym dla późniejszych negocjacji na dostawy gazu do Polski. Przewidywała dostarczanie Polsce rocznie 7,4 miliardów metrów sześciennych gazu oraz tranzyt tego surowca w czterokrotnie większej ilości polskimi rurociągami do Niemiec. Rosyjskie dostawy gazu pokrywały większość zapotrzebowania Polski, a pozostała część zaopatrzenia pochodziła z wydobycia w Polsce i ze złóż norweskich. Na jakiej zatem podstawie w kontrakcie z 2009 roku polscy decydenci zobowiązali się do odbioru ponad 11 miliardów metrów sześciennych gazu z Rosji rocznie, co stanowiło ilość znacznie przekraczającą zapotrzebowanie Polski? Tego nie wiadomo, bo nigdy nie zostało to wyjaśnione. Wiadomo za to, że zgodnie z zapisami umowy aż do 2022 roku Polska na własne życzenie zobowiązała się kupować od Rosji półtora razy więcej gazu, niż tego potrzebowała. Nie wiedzieć czemu niejako „przy okazji" strona polska zrezygnowała z 1,2 miliarda złotych, które Gazprom był winien z tytułu niedopłat za lata 2006 – 2009. Co zdumiewające, rząd Donalda Tuska zgodził się w dodatkowych protokołach nie tylko na zapis stanowiący, że PGNiG i Gazprom miały objąć po 50 procent udziałów w spółce EuRoPol Gaz SA, ale także na to, że do 1 marca 2011 roku miała zostać wprowadzona w życie zasada parytetowego zarządzania spółką: zarząd musiał podejmować decyzje jednogłośnie, a w wypadku rozbieżności wśród członków zarządu decyzję podejmować mogła rada nadzorcza. Jeśli także jej nie udałoby się osiągnąć porozumienia – decydować miało Walne Zgromadzenie Akcjonariuszy. Dotychczas w EuRoPol Gaz SA Gazprom miał 48 procent udziałów i dokładnie drugie tyle kontrolował polski rząd w ramach nadzoru nad Polskim Górnictwem Naftowym i Gazownictwem, zaś języczek u wagi stanowił Gas -Trading ze swoimi 4 procentami udziałów.

Gas Trading kontrolowany był z kolei przez Przedsiębiorstwo Handlu Zagranicznego Bartimpex kierowane przez jednego z najbogatszych Polaków, Aleksandra Gudzowatego – ponad 36 procent udziałów - oraz przez PGNiG – 43 procent udziałów. Łącznie zatem polscy akcjonariusze mieli prawie 82 procenty udziałów w Gas -Tradingu, co zapewniało polskiemu rządowi kontrolę nad EuRoPol Gaz SA i dawało decydujący głos w sprawie tranzytu surowca przez nasze terytorium rosyjskiego oraz generalnie pozwalało na podejmowanie strategicznych decyzji dotyczących spółki.

Tymczasem wynik podpisanych przez rząd Tuska umów zmieniał w tej kwestii nieomal wszystko.

Dostawy gazu z Rosji przekroczyły polskie zapotrzebowanie, a ponieważ strona polska nie mogła gazu sprzedawać, surowiec musiał być magazynowany na terenie kraju. To z kolei wymuszało rezygnację z zakupów spotowych z Norwegii oraz zaniechanie wydobywania gazu w Polsce. W ten sposób polski rząd rezygnował z dywersyfikacji źródeł gazu, całkowicie uzależniając nasz kraj od dostaw Gazpromu. Jednocześnie poprzez zobowiązanie do podziału akcji zmniejszył kontrolę nad strategiczną spółką EuRoPol Gaz SA, a jakby jeszcze tego było mało, zgodził się na skrajnie niekorzystne dla Polski zapisy dotyczące trybu podejmowania decyzji.

Umowę podpisano aż do roku 2022 - i „tylko" do roku 2022. Rząd Donalda Tuska chciał bowiem, by obowiązywała do roku 2037, uzależniając całkowicie Polskę od rosyjskiego gazu na całe dziesięciolecia. Dopiero wskutek ostrych protestów opozycji i burzliwej debaty w Sejmie zwołanej na wniosek PiS, ostatecznie rząd zgodził się odstąpić od najdłuższej wersji, co jednak i tak stawiało Polskę w fatalnej pozycji na wiele następnych lat. Podpisany kontrakt był - i jest - dla Polski skrajnie niekorzystny, zawiera zakaz reeksportu gazu zakupionego w Rosji oraz opcję określaną jako „bierz i płać". Mówiąc wprost – za gaz trzeba płacić nawet wówczas, gdy nie zostanie on zużyty.

Co więcej, cenę gazu w umowie oparto odnosząc ją do ceny ropy naftowej, co spowodowało, że do dziś płacimy najwyższą stawkę w Unii Europejskiej – znacznie wyższą, niż na przykład odbiorcy w Niemczech, Francji czy Włoszech.

W całej tej sprawie jest szereg pytań, na które mimo upływu lat nikt nie odpowiedział.

Jak to możliwe, że dodatkowe zakupy gazu były negocjowane na szczeblu rządowym, nie zaś na poziomie PGNiG – Gazprom, czyli firm bezpośrednio zaangażowanych w wypełnianie warunków kontraktu?

Dlaczego premierowi Pawlakowi tak bardzo zależało, by utajniono część dokumentów dotyczących negocjacji? I dlaczego, choć po latach samą umowę ostatecznie opublikowano, nie ujawniono instrukcji negocjacyjnych zatwierdzonych przez Donalda Tuska, a tym samym uniemożliwiono porównanie tego, co zamierzano osiągnąć z tym, co osiągnięto?

Dlaczego, gdy ceny gazu gwałtownie spadały na skutek kryzysu gospodarczego i rewolucji łupkowej w USA, Donald Tusk nawet nie podjął próby zmiany formuły cenowej w kontrakcie jamalskim, choć w tym samym czasie zachodnie koncerny zmuszały Gazprom do obniżki cen kontraktowych?

Dlaczego Waldemar Pawlak, już jako minister gospodarki w rządzie Donalda Tuska, storpedował rozpoczęty przez rząd premiera Jarosława Kaczyńskiego projekt budowy gazociągu do Danii o nazwie Baltic Pipe, dzięki któremu już w grudniu 2010 roku do Polski mogło trafić ponad 2 miliardy metrów sześciennych gazu z duńskiego systemu przesyłowego?

Skąd brała się determinacja ministra Pawlaka, by zadowolić Gazprom, któremu przeszkadzało operatorstwo spółki Gaz - System na gazociągu jamalskim, co umożliwiało zawieranie poza Gazpromem małych kontraktów gazowych z partnerami z Europy Zachodniej? I dlaczego minister Pawlak tak bardzo troszczył się o interesy Gazpromu w Polsce kosztem naszego narodowego operatora?

Dlaczego organy państwa powołane do dbałości o bezpieczeństwo energetyczne Polski nie zareagowało w żaden sposób na tak jawnie szkodliwe dla Polski działanie najważniejszych ówcześnie polskich polityków, które już tylko na gruncie logiki i zdrowego rozsądku wyglądało na ordynarny przekręt? Czy wpływ na to mógł mieć fakt, że jednym z zastępców ówczesnego szefa ABW był Zdzisław Skorża, kolega ze studiów Waldemara Pawlaka?

Ostatnie pytanie możemy sobie darować, bo są sytuacje, gdy nie trzeba stawiać kropki nad „i". To właśnie jest jedna z takich sytuacji.

Fakty wskazują jednoznacznie, że ludziom na wysokich stołkach w rządzie PO - PSL bardzo zależało, by Polska aż do 2022 roku płaciła za rosyjski gaz kwotę opartą o wygórowaną formułę cenową z 2006 roku, w następstwie czego do dziś płacimy za gaz o kilkaset milionów dolarów rocznie więcej (równowartość nawet kilku miliardów złotych rocznie), niż odbiorcy analogicznej ilości tego surowca w Niemczech, Włoszech czy Francji.

W całej tej sprawie i w tych decyzjach, za które odpowiadali polscy premierzy Waldemar Pawlak i Donald Tusk, było coś tak absolutnie niepojętego i zarazem irracjonalnego, że aż nie trzeba było stawiać tu żadnych hipotez, bo te same się narzucały. W tym kontekście fakt, że podpisanie takiego kontraktu na takich warunkach rząd Donalda Tuska i ministerstwo Waldemara Pawlaka lansowały, jako „sukces" i dowód dobrosąsiedzkich relacji z Rosją, był czymś tak aroganckim i kuriozalnym zarazem, że aż nieprawdopodobnym. Absolutnym i niezrozumiałym paradoksem jest, że mimo prowadzenia przez nich tak ewidentnie brudnej gry cała ta sprawa rozeszła się po kościach. Donald Tusk i jego koledzy z PSL mogli otwierać szampany, bo zrozumieli, że jeżeli Polacy uwierzyli w brednie o „sukcesie" w tej sprawie, to znaczy, że przy odpowiednim natężeniu propagandy uwierzą już we wszystko.

Ale był ktoś, kto nie wierzył w ani jedno słowo. Ktoś, kto wiedział, jak wygląda prawda i co ważniejsze - kto potrafił to udowodnić. Bo dowody, nagrania rozmów i dokumentację dotyczącą zagranicznych kont, zdobył na Ukrainie, nad jeziorem Świteź...

Powstaje pytanie: na jakich warunkach i jak to w ogóle się stało, że Andrzej Lepper – bo o nim mowa – stał się posiadaczem materiałów, które mogły wysadzić w powietrze nie tylko rząd Donalda Tuska?

Najbardziej prawdopodobna wersja oparta na relacjach informatorów oraz na wiedzy, której źródeł nie mogę ujawnić, wskazuje, że pośrednikiem w tej „transakcji" był Zakon Rycerzy Michała Archanioła.

Wydarzenia nad Jeziorem Świteź były zatem kulminacją wielopiętrowej gry, w których tak lubują się służby specjalne, a w której swoją rolę miał do odegrania także były wicepremier RP. W tej grze Andrzej Lepper postanowił grać vabank i był w tym postanowieniu zdeterminowany.

Wiedział, że aby zrealizować zamierzenia, musi mieć poważne argumenty – i takie miał. W przeszłości pokazał już, że ma dostęp do wiedzy danej nielicznym, a ujawniając fakt przebywania talibów w Kiejkutach i pozostawiając niedopowiedzianą kwestię, co stało się z 15 milionami dolarów, które CIA zapłaciło za pośrednictwem zastępcy szefa Agencji Wywiadu, pułkownika Andrzeja Derlatki, Agencji Wywiadu i polskim politykom udowodnił też, że potrafi grać ostro. Ta sprawa nie została nigdy wyjaśniona, ale ludzie na wysokich stołkach wiedzieli już - że on wie. A teraz Lepper zyskał nowe, jeszcze potężniejsze argumenty. Według moich źródeł bliskich Lepperowi i wiedzy pochodzącej z innej strony, przewodniczący Samoobrony był zdeterminowany, by wiedzę o kulisach kontraktu gazowego oraz związanych z nim łapówkach wykorzystać w sposób polityczny. Tym razem jednak nie dzieląc się informacjami - jak miał w zwyczaju - przed kamerami, lecz w sposób kontrolowany, używając metod nacisku i szantażu.

Były wicepremier doskonale rozumiał swoją epokę, widział, że o ile w mediach politycy często robili rejwach, o tyle potem, poza obiektywami kamer, w kuluarach, zawierali pakty i układy. Ich clou było proste, jak drut: polemizujemy, nawet ostro, ale na gruncie prawa wy nie ruszycie nas, my nie ruszamy was.

Przez ponad dwadzieścia lat III RP tak to właśnie działało: z różnych stron było wiele pohukiwań, poważnie brzmiących oskarżeń, a nawet gróźb. Zawsze jednak, gdy przychodziło do realizacji, zapadała cisza – bo w tej „zabawie" nie chodziło o to, by króliczka złapać, lecz gonić. W efekcie o ile tak zwana sprawiedliwość mogła się jeszcze od biedy upomnieć o szeregowego posła lub senatora, o tyle ludzie na stołkach naprawdę wysokich byli już nietykalni. Leszek Miller, Józef Oleksy, Aleksander Kwaśniewski, Waldemar Pawlak, Bronisław Komorowski, Donald Tusk i dziesiątki innych, o których nadużyciach, a nawet przestępstwach mówiono miesiącami, tak naprawdę nigdy nie zbliżyli się nawet do ławy oskarżonych, bo zawsze wtedy, gdy trzeba było powiedzieć „sprawdzam", współuczestnicy „gry" odchodzili od stołu. Miało to w sobie coś z teatru stworzonego na użytek opinii publicznej, w którym prawdziwe życie toczyło się nie scenie, lecz za kurtyną – a ludzie, choć chcieli znać prawdę, widzieli tyle, ile widzieć im pozwolono.

Lepper wiedział i widział - bo widział to każdy, kto chciał widzieć - że przez ponad dwadzieścia lat III RP nie wykryto ani jednego sprawcy z wielu głośnych morderstw, nie odzyskano ani jednej złotówki ze zdefraudowanych i wytransferowanych za granicę miliardów złotych, nie wyjaśniono do końca ani jednej z dziesiątek najgłośniejszych afer. Widział i wiedział, jak machina prawa z trudem się obraca i to tylko w tę stronę i tylko wtedy, gdy ludzie na wysokich stołkach pozwalali, by się obracała. Widział i wiedział dość, by rozumieć, że w tym kraju sprawiedliwość często się kupuje lub wymienia na „przysługi" - i był zdeterminowany, by do takiej właśnie „wymiany" doprowadzić. Wiedział o pieniądzach CIA i o politykach SLD, wiedział o tajnych kontach w Coutts Banku, Voglu, Kwaśniewskim i Millerze, wiedział o kontrakcie gazowym Pawlaku i Tusku, wiedział wreszcie o Pro Civili i prezydencie Komorowskim, o którym informował go Janusz Maksymiuk, ważne ogniwo w tej potężnej przestępczej organizacji zwanej dla zmyłki fundacją. Jednym zdaniem Andrzej Lepper wiedział dość, by w oparciu o tę wiedzę i wynikające z niej metody szantażu oraz nacisku, podjąć niebezpieczna, ale logiczną i konsekwentną grę. Grę, w której stawką miał być jego wolność, przyszłość i życie. Grę, która zaczęła się kilka lat wcześniej i którą zamierzał doprowadzić do samego końca.

Czy mógł wtedy przypuszczać, że ten koniec nastąpi tak szybko i że kilkanaście godzin później nie będzie już żył?

ROZDZIAŁ II

CENA PRAWDY

To było ostatniego października. Nie mieliśmy już najmniejszych wątpliwości, że Andrzeja Leppera zamordowano – tak naprawdę nie mógłby mieć ich nikt, kto zapoznałby się rzetelnie z informacjami w tej sprawie i poddał weryfikacji podstawowe fakty. Ostatni wieczór spędziliśmy wertując starannie udokumentowane i zaopatrzone w odsyłacze materiały, zarówno w formie papierowej, jak i audio. Obejmowały wszystkie elementy naszego śledztwa, jakie prowadziliśmy od przeszło roku. Była to bardzo interesująca lektura, oczywiście dla ludzi, którzy mają na tyle głęboką wiarę, by nie zwątpić i do końca zawierzyć, że pomimo wszystkich brudów tego świata jest on i zawsze będzie piękny.

Naszą wewnętrzną, ostatnią już naradę, odbyliśmy w noc poprzedzającą dzień Wszystkich Świętych i fakt, że kropkę nad „i" w tej przesyconej śmiercią – która jest przecież częścią życia i najważniejszym jego momentem – historii stawialiśmy w taką właśnie noc, miał w sobie coś z symbolu. Przystępując do finału naszej ponad rocznej pracy – w przypadku majora to była tak naprawdę pointa wielu lat pracy, okupionej niebywałym trudem, a nawet poświęceniem i olbrzymim ryzykiem, z którego skali przez długi czas nie zdawałem sobie nawet sprawy – mieliśmy przy tym zimną i jasną świadomość, że wykazując niezbicie, że Andrzej Lepper nie zabił się sam, zrobiliśmy, ile mogliśmy. Jak w łacińskiej sentencji: feci quod potui, faciant meliora potentes – zrobiłem, co mogłem, kto potrafi, niech zrobi lepiej.

Wiedzieliśmy, że reszta należy już do opinii publicznej i jak zawsze w takich sytuacjach – do ludzi na wysokich stołkach.

Wiedzieliśmy, że wielu ważnym ludziom, z wielu ważnych, bardzo różnych, powodów zależy, by nie zważając na interes publiczny, nie wyjaśnić ani tej sprawy, ani wszystkiego co się z nią wiąże, a co prowadzi do innych, bardzo ważnych spraw.

Wiedzieliśmy, że historia, którą właśnie mieliśmy omówić jeszcze ten jeden raz, powinna stać się pierwszym kamieniem, który uruchomi lawinę, ale czy tak się stanie – tego już nie wiedzieliśmy.

***

– Prześledźmy pokrótce wydarzenia, które w owym czasie zmieniały się, jak w kalejdoskopie. Zamiast naprawdę zweryfikować wersję zabójstwa i dalej prowadzić śledztwo, prokuratura błyskawicznie zamyka sprawę – zamyka, nim tak naprawdę ją zaczyna. Media bez mrugnięcia okiem przyjmują prokuratorską narrację. Tak zaczęła się rodzić wersja o długach Leppera, które jakoby miały doprowadzić do jego załamania, a która jak wiemy nie miała nic wspólnego z prawdą.

Oczywiście jest faktem, że Lepper miał problemy finansowe, bo kto ich nie ma, ale po pierwsze nie takie, jak przedstawiano, a po drugie – i to jest bardziej istotne – miał jasną i pewną perspektywę pozyskania środków z wielu źródeł, między innymi z promesy i unijnych dotacji. Nie wiadomo też, co stało się z pieniędzmi – a mówimy tu o milionach – przesyłanych kanałem ukraińskim. To jedna z wielu zagadek w tej historii, której dziwnym trafem nikt nie próbował nawet wyjaśnić. Co dzieje się dalej? Masa świadków zeznała, że Andrzej Lepper był pełen entuzjazmu, ale prokuratura uwierzyła jednemu, który twierdził, że Lepper był załamany.

Dlaczego prokuratura lekceważy wiarygodnych świadków, a zamiast tego „kupuje" wersję jednego człowieka, który tej wiarygodności nie ma za grosz – bo tak naprawdę trudno o mniejszą wiarygodność, niż Rudowskiego, który kłamie, kluczy i przeczy sam sobie?

Jak w tej sprawie zachowuje się prokuratura? Selektywne wnioski, niesprawdzone poszlaki, jeden wielki chaos. Co napisał nasz policjant ze Stołecznej? Cytuję: „to najbardziej niedbałe śledztwo, z jakim miałem do czynienia." Nic dodać, nic ująć, mógłbym się pod tym podpisać obiema rękami. Poprosiliśmy prokuraturę o tysiąc stron dokumentów – dostaliśmy kilkadziesiąt. Z zamkniętego śledztwa, w którym od lat nic się już nie dzieje! Przeczytałeś uzasadnienie prokuratury? W jednym prokuratorskim protokole zawarto informację o braku prądu w pomieszczeniu i o czynnym dekoderze telewizyjnym, który działał wyłącznie na prąd. To nie brak prokuratorskiego profesjonalizmu, a na pewno nie tylko to – to coś znacznie gorszego. Ten dokument mówi bardzo wiele o podejściu prokuratury do tej sprawy, tak naprawdę mówi więcej, niż jakiekolwiek słowa. No bo był prąd, czy nie było? To wszystko nie trzyma się kupy. Czytasz i nic z tego nie rozumiesz. Nie wierzę, by prokurator, sam z siebie, podpisał się pod czymś takim. – Tomek zapalił kolejnego papierosa, nie zliczę już, którego podczas tej rozmowy, a ja zamyśliłem się nad jego słowami. Przypomniały mi one podobne historie, które poznawałem jako dziennikarz śledczy. Myślałem o ludziach, którzy zginęli w niewyjaśnionych i tajemniczych okolicznościach, myślałem o innych głośnych tak zwanych samobójstwach, o zdefraudowanych i wytransferowanych za granicę miliardach złotych. Był dla tych wszystkich historii jeden wspólny mianownik: gdy ktoś miał odwagę pytać, na jakim etapie są śledztwa we wszystkich tych sprawach, odpowiedź zawsze brzmiała tak samo: „tajemnica państwowa"...

– Idźmy dalej – major podjął przerwany wątek. – Mnożone są fałszywe tropy, pojawiają się różne wersje, media mają używanie. Tak naprawdę już nawet nie nazajutrz, a jeszcze tego samego dnia prawie wszystkie serwisy informacyjne – telewizja, radio, Internet - przesądzają o samobójstwie Leppera. Na jakiej podstawie, skoro śledztwo nawet się nie rozpoczęło? Bo ktoś o to zadbał. Prokuratura, ta sama, która jeszcze nawet nie rozpoczęła śledztwa, od samego początku tej historii cieknie, jak dziurawy okręt. A mimo to nikt z tym nic nie robi i wszyscy sprawiają wrażenie zadowolonych. Zupełnie tak, jakby ktoś chciał oszczędzić roboty prokuraturze. Pytań jest więcej: dlaczego lekceważone są ślady traseologiczne, choć to przecież koronny dowód, że ktoś o nieustalonej tożsamości był na miejscu zdarzenia w dniu śmierci Leppera? Ale to wychodzi dopiero później. Podobnie jak sprawa wytartych odcisków z pętli i krzesła, na którym Lepper stał przed powieszeniem...

– Co powiedziałeś? – nie zdawałem sobie sprawy, że prawie krzyknąłem. Patrzyłem na mojego rozmówcę coraz szerzej otwartymi oczami, bo rozumiałem, że wszystko to razem wzięte do kupy już dawno przekroczyło granicę absurdu.

– Nie wierzę, że to pominąłeś.

– Naprawdę nie wiem, o co chodzi.

– Powiedziałem, że na krześle, które Lepper miał sobie podstawić, nim zawisł na sznurze, nie było ani jego, ani zresztą żadnych innych odcisków palców. Ani jednego pieprzonego maleńkiego odcisku. To bardzo dziwne samobójstwo, prawdopodobnie najbardziej niezwykłe w dziejach sądownictwa, i to nie tylko polskiego sądownictwa. Każdy prawnik, policjant czy sędzia powie ci, że w historii prawa nie było dotąd takiego samobójstwa. Bo, co już naprawdę zastanawiające, żadnych odcisków palców nie było też na sznurze, na którym Lepper zawisł, a który podobno sam włożył sobie na szyję.

– Nie wierzę własnym uszom – powiedziałem na poły do siebie, patrząc gdzieś w punkt na ścianie za moim rozmówcą. Ten uśmiechnął się, ale jego oczy pozostały chłodne i smutne.

– To byłoby wytłumaczalne tylko w jednym przypadku: gdyby zmarły miał na rękach rękawiczki – ale nie miał. I żadnych rękawiczek w pomieszczeniu nie znaleziono. Jeśli zatem nie założył rękawiczek, to przyjąwszy, że zabił się sam, musiałby wejść na krzesło, następnie już na nim stojąc musiałby starannie wytrzeć zeń wszystkie odciski palców. Następnie musiałby założyć sobie na szyję pętlę i z kolei musiałby z tej pętli wytrzeć dokładnie wszystkie odciski palców. Na koniec jeszcze musiałby zniszczyć chusteczkę czy cokolwiek innego, czym wycierał to wszystko, bo niczego takiego nie znaleziono. Pytanie – kto w momencie samobójczej śmierci zadaje sobie tyle trudu, by tak skrupulatnie wytrzeć odciski palców? I po co Lepper miałby to robić? A jak mówiłem – w pomieszczeniu nie znaleziono niczego, czym można by to zrobić. A jednak prokurator chce, abyśmy uwierzyli, że Lepper wszedł na krzesło, po czym wytarł ślady odcisków palców, następnie założył pętle na szyję i znów wytarł ślady odcisków palców, zniszczył „narzędzie" wycierania owych śladów i dopiero potem się powiesił. Trzeba przyznać, że jak na samobójcę Andrzej Lepper zatroszczył się o zadziwiająco wiele rzeczy – rzeczy, o które nie zatroszczył się chyba jeszcze żaden samobójca w historii kryminalistyki, i to nie tylko polskiej kryminalistyki.

– Nie wierzę własnym uszom – powiedziałem, bo rzeczywiście tak było. – Zastanawiam się, jak to wszystko jest możliwe?

– To bardzo dobre pytanie: jak to możliwe? Na gruncie logiki i zdrowego rozsądku trudno znaleźć na nie odpowiedź. Ale są inne pytania, nie mniej ważne. Kto naprawdę zabił? Kto na tym zyskał? Kto jest władny przez tyle lat utrzymywać to w tajemnicy?

– To niewiarygodna historia – przerwałem przedłużającą się ciszę.

– Powiedziałbym raczej, że niewiarygodnie prawdziwa. Bo to, co tu przedstawiłem, to same fakty. A jak dobrze wiesz, fakty nie wymagają interpretacji. Po prostu są, jakie są. A przecież jest jeszcze sprawa monitoringu, choć to wątek ostatecznie niepotwierdzony.

– O tym też nie słyszałem.

– Bo ci nie mówiłem. Tamtego dnia zaszedł jeszcze jeden dziwny wypadek: w dniu śmierci Andrzeja Leppera pojawiły się jakieś problemy z miejskim monitoringiem, były krótkotrwale przerwy. Miałem o tym informacje z kilku niezależnych i wiarygodnych źródeł. Przypadek? Dużo tych przypadków. No i kolejne pytanie bez odpowiedzi: dlaczego z rozpoczęciem śledztwa zwlekano trzy dni, gdy wiadomo, że po takim czasie z organizmu zniknie trucizna i wszystkie podobne substancje, które tam były – jeśli oczywiście były. Ale tego właśnie nikt już nie sprawdzi, bo ktoś ewidentnie pokpił sprawę. Realizowałem wiele śledztw na zlecenie prokuratury, ale jeśli tak prowadziłbym którekolwiek z nich, choćby w sprawie o przejechanego kota – inna sprawa, że aby ABW prowadziła taką sprawę, kot musiałby prowadzić działalność szpiegowską – tabloidy miałyby używanie. A przecież w tym przypadku chodziło o znanego polityka, do niedawna wicepremiera i wicemarszałka Sejmu, który wciąż był w polityce i nie powiedział jeszcze ostatniego słowa. Co dzieje się dalej?

Absurdalna wersja o rzekomym samobójstwie obiega kraj, zakłóca logikę i zdrowy rozsadek. W efekcie rzekome samobójstwo byłego wicepremiera zostaje uznane za rozpaczliwy akt desperata, którego złamały trudy życia. Kto zapłacze po skompromitowanym polityku, któremu zniszczono reputację i na którym media od dawno miały używanie, choć sprawy były dęte? Rodzina, kilku przyjaciół? Nikt więcej. Tymczasem było i jest wielu zainteresowanych, by tej sprawy broń Boże nie ruszać, bo cisza wokół niej jest na rękę różnym środowiskom – z wielu powodów. Przy okazji wyjaśniania prawdziwych okoliczności tej zbrodni mogłyby wyjść na światło dzienne fakty dotyczące historii, które dotąd nie znalazły swojej pointy, a wtedy ziemia mogłaby zatrząść się na dobre. I nikt nie wie, co byłoby dalej...

Major czekał na mój komentarz, ale jak zwykle w ostatnim czasie – nie miałem żadnego komentarza. Więc po chwili podjął wątek.

– Zrobiliśmy, co w naszej mocy. W normalnym kraju to powinno wystarczyć na wznowienie śledztwa, ale reszta w rękach decydentów. Jeśli naprawdę będą tego chcieli, znajdą jeszcze inne dowody. A wtedy znajdą się ludzie, którzy pomogą.

– Skąd możesz mieć pewność? – spytałem, bo coś zastanowiło mnie w jego głosie. Coś, co jest dla nas tak bardzo ważne i tak bardzo nas obchodzi, a co tak trudno wyrazić słowami, bo czasami zwyczajnie brakuje odpowiednich słów.

– Po prostu wiem – odparł. Czy naprawdę muszę ci wszystko tłumaczyć?

– Nie powiedziałeś mi wszystkiego, prawda – to nie było pytanie, bo już wszystko rozumiałem. Niekiedy, by coś zrozumieć, potrzeba naprawdę niewiele, wystarczy błysk chwili.

– Powiedziałem prawdę.

– Ale nie do końca.

Major spuścił wzrok i przez jakiś czas patrzył w ziemię. Zdaje mi się, że ani mrugnął i tylko ciężko oddychał z lekko uchylonymi ustami. Wreszcie zdusił kolejnego niewypalonego papierosa i wydawało mi się, że ten gest zawierał w sobie przedsmak podjętej decyzji. Przez chwilę patrzył mi głęboko w oczy, nim odpowiedział.

– Masz rację – ale nie do końca. Opowiem ci pewną historię, a to co powiem potraktuj jako coś, co może wydarzyło się gdzieś, kiedyś, dawno temu – a może nie wydarzyło się nigdy i nigdzie. Bo kto to może wiedzieć, prawda? Chcesz posłuchać?

– Niczego bardziej nie pragnę – odparłem – bo intuicyjnie czułem, że ta historia, to coś bardzo ważnego, może nawet najważniejszego...

Major wyjął kolejnego papierosa, zaciągnął się nim raz i drugi, po czym na ćwierć wypalony niedopałek wrzucił do popielniczki i rozpoczął opowieść.

To krótka historia. Gdzieś w tym kraju jest człowiek, porządny i ważny – a uwierz, to rzadkie połączenie, niemal oksymoron. Było zatem tak.

Któregoś razu porządny ważny człowiek prosi kogoś, kto ma możliwości i wiedzę – o przysługę. Chodzi o sprawdzenie informacji, niebezpiecznych i niepokojących, o innym człowieku – też ważnym. Oficjalnie robić tego nie wolno, bo są takie rzeczy, których robić nie wolno i już – choć wiadomo, że są robione. Co dzieje się dalej? Sprawa jest ważna i poważna, ale poproszony o przysługę szanuje proszącego, więc prośbę spełnia. Ma odpowiednie narzędzia i możliwości. Podejmuje działania i z czasem wie o sprawdzanym coraz więcej – może nawet wszystko. Może nawet więcej, niż człowiek ów wie o sobie sam. Wie nawet o tym, co dla tamtego groźne i niebezpieczne. Wie – ale nie robi nic. Dlaczego? Bo nie docenia niebezpieczeństwa? Tak, ale to tylko połowa prawdy. Tak naprawdę nie robi nic, bo wie, że gdyby zrobił cokolwiek, wydałoby się, że robił to, czego robić nie mógł. Tłumaczy sobie, że tak trzeba – to ludzkie. Ale potem ów człowiek umiera. I to nie umiera własną śmiercią. Być może ginie dlatego, że ktoś, kto miał wiedzę i kto mógł zrobić coś, cokolwiek bądź – nie zrobił nic. Conscientia mille tertes est – sumienie jest milionem świadków. Jak z czymś takim dalej żyć?

I to już cała historia. Historia, którą gdzieś kiedyś słyszałem, a może tylko tak mi się wydawało?

Nie muszę chyba stawiać kropki nad „i"?

– Nie musisz – odparłem wstrząśnięty.

Major, który całą tę niezwykłą historię opowiedział właściwie na jednym wdechu, teraz zamilkł i pogrążył się w rozmyślaniach.

A ja nie przeszkadzałem mu.

Nie wiem o czym w tamtej chwili myślał mój kolega, ale ja myślałem o tym, że jeśli są takie chwile, gdy wszelkie słowa są zbyteczne, to z pewnością to właśnie była jedna z takich chwil...

***

Noc była jeszcze młoda, gdy wróciłem do domu. Długo nie mogłem zasnąć, rozmyślając o tym, jak dziwnymi ścieżkami pisany jest ludzki los.

Myślałem o majorze i o takich jak on ludziach, którzy pozostali wierni sobie nawet tam, gdzie mówiąc prawdę ryzykuje się wszystkim.

Myślałem o ludziach, jak z historii majora – którzy potrafili przebaczać, bo rozumieli to przecież dobrze, że sami potrzebują przebaczenia.

Myślałem o życiowej drodze Andrzeja Leppera i o swojej drodze, jaką przeszedłem od początku pisania tej książki, a która mocno zmieniła moje wyobrażenie o tym nieszczęśniku, którego wybory nie były ani lepsze ani gorsze od wyborów wielu innych, a jedynie – bardziej tragiczne.

Myślałem o ludziach, którzy, by znaleźć odkupienie, gotowi są na każde poświęcenie, bo wiedzą, że wiara albo jest czymś absolutnie najważniejszym w życiu – albo nie ma jej wcale.

A na koniec pomyślałem, że może właśnie o to w tym wszystkim chodzi – by upadać i powstawać, popełniać błędy i naprawiać je, nigdy się nie poddawać – i cały czas iść. Bo dopóki jesteśmy w drodze, wszystko jest możliwe i kto wie co przyniesie nowy dzień?

Spojrzałem za okno – do życia budził się nowy, świąteczny, dzień. Wstawał świt.

KONIEC

Biała Podlaska 9 listopada 2016

CZĘŚĆ IV

DOKUMENTY

„13 marca, dwie godziny przed umówionym ze mną spotkaniem, Petro Stech został znaleziony w swoim pokoju w hotelu „Ukraina". Martwy. Jak wykazało oficjalne śledztwo Milicji i Prokuratury Obwodowej w Łucku, bezpośrednią przyczyną zgonu była pęknięta śledziona i trzustka oraz inne obrażenia wewnętrzne powstałe wskutek uszkodzeń tych narządów. Jak zgodnie twierdzili świadkowie ostatnich chwil życia Petra Stecha, de-nat nie zmarł śmiercią naturalną. W pokoju zajmowanym przez niego musiały przebywać tak zwane osoby trzecie, ponieważ w trakcie czynności śledczych prowadzonych po znalezieniu ciała nie odnaleziono ani portfela, ani osobistych dokumentów Stecha. Dowód osobisty, paszport, karty kredytowe, pieniądze, dokumenty z teczki – i sama teczka – wszystko zniknęło. Prawdopodobnie sprawcy – musiało być ich co najmniej dwóch, bo jak pan wie, Stech to kawał chłopa, 190 cm wzrostu, 130 kg wagi, do tego komandos, niełatwo byłoby załatwić go w pojedynkę – chcieli w razie niepomyślnego rozwoju wypadków upo-zorować motyw rabunkowy. Znamienne, że choć „Ukraina", najlepszy hotel w Łucku, wyposażony jest w pełny monitoring każdego piętra, to jednak żadnego nagrania nie ma. Akurat bowiem w momencie śmierci Stecha zdarzyła się awaria i monitoring padł. Oczywiście może pan wierzyć, że to tylko przypadek. Ciekawe, prawda?"

НАЦІОНАЛЬНА ПОЛІЦІЯ УКРАЇНИ
ЛУЦЬКИЙ ВІДДІЛ ПОЛІЦІЇ ГУНП У ВОЛИНСЬКІЙ ОБЛАСТІ

ПОСТАНОВА
про закриття кримінального провадження

місто Луцьк ***31 березня 2016 року***

Слідчий СВ Луцького ВП ГУНП у Волинській області лейтенант поліції Марчук В.В., розглянувши матеріали досудового розслідування внесеного до Єдиного реєстру досудових розслідувань за № 12016030010001131 від 13.03.2016 року, за фактом смерті громадянина Стеха Петра Ярославовича, -

ВСТАНОВИВ:

Проведеним досудовим розслідуванням встановлено, що 13.03.20169 р. близько 14 год. 00 хв. у номері №314 готельного комплексу "Україна" в м. Луцьку, по вул. Словацького, виявлено труп гр. Стеха Петра Ярославовича, 24.03.1970 р.н. без ознак насильницької смерті.

На місце події було направлено слідчо-оперативну групу Луцького ВП ГУНП у Волинській області та здійснено огляд трупа, під час якого був присутній судово-медичний експерт Закусило В.І. При зовнішньому огляді трупа Стеха П.Я., слідів, які б свідчили про настання насильницької смерті виявлено не було. Проводилося фотографування. Після проведення огляду – труп було направлено на судово-медичну експертизу трупа.

Згідно довідки про смерть №119 від 16.03.2016, виданої судово-медичним експертом Хомичем О.В., причиною смерті Стеха Петра Ярославовича була гострий панкреатит.

Враховуючи, що в ході проведеної перевірки не встановлено факту причетності сторонніх осіб до смерті Стеха П.Я., тому керуючись ст.110, п.1 ч.1 ст.284 КПК України,-

ПОСТАНОВИВ:

1. Кримінальне провадження № 12016030010001131 від 13.03.2016, розпочате по факту смерті Стеха П.Я. – закрити у зв'язку з відсутністю події кримінального правопорушення.
2. Відомості про прийняте рішення внести до Єдиного реєстру досудових розслідувань.
3. Копію постанови направити заінтересованим особам та прокурору Луцької місцевої прокуратури для відому.
4. Вказана постанова може бути оскаржена в порядку встановленому ст.ст.303, 304 КПК України слідчому судді протягом 10 (десяти) днів з дня отримання її копії.

Слідчий СВ Луцького ВП ГУНП
у Волинській області
лейтенант поліції ***В. В. Марчук***

Zakon Rycerzy Michała Archanioła, tak naprawdę, to organizacja tajemnicza i niebezpieczna, w której jednym z naczelnych praw jest „zasada omerty", mafijnej zmowy milczenia. To organizacja operująca na styku biznesu i polityki, powiązana z wojskowymi służbami specjalnymi powstałymi po rozpadzie Związku Radzieckiego, założona przez byłych oficerów radzieckich służb wywiadowczych – pułkownika Iwana Mykulyńskiego i majora Mykoła Hinajłę, który w 1998 roku zakończył służbę wojskową i został kapłanem Kościoła Prawosławnego – i dokładnie przefiltrowana przez SBU.

A to i tak drobny fragment świata ludzi, których prawica po latach intryg i knowań nie wie już, co czyni lewica, świata, w którym wykreowana rzeczywistość toczy walkę o palmę pierwszeństwa z iluzją, ta zaś – z mistyfikacją.

By zrozumieć prawdziwy cel działalności Zakonu Rycerzy Michała Archanioła i prawdziwy jej charakter, konieczne jest przytoczenie faktów z historii niepodległej Ukrainy i zarazem historii służb specjalnych tego kraju w kontekście powiązań z rosyjskimi służbami specjalnymi – i to nie historii oficjalnej, lecz tej prawdziwej, powziętej od wysokich rangą oficerów Służby Bezpieczeństwa Ukrainy, powstałej 20 września 1991 roku na bazie KGB.

1.

Proszę Waszą Miłość[wielebność] o przyjęcie w poczet kandydata na rycerza Zakonu Rycerskiego Archi[arcy]stratega Michała, pragnę [identyfikuję się] realizować, cele i zadania zakonu. Jednocześnie, zaświadczam [przysięgam] swoim honorem [pod słowem honoru] przed Bogiem wszechmogącym kierować się kodeksem honorowym zakonu i realizować wszystkie obowiązki wiążące się z kandydowaniem na rycerza zakonnego.

2.

Kodeks honorowy rycerza.

Ja........................, świadomie i dobrowolnie wstępując do Międzynarodowej organizacji rycerskiej – Zakon Archi[arcy] stratega Michała , mając świadomość odpowiedzialności przed poręczycielami/gwarantami/osobami wprowadzającymi do organizacji i całą bracią rycerską, uroczyście przysięgam[daję słowo honoru] :

1. We wszystkim kierować się interesami swojej Ojczyzny, dotrzymywać wszystkich postanowień jej konstytucji i ustaw, zawsze stawiać je ponad interesy: własny i służbowy.
2. Żyć zgodnie z chrześcijańskim kodeksem moralnym.
3. We wszystkich sprawach związanych z działalnością zakonu, zobowiązuję się do poszanowania/kierowania się przepisami statutu i programu, uznaję władzę zwierzchnią nad sobą w osobie wielkiego mistrza, zarządu i kapituły zakonnej.
4. Chronić/dbać i działać na rzecz pomnożenia chwały [sławy] i tradycji rycerskich, stać na straży interesów bractwa rycerskiego, za wszelką cenę dążyć do osiągnięcia prawości i funkcjonowania zakonu zgodnie z drogą prawości.
5. Dążyć do rozwoju osobistego i harmonijnie się rozwijać oraz dążyć do tych postaw pośród innych członków zakonu.
6. Z godnością piastować rycerski tytuł, nie doprowadzać do plamienia jego [splamienia] haniebnym występkiem. Zawsze uczciwie [z honorem] i otwarcie występować przeciwko relatywizmowi moralnemu i podłości. Strzec honoru swojego rodowego herbu, jako symbolu zasług wobec Ojczyzny, pomyślności rodziny i potomnych. W tym samym duchu będę postępował i wychowywał wszystkich, którzy są mi bliscy.
7. Być zawsze otwartym i wychodzić naprzeciw z pomocą w stosunku do innych członków zakonu i członków ich rodzin, niezależnie od pozycji społecznej , statusu ekonomicznego [socjalnego] , pozycji zawodowej i wieku.
8. Zawsze i niezależnie od okoliczności, zobowiązuję się być obrońcą biednych, niedołężnych i chorych ludzi.
9. Dotrzymywać bezinteresownie dyscypliny, dokładnie i zgodnie z ustaleniami wykonywać polecenia Wielkiego Mistrza, Kapituły i Zarządu Zakonu. Zobowiązuję się do utrzymywania w sekrecie wszystkich poufnych informacji związanych z działalnością zakonu i jego członków. Będę materialnie ~~wspierać~~ działalność zakonu oraz jego działalność duchowo-dobroczynną.

КОДЕКС ЧЕСТІ ЛИЦАРЯ

Я, ______________________________________

свідомо і добровільно, вступаючи до Міжнародної організації Лицарський орден Архистратига Михаїла, усвідомлюючи свою відповідальність перед поручителями і лицарським братством, даю слово Честі та урочисто обіцяю:

1. У всьому керуватися інтересами своєї Вітчизни, дотримуватися положень її Конституції та Законів, ставити їх понад особисті та корпоративні інтереси.
2. Жити за нормами християнської моралі.
3. В питаннях діяльності Ордену, виконання Статуту та Програми визнавати над собою владу Великого Магістра, та Великого Капітулу і Магістрату Ордену.
4. Берегти та примножувати славу і традиції Лицарства, відстоювати інтереси Лицарського братства, змагатися за досягнення мети Ордену чесним, правовим шляхом.
5. Наполегливо та гармонійно розвивати свою особистість, сприяти в цьому Лицарям Ордену.
6. Високо нести шляхетне звання Лицаря, ніколи не заплямувати його ганебним вчинком. Чесно і відкрито виступати проти аморальності та підлості. Дорожити честю свого родового Герба, як символу заслуг перед Вітчизною, благородства родини та її нащадків, виховувати повагу до нього у своїх рідних і близьких.
7. Завжди вислуховувати та приходити на допомогу кожному лицарю і членові його родини незалежно від його становища в суспільстві, соціального статусу, посади і віку.
8. Завжди, і за будь-яких обставин, бути опорою та захисником для бідних, знедолених і хворих.
9. Дотримуватись бездоганної дисципліни, якісно та в обумовлений термін, виконувати доручення Великого Магістра, та Великого Капітулу і Магістрату Ордену. Не розголошувати конфіденційної інформації про діяльність Ордену та його членів. Матеріальними пожертвами допомагати Ордену в його духовно-благодійній діяльності.
10. Ніколи не зраджувати справі Лицарства. Всіма своїми можливостями і знаннями, вміннями і досвідом сприяти діяльності та підняттю авторитету Ордену.

Власноручно підписую ______________________________

______________________________ 200 ___ року.

Здійснено запис у Реєстрі Великого Капітулу Ордену за № ______________.
Оригінал прийнятий на зберігання, а копію видано кандидату в лицарі для обряду посвячення.

Канцлер Ордену ______________________________

Місце для фотокартки

АНКЕТА
"Лицарського ордену Архистратига Михаїла"

Великому Магістрові Лицарського ордену
Архистратига Михаїла

Ваша Світлосте!

Прошу Вас прийняти мене кандидатом у лицарі Лицарського Ордену Архистратига Михаїла, оскільки хочу підтримувати високі цілі і завдання цього Ордену.

Водночас честю своєю присягаю перед Всемогутнім Богом дотримуватися Кодексу честі, Статуту Ордену та нести всю повноту обов'язків кандидата у лицарі.

Дата ____________ Підпис ____________

Про себе повідомляю наступне:

Прізвище та ім'я ____________
(друкованими літерами)

Чи родина є шляхетською ____________
(якщо так, то подати коротку інформацію)

____

Батько ____________
(прізвище, ім'я)

Мати ____________
(прізвище, в т.ч. дівоче, ім'я)

Дата народження кандидата ____________
(день, місяць, рік)

Місце народження ____________
(країна, повна адреса)

Громадянство ____________
Національність ____________
Віросповідання ____________
Чи має кандидат духовне або чернече посвячення ____________

Громадянський стан ____________
Чи має дітей ____________
Імена дітей ____________

Освіта ____________
Професія, вчений ступінь, вчене звання ____________
Місце роботи ____________
Посада ____________
Приналежність до партій та громадських організацій ____________

Домашня адреса, телефон, факс ____________
(країна, повна адреса)

Дата ____________ Підпис ____________

„Śledztwo prowadzone pod nadzorem Prokuratury Okręgowej w Warszawie rozpoczęło się na dobre 8 sierpnia, w poniedziałek, trzeciego dnia po śmierci Andrzeja Leppera. Ale nim w ogóle się rozpoczęło, nagłówki sobotnich i poniedziałkowych gazet już zawyrokowały i przesądziły o samobójstwie. Od początku wyglądało to na jakiś teatr absurdu – formalnie śledztwa wciąż jeszcze nie było, ale informacje z tego nieistniejącego śledztwa wyciekały do mediów jedna za drugą, a prokuratura zachowywała się jak dziurawy okręt. Najciekawsze było to, że nikt z tym nic nie robił i wszyscy sprawiali wrażenie zadowolonych. Zupełnie tak, jakby komuś na tym zależało. To chyba wtedy pierwszy raz pomyślałem, że preparują tę sprawę. Znaków zapytania pojawiało się coraz więcej. Było coś niepojętego w tym, że w sprawie, o której od początku wiedziano, że nie będzie rutynowa, za to z całą pewnością będzie przykuwać uwagę opinii publicznej, w sprawie, w której było oczywistym, iż media będą ją śledzić i analizować, bo dotyczy śmierci ważnego polityka, do niedawna szefa trzeciej siły politycznej w kraju, wicepremiera i wicemarszałka Sejmu – zwlekano tak długo. Każdy, kto choć odrobinę zna pragmatykę po -stępowań prokuratorskich doskonale wie, że gdy w grę wchodzi śmierć człowieka, zawsze kluczowym czynnikiem decydującym o sukcesie bądź porażce śledztwa jest upływ czasu. Tylko w ramach śledztwa można wykonać szereg czynności jak oględziny czy sekcja zwłok i tylko w ramach śledztwa można wykryć substancje w krwi denata, które wraz z upływem czasu giną bezpowrotnie.

Jak to zatem możliwe, że w tak ważnej sprawie postąpiono tak, a nie inaczej? Na gruncie pragmatyki, logiki i zdrowego rozsądku nie da się tego wytłumaczyć."

4

PROTOKÓŁ OGLĘDZIN
☒ MIEJSCA
☐ RZECZY
☐ OSOBY

06.08.2011

RSD TUZ-I-4368/11
(nazwa i numer rejestru albo znak sprawy)
WTKiZ KSP
(nazwa jednostki Policji prowadzącej sprawę)

Pomieszczenie biura Partii Samoobrona Rzeczpospolitej Polskiej w Warszawie przy ul. Al. Jerozolimskie 30m5
(rodzaj i adres miejsca, nazwa rzeczy, imię i nazwisko osoby)

1900 | 05082011
g g m m | d d m m r r r r

na podstawie art. 207 § 1 kpk

mł. asp. Natalia Maszkiewicz PRN-ka Mokotów del. do PO Warszawa
(stopień, imię i nazwisko) (nazwa jednostki Policji)

Przedmiot oględzin pomieszczenie – łazienka oznaczone Nr. 4
(określić szczegółowo przedmiot oględzin, podać adres miejsca zdarzenia lub lokalizację przedmiotu poddanego oględzinom)
do łazienki wejście przez pomieszczenie oznaczone Nr. 3

Osoby uczestniczące w czynności nadkom. Barbara Siedlecka WTKiZ KSP
(charakter udziału, stopień – dotyczy policjanta – imię i nazwisko osoby uczestniczącej w czynności – jeżeli
protokolant, mł. asp. Marek Gałązkowski KSP – oględziny
w czynności biorą udział specjaliści, należy wskazać ich imiona i nazwiska, specjalność, miejsce zamieszkania, miejsce pracy i stanowisko oraz podać rodzaj i zakres
asp. sztab. Lewandowski Grzegorz KSP – oględziny
czynności wykonanych przez każdego z nich)
(Laboratorium Kryminalistyczne)

Biegły(li) ....
(stopień – dotyczy policjanta – imię i nazwisko, rodzaj specjalności, adres lub miejsce pracy)

Oświadczenie biegłego:
Zostałem(am) uprzedzony o odpowiedzialności karnej za wydanie fałszywej opinii (art. 197 § 3 w zw. z art. 190 kpk oraz art. 233 § 4 kk).
Powołuję się na przyrzeczenie złożone przy ustanowieniu mnie w tym charakterze*.

....
(podpis biegłego)

Przebieg czynności będzie utrwalony za pomocą urządzenia rejestrującego obraz/dźwięk ☒ tak ☐ nie, o czym uprzedzono uczestników Aparat Analogowy NIKON F90X
(rodzaj i cechy identyfikacyjne urządzenia nośnika oraz techniczne warunki rejestracji)
obiektyw NIKKOR 35-105mm + lampa błyskowa SB26
obsługiwanego przez mł. asp. Marek Gałązkowski
(imię, nazwisko i adres oraz stanowisko służbowe – w przypadku policjantów adres jednostki Policji)

Ms-6.

Przebieg oględzin

1. Warunki atmosferyczne i okoliczności w jakich są prowadzone oględziny, mające wpływ na spostrzeganie i ewentualne możliwości ujawnienia śladów kryminalistycznych:

Pora dnia:	DZIENNA	X	NOCNA		ZMIERZCH		ŚWIT		TEMPERATURA POWIETRZA			tem. pom. 25°C
Oświetlenie:	NATURALNE		SZTUCZNE	X	DOBRE	X	ZŁE		Jakie?			
Warunki pogodowe:	SŁONECZNE		ZACHMURZENIE NIEWIELKIE		ZACHMURZENIE CAŁKOWITE		DESZCZ		ŚNIEG		MGŁA	
	INNE temperatura pomieszcz. 25°C											

Ślady wskazujące na zmianę warunków atmosferycznych bezpośrednio przed rozpoczęciem oględzin:

c.d.k.

Inne:

c.d.k.

2. Oświadczenia osób co do widocznych zmian stanu mających związek z zaistniałym zdarzeniem dokonanych przed rozpoczęciem oględzin:

nie było

c.d.k.

Inne: Z

c.d.k.

3. Opis przebiegu oględzin:

pomieszczenie – łazienka / wejście do łazienki przez pokój dzienny
(Należy uwzględnić czynności – czas ich rozpoczęcia i zakończenia – wykonywane przez specjalistę i biegłego biorących udział w oględzinach.)
która została oględzinowana w odrębnym protokole – łazienka
Podać numer zabezpieczonego śladu lub przedmiotu i informację o jego sfotografowaniu, natomiast opis sposobu zabezpieczenia stosować zbiorczo do każdego rodzaju śladów)
pomieszczenie Nr. 4 (nazwano). Przed drzwiami wejściowymi do pomieszczenia Nr. 4 na lewej ścianie pomieszczenia Nr. 3 stoi metalowe łóżko zasłaniające częściowo ograniczające wejście do pomieszczenia Nr. 4 także wezgłowie łóżka metalowe wystające 20 cm w światło futryny. Drzwi wejściowe o wymiarach 82 x 2 m 3 cm wykonane z drewna w kolorze ciemny orzech, w dolnej części posiadające pięć wywietrzników o średnicy otworów 4 cm a w górnej części szybę przyciemnianą w kolorze jasno brązowym o wymiarach 52 x 76 cm jej dolna krawędź wygięta pod kątem 45° maks.

5

wyższym kątem w kierunku klamki. Na skrzydle znajduje
się identyczna część imitująca szybę jednak wykonano z
płyty a jej wewnętrzny koniec ułożony jest ku górze i blisko
do prawej futryny pod identycznym kątem. Pomiędzy
tymi elementami drzwi ich środkowej części znajdują się trzy metalowe wybłyski: środkowa kwadratowa o wymiarach 16cm x 16cm natomiast zewnętrzne w kształcie
przypominające wygląd drzwi właściwej opisywanych
o wymiarach tylnych części 16cm górnych dłuższych
części o dł. 26cm dolnych mniejszych o dł. 11cm
oraz poprzecznych biegnących ku górze o dł. 23cm
Drzwi posiadają zamki wewnętrzne typu zasuwy
tzw. „płotyt" posiadające od strony pomieszczenia Nr. 3
Śruby ozdobne pozwalające w razie zatrzaśnięcia
się drzwi na ich otwarcie kluczem. Wokół
na jednym drzwi otworze zamek, wyłożenia oraz klamki
i rygle zamków w futrynie lewej patrząc na wprost
drzwi nie posiadają śladów włamania. Zewnętrzne
oraz wewnętrzne powierzchnie futryn prawej i lewej
oraz drzwi po ich obydwu stronach opylono
pionkiem daktyloskopijnym argentoratem w odległości
20 cm nad ryglem klamki zewnętrznej ujawniono ślady
linii papilarnych z bezpośrednim zetknięciem z opuszek
palców górnej. Ślady te przeniesiono na jeden kawałek
folii daktyloskopijnej jako ślad (Nr. 1); następnie z
powierzchni klamki zewnętrznej pobrano materiał
biologiczny na wymazówkę płótnem zwilżonym wodą
dejonizowaną materiał ten umieszczono w otoczce
plastikowej, umieszczono w kopercie papierowej i oznaczono
ślad (Nr. 2) i po otwarciu skrzydła drzwi pod ryglem
klamki wewnętrznej w odległości 10 cm ujawniono
argentoratem ślady linii papilarnych które oznaczono
(Nr. 3) i przeniesiono na jeden kawałek folii daktyloskopijnej;
natomiast z klamki wewnętrznej podobnie jak w przypadku
pobrania jak przy śladzie Nr. 2 pobrano materiał
biologiczny i oznaczono (Nr. 4). Widoczne powierzchnie
progu oraz podłogi pomieszczenia Nr. 4 – łazienki
jest wykonana z płytek (Gres) o wymiarach 45cm x 60 cm

4. **Wykaz zabezpieczonych śladów oraz przedmiotów, w tym przekazanych biegłemu/specjaliście* w celu przygotowania i zabezpieczenia lub utrwalenia śladów do dalszych badań:**

Numer	Opis	Przyjmujący (specjalista, biegły)	Podpis
1	Linie papilarne zewnętrzna powierzchnia okien		
2	Wymaz mat. biol. klamka zewnętrzna powierzchnia		
3	Linie papilarne strona zewnętrzna okna		
4	Mat. biol. klamka zewnętrzna		
5	Traseologia		
6	Traseologia		
7	Traseologia		
8-12	linie papilarne /wanna, umywalka, lustro/		
13	Przedmioty z kosza		
14	Linie papilarne - spłuczka		

c.d.k. ....

5. **Wykonano dokumentację techniczną:**

Zdjęcia fotograficzne: Tak ☐ Nie ☐ Jakie: ... Nagranie: ☐ Nie ... Szkice: ☒ Nie ... Plany: ☐ Nie

Liczba naświetleń/ilość negatywów ☐ ☐ Taśm ☐ ☐ Ilość szkiców ☐ ☐ Ilość planów ☐

Omówienie poprawek i uzupełnień w treści protokołu:

c.d.k. ....

Oświadczenia, wnioski, żądania, zarzuty osób biorących udział w oględzinach:

nie było

c.d.k. ....

Do protokołu załączono 4 załączniki (liczba i rodzaj załączników)

Czynność zakończono 21 47 (g g m m) 05 08 2011 (d d m m r r r r)

Podpisy uczestników oględzin:

.... (świadek/podejrzany*) .... (prowadzący oględziny)

.... (świadek/podejrzany*) .... (protokolant)

.... (pełnomocnik/obrońca*) .... (specjalista/biegły*)

.... (inny uczestnik) .... (specjalista/biegły*)

*) niepotrzebne skreślić.

c.d. protokołu oględzin miejsca – pomieszczenie Nr 4 – łazienka. (1)

6

wypełnionych w przestrzeni fugowej fugą koloru ciemnego.
Powierzchnie wcześniej opisane [illegible] w
świetle skośnym latarki halogenowej, przy użyciu
szkła powiększającego, nie stwierdzono widocznych
śladów protektora obuwia. Po opyleniu części płytek
w odległości 80cm od lewej futryny na pierwszej
płytce znajdującej się w bezpośredniej odległości ~~od~~
[illegible] przy drewnianym progu ujawniono
ślady protektora obuwia, które opylono argentoratem i oznaczono jako ślad 5 który przeniesiono na
jeden kawałek folii daktyloskopijnej. Następnie w odległości
70cm od tego śladu i w odległości 40cm od ramy
drzwiowej na drugiej płytce licząc od ściany wejściowej
ujawniono kolejny ślad protektora obuwia proszkiem
argentoratem który przeniesiono na jeden kawałek
folii daktyloskopijnej który oznaczono jako ślad Nr. 6
Na powierzchni płytki w centralnej części pomieszczenia w odległości
220cm od ściany lewej oraz 160cm od ściany przedniej
z lustrem ujawniono argentoratem ślady protektora obuwia
które przeniesiono na jeden kawałek folii daktyloskopijnej
oznaczając jako ślad Nr. 7. W ten sposób zabezpieczono
drogę wyjścia do pomieszczenia Nr 4 gdzie ujawniono zwłoki
Andrzeja Leppera tożsamość stwierdzona na podstawie
karty czynności medycznych ratunkowych wystawionej
w dniu 05.08.2011. Następnie na lewo od [illegible] [illegible]
[illegible] zabytkowa posiadające [illegible] w
[illegible] częściach prawego i lewego boku w ilości [illegible]
[illegible] [illegible] od najwyższego [illegible]
[illegible], [illegible] [illegible] na 45cm
w dniu oględzin otwarta [illegible] na wysokości
[illegible] w których [illegible] w zamku [illegible]
w ilości szt 3 z napisem „LOB" na tej połowie od [illegible]

wewnętrznej ściany ubrania w postaci dwóch koszul w paski i jednokolorowe jasnym błękitnym o podłużnych paskach, druga w kolorze ciemnoniebieskim, prze- platana paskami granatowo białego. Na wieszaku tym wiszą płaszczy, spodnie ze spodem koloru granatowego widoczni oględzin z wieszeniami o [illegible] partej. Na drugiej półce przymocowanej wisi marynarki dwie jedna w kolorze czarnego, zawartość kieszeni w chwili oględzin pusta, marynarka z napisem Boss. Druga marynarka koloru wisi na niej z napisem ERMENEGILDO ZEGNA, w prawej kieszeni chusteczka higieniczna bez śladów użycia, w lewej kieszeni różaniec drewniany z wizerunkiem a między krzyżem w kolorze brązowym. Wszystkie z napisem T F. J. „Valen" oraz wszystkie Samoobrona Andrzej Lepper wszystkie te zabezpieczone na protokół oględzin zabezpieczono w kopercie bezpiecznej Nr. KB1 302904 celem dalszego wykorzystania w sprawie. We wszystkich kieszeniach opisywanej marynarki nie ujawniono niczego więcej. Po otwarciu szafy w prawej części wiszą garderoba w postaci 6 marynarki oraz kolejnych par spodni. Natomiast w części lewej od drzwi wejściowych znajdują się ubrania codziennego użytku w postaci T-shirtów, spodenek, skarpet oraz na górnej półce kurtek materiałowych, oraz wypełnieni butonierek. W dolnej części szafy w szufladach znajdują się przedmioty służące do czyszczenia obuwia. Na dolnej półce znajduje się torba na ubrania. Pomiędzy ścianą szafy [illegible] oraz balkonem [illegible] [illegible] i tak na pomieszczenia baterii wanny stojącej w odległości 120 cm od ściany, licząc z drzwi wejściowych w lewym narożniku pomieszczenia w bezpośrednio

Ms-14/86 Druk: Gospodarstwo Pomocnicze KWP Białystok tel. (085) 677 25 16

zetknięcia ze ścianą przednią ujawniono na
powierzchni ścianki prysznicowej oraz lustra
ślady linii papilarnych które przeniesiono na
dwa odrębne kawałki ciemnej folii daktyloskopijnej oznaczając kolejno słuchawka prysznica
ślad (Nr. 8) i lustro (ślad Nr. 9). W odległości
120 cm od ściany lewej w bezpośr. zetknięciu
z wanną stoi przedmiot codziennego
użytku w postaci garnka metalowego z uchami
o pojemności ok. 10 l, natomiast w narożniku
przy ścianie przedniej stoi na podłodze masażer
do stóp tzw. hydromasaż na którym stoi koszyk
w którym znajduje się przedłużacz elektryczny
mydło oraz przedmioty służące do nakładania
pudru a nad nimi na wieszaku metalowym wisi
ręcznik koloru niebieskiego w biało szare pasy. W
centralnej części pomieszczenia znajduje się umywalka
a nad nią na ścianie lustro o wymiarach 90 cm x
110 cm. Na powierzchni obudowy umywalki
znajdują się przedmioty codziennego użytku w postaci
pasty do zębów, oraz przyborów do golenia, kremów
do twarzy balsamów do masażu. Powierzchnię umywalki
ogrzewano akumulatorem i tak na jej krawędzi zewnętrznej lewej w odległości 40 cm od ściany przedniej
ujawniono ślady linii papilarnych które zabezpieczono
na jeden kawałek ciemnej folii daktyloskopijnej i
oznaczono jako (ślad Nr. 10). Natomiast po przeciwle-
głej stronie na krawędzi obudowy umywalki w odległ.
40 cm od ściany przedniej ujawniono ślady linii
papilarnych które przeniesiono na jeden kawałek ciemnej folii
daktyloskopijnej i ozn. jako ślad (Nr. 11). Następnie na ramie
lustra w odległości 60 cm od jego lewej krawędzi i 140 cm
od krawędzi dolnej ujawniono ślady linii papilarnych które

przeniesiono na jeden kawałek folii daktyloskopijnej
oznaczono jako ślad nr 12. Obok umywalki przy ścianie
prawej z drzwiami znajduje się pisuar - muszla
klozetowa z zabudowaną spłuczką. Nad zabudową
pomiędzy umywalką stał kosz na śmieci, w którym
znajdują się wyrzucone dwa tzw. patyczki plastikowe
białego koloru, oraz plastikowy klips z zaczepem do
mocowania przewodów elektrycznych. Wszystko to w całości
zabezpieczono w kartonie papierowym i ozn. jako ślad nr 13.
Pomiędzy nogami podstawki klozetowej znajdują
się środki czystości w postaci płynu „Bryza”,
płyn „GOLD DROP”, „CIV”, „BONEX”, „VICI”, „TOP CLEAN” itp.
Gładkie powierzchnie deski klozetowej, wyłącznika
spłuczki oraz zabudowy opylono argentoratem
i tak na powierzchni wyłącznika spłuczki ujawniono
ślady linii papilarnych, które przeniesiono na jeden
kawałek folii czarnej daktyloskopijnej ozn. jako
ślad nr 14. Na ścianie prawej z drzwiami zamontowany jest kaloryfer z grzałką elektryczną,
której przełącznik zmienny jest pod parapetem
i pomalowany na kaloryfer centralnego ogrzewania
wisi ręcznik koloru jasnożółtego o wzorach
kwiatowych na jego końcach, a na parapecie
okna o wymiarach 118 cm x 184 cm dzielonego
na dwie połówki o szerokości 50 cm, w dniu oględzin
zamknięte, lewa połowa okna zasłonięta - opuszczona
roleta, na parapecie o gł. 36.45 cm po lewej
stronie znajduje się ręczna prasownica oraz
w którym narożniku sznur do ćwiczeń koloru
niebieskiego na swoich końcach zakończony na
kupię zaopatrzony (termiczne) razem ze wzorem
sztangowymi żółto czarne skakanki z niebieskimi
uchwytami, obok opisanej zawartości rolka-

Mz-14/26 Druk: Gospodarstwo Pomocnicze KWP Białystok tel: (085) 677 25 16.

8 3

mówki koloru białego stwierdzono przedmioty
w postaci nakładek do obuwia i szczotek wraz
z pojemnikami pasty do butów. Po prawej
stronie parapetu stwierdzono dwie sandał-
koloru czarnego, trzy kosmetyczki z zawartoś-
ciami szczotek i grzebieni do włosów. kosmetyczki te
są mocno zabrudzone, zakurzone co świadczy
o tym że dawno nie były używane. Za
kosmetyczkami na wprost framugi okna
znajduje się papierowe pudełko z zawartością ładowarki samochodowej do
bliżej niesprecyzowanego urządzenia.
Pod kaloryferem na podłodze w jego
górnej części stoją dwa pudełka o wymiarach
24cm x 38cm na których leży znicz koloru czerwonego
znicz w dolnej części ponadto ugnity kwiatek
bez widocznych zabrudzeń, w pudełkach
zarówno w pierwszym jak i drugim znajdują się
kompletne pary obuwia, w odległości
50cm od kaloryfera zamocowanego pod
parapetem okna oraz w odległości 90cm
mierząc od ściany tylnej znajduje się worek
treningowy koloru czarnego z napisem York
w narożniku ściany prawej i tylnej, na
wysokości 200cm zamocowany jest telewizor
„Elemis". Pomiędzy ścianą prawą a prawą
framugą drzwi wejściowych znajduje się metalowy
stojak pięciopoziomowy z zawartością butów
[illegible], oraz ubraniami materiałowych, na górnym półkowym elemencie znajdują się rękawice treningowe oraz [illegible]
0,5kg [illegible] oraz bezpośrednio przed pracu

nogę stojąca w odległości 70cm od ściany tylnej znajdują się dwie hantle 3kg każda, przed lewym nogą przymocowane do biurka. W odległości 85cm od ściany przedniej umiejscowiona jest lewa tylna noga krzesła drewnianego, natomiast w odległości 131cm umiejscowiona jest prawa przednia noga tego samego krzesła. Oparcie skierowane jest ku ścianie przedniej. Obok krzesła w odległości 110cm od ściany przedniej oraz 150cm od ściany prawej znajdują się kapcie skórzane koloru czarnego. Na oparciu ławeczki treningowej wisi T-shirt z długim rękawem oraz spodnie koloru czarnego, (T-shirt koloru bordowego w białe paski) W środkowej części okna a wnęką na ściance zamocowany jest metalowy trójkąt. Lewa jego stopa przykręcona na śrubę znajduje się w odległ. 61cm od występu ściany prawej na której zamocowany jest [illegible] kaloryfer, prawa jego noga znajduje się w odległości 100cm od ściany tylnej z oknami. Nogi te tworzą wspornik o kształcie trójkąta do którego przymocowana jest metalowa belka o dł. 86cm belka ta wykonana jest z profilu zamkniętego o wymiarach 5x3cm. Znajduje się ona w odległości 136cm od ściany tylnej i odsadzona jest od powierzchni ściany długo do śruby mocującej worek treningowy na odległość 83cm. Śruba mocująca worek dokręcona jest podkładką i nakrętką i ma dł. 9cm (mierząc do jej zewnętrznej wysokości powierzchni. Na końcu śruby wisi zawiesia mocujące o wielkości 8cm mierząc do wewnątrz.

9 4

zewnętrznych i posiada średnicę 1cm.
Na karabińczyku tym wisi kawałek [illegible]
którego końce mocujące przypięte jest na
identyczny sposób jak wcześniej opisywano
do zaczepu łańcucha, także część łańcucha
na którym wisi kawałek [illegible] z 20-oma
srebrnymi ogniwami wisi luźno zwisając 87
na górnej części węzła. Do kółka które
jest zamocowane na stałe przywiązany jest
sznurek od [illegible] składający się z
sześciu sznurków które w górnej części zawiązane
są na dwa widoczne węzły typ zawiązania tego
poprzez zaciągnięcie. Końce znajdują się
zawiązanym sznurkiem w odległości 84cm
mierząc do jego dolnej krawędzi z węzłami
i od tej krawędzi sznurek ma długość 87cm
do węzła zaciśniętego na szyi denata. Węzeł
ten znajduje się w odległości 3cm od dolnej
krawędzi płatka lewego ucha a od podłoża
znajduje się on w odległości 150cm mierząc od
podłogi. Za węzłem zwisa sześć luźno zwisających
sznurków o ~~odległości~~ [illegible] długości 35,5cm mierząc
od węzła na szyi do węzła luźno zwisających
sznurków za węzłem sznurki te luźno
zwisają w ilości trzech dwóch na długość
10cm i jeden krótszy na ok 3cm. Nogi denata
ugięte pod kątem [illegible] w kierunku ściany
tylnej znajdują się w odległości 145cm mierząc
od zabudowy półeczki znajdującej się na
ścianie przedniej do [illegible]
oraz w odległości 1m mierząc od ściany
prawej z dołem do [illegible] nogi
prawej. Głowa denata znajduje się w odległ

[illegible signatures]

125 cm od ściany przedniej do potylicy i w odległości
125 cm mierząc do centralnej części potylicy
denata, górna powierzchnia głowy skierowana jest
w kierunku drzwi wejściowych. Od depta odległość
do węzła na szyi 141 cm. Na ścianach między
na wieszaku ściennym znajdują się męskie slipy
typu bokserki 7 par i koszulka typu T-shirt. (Na
~~ścian~~ dwóch wieszakach znajdowały się slipy,
na jednym koszulka) Na tym protokół zakończono
o godz. 21:47

PROKURATURA OKRĘGOWA
w Warszawie
WYDZIAŁ ŚLEDCZY
ul. Chocimska 28
00-791 WARSZAWA

331

Sygn. akt V Ds 146/11

POSTANOWIENIE
O WSZCZĘCIU ŚLEDZTWA

Warszawa, dnia 8 sierpnia 2011r.

Natalia Maszkiewicz - prokurator Prokuratury Rejonowej Warszawa-Mokotów delegowana do Prokuratury Okręgowej w Warszawie

po zapoznaniu się materiałami z wykonywanych przez Komendę Stołeczną Policji w trybie art. 308 kpk czynności w sprawie o sygnaturze TKZ – I- 4368/11

na podstawie art. 303 kpk i art. 309 pkt. 1 kpk oraz art. 311 § 2 kpk

postanowiła

1. wszcząć śledztwo w sprawie doprowadzanie Andrzeja Leppera w dniu 5 sierpnia 2011r. w Warszawie przy namową lub poprzez udzielenie pomocy do targnięcia się na własne życie

   tj. o czyn z art. 151 kk
2. powierzyć prowadzenie śledztwa w całości Wydziałowi dw. z Terrorem Kryminalnym i Zabójstw Komendy Stołecznej Policji

UZASADNIENIE

W dniu 5 sierpnia 2011r. w łazience przy prywatnym pokoju Andrzeja Leppera w siedzibie głównej partii Samoobrona RP mieszczącej się na trzecim piętrze w budynku przy w W ujawniono wiszące na sznurze przymocowanym do zamocowanego pod sufitem worka treningowego zwłoki Andrzeja Leppera. Mając powyższe na uwadze, w celu wszechstronnego ustalenia okoliczności śmierci Andrzeja Leppera, w szczególności zaś ustalenia czy został on doprowadzony namową lub poprzez udzielenia pomocy do targnięcia się na własne życia, a więc czy doszło do popełnienia przestępstwa z art. 151 kk koniecznym jest przeprowadzanie w niniejsze sprawie postępowania przygotowawczego. Mając zaś na uwadze fakt, iż w przypadku podejrzenia popełnienia przestępstwa z art. 151 kk, postępowanie przygotowawcze prowadzi się w formie śledztwa, postanowiono jak na wstępie.

PROKURATOR
Natalia Maszkiewicz

Zarządzenie:

Stosownie do art. 305 § 4 kpk zawiadomić o wszczęciu śledztwa:
- ujawnionych pokrzywdzonych I L , T L , R L , M B

Warszawa, dnia 8 sierpnia 2011r.

PROKURATOR
Natalia Maszkiewicz

(1)

Sygn. akt: V Ds 146/11 - 334

PROTOKÓŁ OGLĘDZIN I OTWARCIA ZWŁOK

Dnia 08.08.2011 r. w Warszawie .... godz. rozpocz. czynności 10[30]

Biegły z Zakładu Medycyny Sądowej (imię, nazwisko, stopień naukowy)
dr med. Małgorzata [illegible] ....

przy udziale protokolanta asyst. prok. Kamil Kowalczyk ....

w obecności Prokuratora Natalii Maszkiewicz ....

z Prokuratury Rejonowej Warszawa-Mokotów del. do Prokuratury Okręgowej w Warszawie

oraz podinsp. Ludomir Niewiadomski, asp. Paweł [illegible] - technicy kryminalistyczni i asp. Robert Dziedzicki (wymienić osoby dopuszczone do udziału na podstawie art. 316 i 317 § 1 kpk)

po uprzedzeniu przez w/w Prokuratora o odpowiedzialności karnej za wydanie fałszywej opinii lub biegły powołuje się na przyrzeczenie złożone przy ustanowieniu go w tym charakterze oraz oświadcza, iż został uprzedzony o odpowiedzialności karnej za wydanie fałszywej opinii (art. 197 § 3 w związku z art. 190 kpk oraz art. 233 § 1 kk) na podstawie art. 203 kpk dokonał oględzin zewnętrznych i wewnętrznych zwłok.

Oświadczenie osób uczestniczących:

Na podstawie wyników oględzin i otwarcia zwłok biegły wydaje następującą opinię:
W oparciu o wyniki sekcji zwłok możemy dojść do wniosku, że zgon Andrzeja Leppera spowodowany był uduszeniem pętli wisielczej [illegible].
Materiał biologiczny zabezpieczony do ewentualnych dalszych badań histopatologicznych pozostanie do dyspozycji Prokuratora do dnia 22.08.2011 r.; jeśli do tego czasu nie wpłynie do Zakładu postanowienie na piśmie zlecające wykonanie takich badań - zostanie zniszczony.
Ponadto pobrano wycinki [illegible] do ewentualnych badań [illegible].

i oświadcza, iż pełen protokół wraz z opinią zostanie przesłany w późniejszym terminie.

Z zabezpieczanego do badań genetycznych materiału biologicznego, w przypadku braku innej decyzji na piśmie, po upływie 7 dni od daty sekcji zwłok, będzie izolowane DNA i przechowywane do dyspozycji Prokuratora w formie izolatu DNA.

.... PROKURATOR -verte-
podpis biegłego podpis prokuratora
Natalia Maszkiew[...]

Ponadto w trakcie sekcji dokonano zabezpieczenia z szyi denata pętli z sznurka koloru ciemnego z przymocowanym trwale metalowym łańcuchem, który zabezpieczono w kartonowe pudełko trwale łącząc z metryczką oznaczając go jako ślad nr (1). Następnie dokonano zabezpieczenia ręcznika, którym było przykryte ciało, który zabezpieczono w papierowy pakiet trwale łącząc z metryczką oznaczając go jako ślad nr (2). Następnie dokonano zabezpieczenia, ujawnionych leżących luzem w worku z ciałem, osiemnastu gumowych rękawiczek, czterech rękawiczek z przeźroczystej folii, jeden kawałek białego ręcznika papierowego, jednej torebki foliowej. Przedmioty te zabezpieczono w papierową kopertę, trwale dołączono metryczkę oznaczając go jako ślad nr (3). Następnie dokonano zabezpieczenie paznokci lewej ręki, które obcięto sterylnymi nożyczkami. Przed każdym użyciem nożyczek były one dezynfekowanem środkiem o nazwie Incidin Foam. Paznokcie z lewej ręki kolejno zapakowano w papierowe pakiety. Następnie zabezpieczono je w papierową kopertę. Dołączono metryczkę oznaczając jako ślad nr (4). Przy użyciu tej samej techniki dokonano zabezpieczenie paznokci z prawej ręki, które identycznie zapakowano, dołączono metryczkę i oznaczono jako ślad nr (5). Następnie ręką w fabrycznie nowej rękawicy gumowej dokonano zabezpieczenia włosów z

PROKURATOR

cd. protokołu oględzin i otwarcia zwłok A. Leppera z dn. 08.08.2011 (2)

335

pięciu okolic głowy, tj. okolicy czołowej, ciemieniowej, potylicznej, skroniowej prawej, skroniowej lewej. Włosy te zabezpieczono w papierowe koperty z opisem okolic pobrania, które następnie umieszczono w kopercie trwale łączącej z metryczką, oznaczając jako ślad nr (6). Dodatkowo wykonano daktyloskopię obu całych dłoni. Nadmieniam, że osoby biorące udział w czynnościach, przed ich rozpoczęciem ubrały się w fabrycznie nowe fartuchy ochronne. Przed każdorazowym pobieraniem, zabezpieczaniem śladów dokonywały zmiany jednorazowych, fabrycznie nowych, rękawiczek gumowych. Zdjęcia wykonano aparatem fotograficznym analogowym CANON EOS 33 o nr. 5707450 z fabrycznie wbudowaną lampą błyskową oraz NIKON D70, cyfrowy o nr 4012445 z wbudowaną lampą błyskową. Wykonano trzy filmy, materiał negatywowy FUJICOLOR 200 w ilości sztuk 3 filmy. Na tym oględziny zakończono o godzinie 14.50 w niezmienionych warunkach oświetlenia sztucznego, jarzeniowego.

Świadkowie: [signature] [signature]

PROKURATOR
Natalia Maszkiewicz [signature]

[signature]

335

PROKURATURA OKRĘGOWA
w Warszawie
WYDZIAŁ ŚLEDCZY
ul. Chocimska 28
00-791 W A R S Z A W A

Sygn. akt V Ds. 146/11

POSTANOWIENIE
o umorzeniu śledztwa

Warszawa, dnia 31 października 2012r.

Natalia Maszkiewicz – prokurator Prokuratury Rejonowej Warszawa-Mokotów delegowana do Prokuratury Okręgowej w Warszawie

w sprawie doprowadzenia Andrzeja Leppera w dniu 5 sierpnia 2011r. w W
przy namową lub poprzez udzielenie pomocy do targnięcia się na własne życie

tj. o czyn z art. 151 kk

na podstawie art. 11 § 1kpk, 17 § 1 pkt 1 i 10 kpk, art. 322 § 1, 2 kpk oraz art. 192a § 1 kpk

postanowiła

I. umorzyć śledztwo w sprawie:

1. doprowadzenia Andrzeja Leppera w dniu 5 sierpnia 2011r. w W.. przy namową lub poprzez udzielenie pomocy do targnięcia się na własne życie tj. o czyn z art. 151 kk

   na zasadzie art. 17 § 1 pkt. 1 kpk wobec faktu, iż czynu tego nie popełniono

2. kierowania wobec Andrzeja Leppera w okresie od 1 stycznia 2001r. do 31 grudnia 2009r. w Warszawie, Wiedniu i innych miejscach na terenie Polski przez ustaloną osobę - działającą w krótkich odstępach czasu w wykonaniu z góry powziętego zamiaru - telefonicznie (w tym za pomocą smsów) oraz listownie, wzbudzających uzasadnioną obawę, iż zostaną spełnione, gróźb pozbawienia go życia tj. o czyn z art. 190 § 1 kk w zw. z art. 12 kk

na zasadzie art. 17 § 1 pkt. 10 kpk wobec braku wniosku o ściganie

II. na podstawie art. 192a § 1 kpk – po uprawomocnieniu się postanowienia o umorzeniu śledztwa, usunąć z akt i zniszczyć wymazy ze śluzówek policzków oraz odciski daktyloskopijne pobrane od:

III. wykonanie pkt. II postanowienia w zakresie zniszczenia wymazów ze śluzówek policzków oraz odcisków daktyloskopijnych zlecić Wydziałowi dw. z Terrorem Kryminalnymi Zabójstw Komendy Stołecznej Policji.

UZASADNIENIE

Prokuratura Okręgowa w Warszawie nadzorowała wszczęte z urzędu śledztwo w sprawie doprowadzenia Andrzeja Leppera w dniu 5 sierpnia 2011r. w W przy , namową lub poprzez udzielenie pomocy do targnięcia się na własne życie. Podstawą wszczęcia przedmiotowego śledztwa był fakt ujawnienia w dniu 5 sierpnia 2011r. w łazience przy prywatnym pokoju Andrzeja Leppera w siedzibie partii Samoobrona Rzeczypospolitej Polskiej mieszczącej się na trzecim piętrze w budynku przy w W zwłok Andrzeja Leppera wiszących na sznurze przymocowanym do zamocowanego pod sufitem worka treningowego.

W celu wyjaśnienia okoliczności śmierci Andrzeja Leppera, w tym ustalenia czy do jego śmierci przyczyniło się działanie lub zaniechanie osób trzecich, w tym czy śmierć ta była wynikiem zamachu samobójczego (a jeśli tak to czy został on doprowadzony do targnięcia się na własne życie poprzez udzielenie pomocy lub namową) czy też śmieć ta była wynikiem działania osób trzecich, w sprawie niniejszej wszczęto śledztwo, w toku którego ustalono następujący stan faktyczny.

W związku z prowadzoną przez siebie działalnością polityczną, związkową i zawodową Andrzej Lepper dużo podróżował zarówno po Polsce jak i zagranicę (w roku 2011 głównie na Białoruś). W przerwach między podróżami zamieszkiwał zaś w lokalu wynajmowanym od m. st. Warszawy przez partię Samoobrona Rzeczypospolitej Polskiej, mieszczącym się na III piętrze pięciopiętrowego budynku przy , w W . Wynajmowany przez tę partię lokal składał się z 10 pomieszczeń oraz korytarza biegnącego przez prawie całą długość lokalu, jego środkiem. W lokalu tym znajdowały się zarówno pomieszczenia biurowe (księgowość, gabinet Przewodniczącego – Andrzeja Leppera, gabinet Vice Przewodniczącego – J -M , dwa sekretariaty), pomieszczenia pomocnicze ogólnodostępne (kuchnia, toaleta), jak i pomieszczenia wykorzystywane do celów mieszkalnych (w tym jednen pokój z oknami od strony dostępny przez sekretariat oraz pomieszczenia prywatne Andrzeja Leppera). W pomieszczeniach, których okna wychodziły na (w tym gabinet Andrzeja Leppera) były wyposażone w klimatyzację. Pomieszczenia, których okna wychodziły na podwórze (w tym prywatne pomieszczenia Andrzeja Leppera) nie były wyposażone w klimatyzację. Prywatne pomieszczenia Andrzeja Leppera składały się z pokoju (z dwoma dwuskrzydłowymi oknami, o wymiarach 118 cm na 184 cm i szerokości skrzydła 50 cm) oraz łazienki, do której wejście prowadziło przez pokój. Również w łazience znajdowało się dwuskrzydłowe okno o wymiarach takich jak okna w pokoju. Okna w pokoju i łazience były wyposażone w wąskie parapety zewnętrzne o długości otworu okiennego, niełączące się ze sobą. Bezpośrednio nad i pod przedmiotowymi oknami nie przybiegał żaden gzyms. Okna bezpośrednio obok, poniżej i powyżej przedmiotowych okien nie były wyposażone w kraty. Wejście do pokoju prywatnego Andrzeja Leppera znajdowało się po lewej stronie korytarza biegnącego przez biuro, w jego dalszej części, zamykanej przesuwanymi drzwiami. Osoby odwiedzające go w biurze Samoobrony przy w W (w tym członków rodziny) Andrzej Lepper praktycznie zawsze przyjmował w swoim gabinecie. Również współpracownicy i członkowie partii na ogół nie wchodzili do pokoju prywatnego. Wyjątek stanowił M R (członek Samoobrony i współpracownik Andrzeja Leppera), który pod jego nieobecność w Warszawie opiekował się tym pokojem (robił zakupy, w tym spożywcze, wietrzył, porządkował pomieszczenia) oraz sprzątaczka - K K . Klucze to tego pokoju posiadali jedynie Andrzej Lepper i M R . Fakt, iż przebywając w Warszawie Andrzej Lepper zamieszkuje w pokoju na terenie biura partii Samoobrona nie był powszechnie znany, wiedzieli o tym tylko jego współpracownicy i członkowie rodziny.

Partia Samoobrona RP, która była najemcą lokalu przy w W była de facto w likwidacji od roku 2007. W roku 2010 powstała nowa partia o nazwie „Nasz Dom Polska - Samoobrona Andrzeja Leppera". To ta partia startowała w wyborach samorządowych w roku 2010 i planowała start w wyborach parlamentarnych w roku 2011. Siedziba nowej partii mieściła się w lokalu przy wynajmowanym przez partię Samoobrona RP. Andrzej Lepper był przewodniczącym obu partii.

Andrzej Lepper był zameldowany w Z gmina D , gdzie zamieszkiwała jego żona I oraz syn T z żoną i dziećmi, którzy na co dzień zajmowali się prowadzeniem gospodarstw rolnych należących do Andrzeja Leppera i jego żony oraz T L . Andrzej Lepper odwiedzał rodzinę w Z średnio raz w tygodniu, raz na dwa tygodnie, na ogół w weekendy. Z zamieszkałą w W córką M B i jej mężem A B Andrzej Lepper widywał się głównie podczas swoich pobytów w W , ostatni raz widział się z nimi w dniu 24 lipca 2011r. u nich w domu. Z drugą córką – R – studiującą w G Andrzej Lepper widywał się rzadziej, ostatni raz spotkali się w połowie lipca 2011r. Andrzej Lepper utrzymywał stały kontakt telefoniczny z żona, synem i obiema córkami. Podczas ostatnich spotkań z Andrzejem Lepperem oraz rozmów telefonicznych prowadzonych po tych spotkaniach, R L ani M B nie zaobserwowały zmian w nastroju i zachowaniu ojca.

W dniach 27-29 lipca 2011r. Andrzej Lepper był z wizytą na Białorusi, a następnie do dnia 2 sierpnia 2011r. przebywał w Warszawie gdzie zajmował się m.in. sprawami partii. W dniu 2 sierpnia 2011r. wieczorem Andrzej Lepper przyjechał do swojego domu rodzinnego. Z Warszawy do Z zawiózł go (swoim samochodem) – jego współpracownik i członek Samoobrony - M M . Podczas wizyty w domu rodzinnym - w ocenie domowników - Andrzej Lepper był w dobrym nastroju, spędził czas z żoną, synem, synową i wnukami, doglądał gospodarstwa. W dniu 4 sierpnia Andrzej Lepper wyjechał wraz z Mi M z Z do Warszawy, gdzie dotarł w godzinach popołudniowych.

W dniach 1 – 4 sierpnia 2011r. Andrzej Lepper odbył szereg rozmów ze swoimi współpracownikami, osobami z którymi utrzymywał kontakty bussinesowe i znajomymi. Większość z pośród rozmówców Andrzeja Leppera, których tożsamość zdołano ustalić i przesłuchać w charakterze świadków, nie zaobserwowała zmian w nastroju i jego zachowaniu. Nadto jak ustalono, w dniach 1-3 sierpnia 2011r. Andrzej Lepper odbył trzy rozmowy telefoniczne z białoruskim numerem. Numer ten figuruje w jego notesie telefonicznym . Jak ustalano, w kolejnych dniach sierpnia 2011r. Andrzej Lepper planował kolejny wyjazd na Białoruś w towarzystwie C. K i kontrahentów z Czech. W czasie wizyt planowane było popisanie umów, w oparciu o które Andrzej Lepper i C K mieli importować drewno z Białorusi i sprzedawać je m.in. do Czech i Austrii.

Wchodząc do biura Samoobrony w dniu 4 sierpnia 2011r. Andrzej Lepper zastał tam Mirosława R siedzącego przy komputerze. M R odniósł wrażenie, iż Andrzej Lepper był w tym dniu „mocno podłamany". Na pytanie M R „co się stało" Andrzej Lepper odpowiedział, że nic i udał się do swojego pokoju prywatnego.

Około godziny 17:00 w tym samym dniu, Andrzej Lepper spotkał się w swoim gabinecie w siedzibie partii z J M i F T. Rozmowa dotyczyła udziału w zbliżających się wyborach parlamentarnych oraz rozwijania działalności gospodarczej. Podczas spotkania P T przekazał Andrzejowi Lepperowi, iż w jego ocenie powinien on na tym etapie zająć się działalnością gospodarczą, a nie polityką, namawiał go na przerwę w działaności politycznej. Po około pół godzinie P T opuścił spotkanie, a Andrzej Lepper kontynuował rozmowę z J M , w czasie której, m.in. popisał dwa przygotowane wcześniej pisma, w tym do Sądu Okręgowego w Warszawie dotyczące rejestracji zmian statutu partii Nasz Dom Polska – Samoobrona Andrzeja Leppera.

Wychodząc w dniu 4 sierpnia 2011r. z biura, około godziny 18:30 J M spotkał pod budynkiem Andrzeja Leppera wracającego z zakupów. Andrzej Lepper przekazał mu wówczas, iż jeszcze tego dnia wieczorem ma odbyć ciekawe spotkanie.

O godzinie 20:13 Andrzej Lepper zadzwonił do żony i poinformował ją, że jeszcze tego dnia do późnych godzin wieczornych będzie miał spotkanie z P T . następnego dnia rano będzie miał spotkania w biurze, po których wyjedzie z Warszawy, tak by do domu dotrzeć na 15:00. Około godziny 20:20, Andrzej Lepper rozmawiał telefonicznie z synem T . Również jemu Andrzej Lepper przekazał, iż w dniu 5 sierpnia między godziną 14:00 a 15:00 przyjedzie do Z

O godzinie 20:24 Andrzej Lepper odbył rozmowę z D K – swoim znajomym i członkiem partii Samoobrona. Rozmowa ta dotyczyła zbliżających się wyborów. W czasie rozmowy, w ocenie D K Andrzej Lepper był w bardzo dobrym nastroju.

O godzinie 20:26 Andrzej Lepper odebrał połączenie z telefonu o białoruskim numerze

Około godziny 21:00 Andrzej Lepper wszedł do jednego z pokoi w biurze partii, w którym przebywali Mi M i Mi P i poprosił Mi M o przekazanie mu klucza do drzwi wejściowych do lokalu Partii, co ten uczynił.

W toku postępowania nie ustalono czy Andrzej Lepper opuszczał biuro Samoobrony po godzinie 21:00 w dniu 4 sierpnia 2011r. i czy po tej godzinie odbył jakieś spotkanie. Co prawda w godzinach jego telefon logował się w dwóch różnych stacjach BTS, jednakże na tej podstawie nie można ustalić czy opuszczał on wówczas biuro Samoobrony. O godzinie telefon komórkowy Andrzeja Leppera zalogował się bowiem do stacji , następnie zaś w godzinach telefon ten zalogował się (w sumie 77 razy) w stacji , o godzinie nastąpiło jedno logowanie w stacji , zaś kilkanaście sekund później tj. telefon był ponownie zalogowany w stacji . Podkreślić przy tym należy, iż powyższe stacje są położone w niedużej odległości od siebie i obie obejmują swoim zasięgiem budynek przy w W a tym samym fakt logowania się telefonu do różnych stacji nie oznacza, iż telefon ten podczas każdego z logowań znajdował się w różnych miejscach (o czym świadczą przede wszystkim dwa ostatnie logowania). Nie jest też możliwym określenie dokładnej lokalizacji telefonu w chwilach logowań. Wskazać przy tym należy, iż jak ustalono Andrzej Lepper na większość spotkań, które odbywały się poza siedzibą partii (w tym na spotkania z rodziną) jak i na zakupy udawał się w towarzystwie M , M i/lub M R (w/wym nie uczestniczyli jednak nigdy w samych spotkaniach, nie byli też przez Andrzeja Leppera informowani wcześniej gdzie się udają ani z kim będzie się on spotykał). Jednocześnie jak ustalono ani Mi M ani M R nie towarzyszyli Andrzejowi Lepperowi w drodze na żadne spotkanie po godzinie 21:00 w dniu 4 sierpnia 2011r.

Około godziny 8:00 rano M M (który z dnia 4 na 5 sierpnia 2011r. nocował w lokalu Partii Samoobrona przy w W) zadzwonił z sekretariatu – wewnętrzną linią telefoniczną – do pokoju prywatnego Andrzeja Leppera i poprosił go o przekazanie kluczy do drzwi wejściowych, gdyż chciał opuścić biuro celem przedłużenia biletu parkingowego. Andrzej Lepper przekazał mu klucz, a Mi M opuścił lokal partii. Kiedy po około 30 minutach Mi M wrócił do lokalu przy odbył w pomieszczeniu sekretariatu krótką rozmowę z Andrzejem Lepper, który dowiedziawszy się, iż M. R nie przyszedł jeszcze do biura, wrócił do swojego prywatnego pokoju.

W dniu 5 sierpnia 2011r. o godzinie 8:39 do Andrzeja Leppera zadzwonili I S z zapytaniem jak wygląda sprawa restrukturyzacji jego firmy przez spółkę ' Sp. z o.o., z którą skontaktował go Andrzej Lepper. Andrzej Lepper odpowiedział mu, iż w celu omówienia tej kwestii powinien przyjechać do niego do Warszawy i zakończył rozmowę. Nadto jak ustalono w toku postępowania I S czuł się oszukany przez osoby działające w imieniu spółki Sp. z o.o., na którą to spółkę przeniósł własność swoich nieruchomości jako zabezpieczenie roszczeń o wypłatę wynagrodzenia za restrukturyzację jego firmy. W związku z tą sprawą I S kilkukrotnie kontaktował się z Andrzejem Lepperem prosząc go o interwencję. Odwiedził też żonę Andrzeja Leppera i prosił ją o wstawiennictwo u męża. Gdy I L przekazała Andrzejowi Lepperowi informacje o tej wizycie, Andrzej Lepper wyraził obawy, iż „może to być kolejna prowokacja służb".

7

W dniu 5 sierpnia 2011r., między godziną 9:10 a 11:00 do biura Samoobrony przy przybyli kolejno członkowie i współpracownicy tej partii - M P, J S, J M, M R, W Z i K P

Kilka minut po godzinie 10:00 do biura Samoobrony przybyła A W dziennikarka stacji TVN 24, która poinformowała M F, iż jest umówiona z Andrzejem Lepperem na przeprowadzenie wywiadu. Jak ustalono A W umówiła się z Andrzejem Lepperem, dzwoniąc do niego w dniu 4 sierpnia 2011r., zaś wywiad miał zawierać wspomnienia Andrzeja Leppera w związku z dziesięcioleciem stacji TVN 24. Nikt z obecnych w biurze nie wiedział, iż Andrzej Lepper był umówiony z A W. Wobec powyższego, M R i J M, od którego A W otrzymała wcześniej numer telefonu Andrzeja Leppera, podjęli próby skontaktowania się z Andrzejem Lepperem dzwoniąc na jego telefon komórkowy jak i na numer wewnętrzny telefonu zainstalowanego w jego prywatnym pokoju. J M pukał też do drzwi pokoju Andrzeja Leppera, lecz ten nie odpowiadał. Po około 15 minutach J M poinformował A W, iż w chwili obecnej nie może się spotkać z Andrzejem Lepperem, a gdy będzie to możliwe zadzwoni do niej bądź przyjadą do stacji aby nagrać materiał. Po uzyskaniu tej informacji A W opuściła biuro partii.

Około godziny 11:30 biuro partii opuścił W Z który powrócił do niego, na chwilę około godziny 12:30. W okolicy południa biuro Samoobrony opuścił M M i udał się na spotkanie z W G – radcą prawnym współpracującym z Samoobroną. Między godziną 11:00 a 12:00 J M opuścił na chwilę biuro aby odebrać wnuczkę, którą do Warszawy przywiózł jego zięć, a następnie wraz z nią, wrócił lokalu przy w W.

Około godziny 13:30 do biura Samoobrony przybył członek tej partii K S który przebywał w nim do około godziny 14:00. Niedługo po nim, biuro partii opuścili kolejno J M, M P, K P i J S, M F opuścił biuro partii około 14:30 i udał się do sklepu przy Nowym Świecie aby kupić mleko i coś do jedzenia.

J. S M M. F J M , W Z K I i K S w czasie pobytu w biurze Samoobrony w dniu 5 sierpnia 2011r. nie widzieli Andrzeja Leppera, ani nie rozmawiali z nim telefonicznie. Wskazać jednocześnie należy, iż w toku postępowania ustalono, iż przebywając w biurze przy , Andrzej Lepper większość czasu spędzał właśnie w swoim prywatnym pokoju. Nadto jak ustalono, zdarzało się, iż w pokoju tym przebywał bez przerwy przez kilka dni, nie odbierając telefonów i nie otwierając drzwi.

Ponieważ w dniu 5 sierpnia 2011r. rano, Andrzej Lepper nie skontaktował się telefonicznie z nikim z rodziny zamieszkałej w Z , co miał w zwyczaju, próbę kontaktu z nim podjął T L . Gdy podczas kolejnych prób połączeń (zarówno z telefonów komórkowych jak i telefonu stacjonarnego) Andrzej Lepper nie odbierał, T L skontaktował się ze współpracownikami Andrzeja Leppera, którzy poinformowali go, iż nie wiedzą gdzie przebywa jego ojciec. Zaniepokojony sytuacją, około 15:30 T L zadzwonił do A B który pracował w pobliżu biura Samoobrony i prosił go, aby ten sprawdził co się dzieje z jego ojcem. Około godziny 16:00 A B dotarł do budynku przy , znanym sobie kodem otworzył drzwi na klatkę schodową i wjechał windą na III piętro, gdzie kilkukrotnie zadzwonił do drzwi lokalu Samoobrony. Ponieważ nikt nie otwierał, a drzwi były zamknięte na klucz, zadzwonił na telefon komórkowy Andrzeja Leppera, lecz ten nie odbierał. A B zjechał więc na dół windą i wyszedł z klatki schodowej na podwórze skąd zadzwonił do T L aby go poinformować o swoich ustaleniach. Gdy kończył rozmowę, z klatki schodowej wyszedł do niego M R który właśnie wracał ze sklepu i zauważył A B stojącego na podwórzu. A B wraz z M R udali się do biura Samoobrony. M R poinformował przy tym A B iż nie wie gdzie znajduje się w tej chwili Andrzej Lepper. Po wejściu do biura, A B udał się najpierw do gabinetu Andrzeja Leppera. Ponieważ gabinet ten był pusty, skierował się do jego prywatnego pokoju. Ponieważ pukanie do drzwi oraz nawoływania nie przynosiły skutku, A B poprosił M R o podanie kodu do zamka elektrycznego do drzwi pokoju prywatnego Andrzeja Leppera. M R poinformował go, iż zamek ten jest nieczynny. W pewnej chwili A B pchnął mocniej klamkę od drzwi do pokoju prywatnego Andrzeja Leppera i drzwi te ustąpiły. A B wszedł do pokoju, skąd przez otwarte drzwi do łazienki zobaczył wiszące w łazience – na prawo od wejścia - zwłoki Andrzeja Leppera. A B krzyknął do M R iż Andrzej Lepper nie żyje i zawołał go, aby podszedł, co ten uczynił niechętnie. A B dotknął ciała Andrzeja Leppera aby zbadać puls i stwierdził, że zwłoki były zimne. W chwili gdy A B i M R weszli do pomieszczeń prywatnych Andrzeja Leppera, w pokoju prywatnym panował nieład, łóżko było niepościelone, lecz w pomieszczeniach tych nie było widać śladów wskazujących na walkę. W drzwiach od strony wewnętrznej nie było kluczy. Prawe skrzydło okna na wprost drzwi wejściowych było uchylone. A B i M R zawiadomili telefonicznie o zaistniałej sytuacji J M , V G oraz M M , M R pozostał w biurze partii, zaś A B udał się do domu aby poinformować żonę o zaistniałej sytuacji. V G M I przybyli do biura partii około godziny 16:30 i udali się wraz z M R do pomieszczeń, gdzie znajdowały się zwłoki Andrzeja Leppera. Następnie – o godzinie 16:41 -V G zawiadomiła o zdarzeniu Policję i wezwała pogotowie.

O godzinie 16:50 przybyły na miejsce lekarz pogotowia stwierdził zgon Andrzeja Leppera, podając w karcie medycznej czynności ratunkowych „zgon przed przybiciem lek Pog. Rat; brak oznak życia, sinica obwodowa, plamy opadowe, zesztywnienie pośmiertne".

W toku postępowania przeprowadzono oględziny wszystkich pomieszczeń biura Samoobrony, w tym znajdujących się tam schowków, jak również klatki schodowej budynku oraz jej elewacji od strony podwórka.

Podczas oględzin łazienki, w której ujawniono zwłoki Andrzeja Leppera, przeprowadzonych w dniu 5 sierpnia 2011r. w godzinach 19:00-21:47 oraz przeprowadzonych w tym samym dniu, z udziałem biegłych z zakresu medycyny sądowej, oględzin zwłok Andrzeja Leppera ustalono co następuje: zwłoki Andrzeja Leppera, ubrane były w czyste i suche ubranie, zasadniczo bez wyraźnych zabrudzeń i uszkodzeń (poza 5,5 cm rozdarciem lewego rękawa koszuli nad mankietem i zabrudzeniem bielizny) i wisiały na pętli wykonanej z syntetycznego sznura zwanego potocznie sznurkiem do snopowiązałki. Sznur ten był przywiązany wielokrotnym węzłem do metalowego kółka stanowiącego element mocowania worka treningowego na wysokości 236 cm powyżej podłogi. Mocowanie worka składało się z pojedynczego, zamocowanego pod sufitem łańcucha, do którego za pomocą karabińczyka przypięte było kółko z trwale przymocowanym właściwym mocowaniem worka, składającym się z trzech łańcuchów. Zwłoki Andrzeja Leppera wisiały w pozycji spionizowanej. Obok zwłok znajdowało się krzesło o wyściełanym oparciu i siedziskiem na wysokości 48 cm. Obok krzesła ujawniono parę obuwia typu kapcie. Worek treningowy, na mocowaniu którego ujawniono zwłoki był zamocowany na prawo od wejścia do łazienki, za nim znajdowało się dwuskrzydłowe, zamknięte okno o wymiarach 118 cm na 184 cm i szerokości skrzydła 50 cm, którego lewa połowa była zasłonięta roletą. Na całej powierzchni wewnętrznego parapetu okna ujawniono liczne przedmioty, takie jak: ręczna prasowalnica, sznur do ćwiczeń, skakanka, reklamówka ze szczotkami i pastami do czyszczenia obuwia, dwie kosmetyczki oraz papierowe pudełko z zawartością ładowarki samochodowej. Przedmioty te były mocno zabrudzone – zakurzone. Rozmieszczenie przedmiotów było takie, że bez ich usunięcia nie było możliwym otworzenie okna na oścież. Przy zwłokach Andrzeja Leppera ujawniono obrączkę, łańcuszek z trzema zawieszkami oraz pieniądze w kwocie 820 zł. W czasie oględzin pomieszczenia łazienki, na wprost drzwi przed umywalką oraz na lewo od drzwi, przed stojącą tam szafą, ujawniono łącznie siedem śladów traseologicznych. W toku postępowania nie ustalono obuwia, od którego ślady te pochodzą. Z uwagi na niedużą ilość cech charakterystycznych, nie było też możliwym określenie typu obuwia, które pozostawiło te ślady. Dwa z powyższych śladów przedstawiają analogiczny wzór podeszw, zaś trzy z nich nadają się jedynie do ograniczonych badań grupowych. Jednocześnie w bezpośredniej bliskości miejsca ujawnienia zwłok Andrzeja Leppera (tj. pod i obok worka treningowego, przy i pod stojącym obok krzesłem) nie ujawniono żadnych śladów trasologicznych. Podłoga w tym miejscu była sucha i nie nosiła śladów zabrudzeń. W łazience w czasie oględzin nie ujawniono również żadnych śladów wskazujących na walkę lub szamotaninę.

Uczestniczący w oględzinach zwłok Andrzeja Leppera, biegli z zakresu medycyny sądowej stwierdzili, iż oględziny te wykazały obecność pętli wisielczej na szyi zmarłego oraz odpadającej tej pętli bruzdy w skórze szyi o ukośnym przebiegu.

Podczas oględzin nie stwierdzono innych obrażeń ciała. Nadto biegli wskazali, iż przeprowadzona w trakcie oględzin ocena znamion śmieci wskazuje, że do zgonu Andrzeja Leppera mogło dojść w czasie około 10 do 15 godzin przed rozpoczęciem oględzin. Mając zaś na uwadze fakt, iż jak ustalono, o godzinie 8:39 Andrzej Lepper rozmawiał z I[redacted] S[redacted], stwierdzić należy, iż jego zgon nastąpił między tą godziną a godziną 11:55 w dniu 5 sierpnia 2011r.

Podczas oględzin prywatnego pokoju Andrzeja Leppera oraz prowadzącego do niego korytarza, w zamkach drzwi jego pokoju (ani od strony zewnętrznej ani wewnętrznej) nie stwierdzono kluczy. Klucze te ujawniono w pokoju, leżące na biurku. Drzwi, wkładki oraz szyldy zamków nie nosiły widocznych śladów uszkodzeń. Jednocześnie jak ustalono, od strony zewnętrznej w drzwiach tych była zamontowana klamka obrotowa, która uniemożliwiała ich otwarcie bez użycia klucza. Jedno skrzydło okna na wprost drzwi było uchylone. Na parapecie okna znajdowały się liczne przedmioty, bez usunięcia których szersze otwarcie tego okna było niemożliwe. Drugie okno znajdujące w tym pokoju było zamknięte. Również na parapecie tego okna leżały liczne przedmioty. Były one tak rozmieszczone, że jego otwarcie bez ich usunięcia było niemożliwe. W chwili rozpoczęcia oględzin, znajdujący się w pokoju telewizor był włączony, zaś na ekranie widniał zatrzymany kadr z konferencji prasowej premiera Donalda Tuska i Ministra Oborny Narodowej transmitowanej przez stację „Polsat News" z podaną godziną 13:14:04. Na tak zwanym pasku widniały zaś napisy „Kampanię czas zacząć" oraz Dymisja Anatola Czabana – byłego szefa szkolenia Sił Powietrznych". W toku oględzin pokoju prywatnego, ujawniono i zabezpieczono m.in. 4 kalendarze – w tym, w torbie podróżnej stojącej na fotelu koło łóżka - kalendarz na rok 2010 w czerwonej oprawie (który jak później ustalono, był przez Andrzeja Leppera wykorzystywany do notowania wydarzeń dotyczących roku 2011), notesy telefoniczne, różnorodne dokumenty, płyty, wizytówki oraz telefon komórkowy. Koło biurka na podłodze ujawniono zamkniętą (z niezerwaną banderolą) butelkę o pojemności 0,5 l z naklejką „Spirytus Rektyfikowany", zaś na podłodze przy ścianie wejściowej, ujawniono butelkę z napisem „Jevel Lines", na podłodze w okolicach lodówki ujawniono zaś pudełko z zawartością pustej butelki z napisami cyrylicą. W koszu na śmieci koło biurka ujawniono kawałek sznurka z tworzywa sztucznego o długości 88 cm zakończony pętlą o średnicy 5 cm na końcu. Jak ustalono w dalszym toku postępowania, był to taki sam sznurek jak ten, z którego wykonana była pętla wisielcza.

W dalszym toku postępowania ustalono, iż zatrzymany kadr na telewizorze w prywatnym pokoju Andrzeja Leppera pochodził z programu nadawanego przez stację Polsat News w dniu 5 sierpnia 2011r. o godzinie 13:14:04. Nadto jak ustalono, dekoder telewizyjny w pokoju Andrzeja Leppera czasami się zacinał powodując zatrzymanie obrazu. Jednocześnie jak ustalono, dekoder Cyfrowego Polsatu model

F-300 oraz telewizor, ujawnione w pokoju prywatnym Andrzeja Leppera, nie posiadają wbudowanych dysków twardych ani innej pamięci, w której mógłby się znajdować rejestr włączania i wyłączania tych urządzeń.

Nadto ustalono, iż zamontowana w siedzibie Samoobrony centrala telefoniczna nie posiadała funkcji rejestracji i sporządzania wykazu połączeń wewnętrznych.

W toku oględzin prywatnego pokoju Andrzeja Leppera i jego prywatnej łazienki oraz sekcji zwłok, zabezpieczono również szereg przedmiotów, które poddano następnie badaniom kryminalistycznym w tym szklankę i kubek stojące na biurku, cztery butelki plastikowe po wodzie mineralnej, trzy piloty, pięć opakowań lakierów do włosów, torebki z napisem „Fruti Muslie" oraz „Prażone ziarna pszenicy z miodem", krzesło stojące w pobliżu miejsca ujawnienia zwłok, cztery kieliszki, z których jeden zawierał dwa niedopałki papierosów marki Vouge ujawnione w biurku, pojedynczy łańcuch stanowiący część mocowania worka treningowego, pętlę wisielczą wraz z pozostałą częścią mocowania worka treningowego tj. karabińczykiem z zamocowanym do niego kółkiem metalowym z trwale przymocowanym potrójnym łańcuchem. Nadto w toku oględzin tych miejsc ujawniono i zabezpieczono ślady linii papilarnych z drzwi do łazienki, wanny, lustra, umywalki i spłuczki oraz pobrano wymazy do badań biologicznych z klamek drzwi do pokoju i łazienki, przełączników światła w tych pomieszczeniach oraz klawiszy punktu dostępowego firmy Roger zamontowanego przy drzwiach do pokoju od strony korytarza. Zabezpieczono również do dalszych badań przedmioty ujawnione w koszu na śmieci w łazience w postaci trzech patyczków do uszu, białego korka oraz plastikowego klipsa do mocowania przewodów.

W trakcie oględzin pomieszczeń partii Samoobrona ujawniono i zabezpieczono ślady linii papilarnych na drzwiach wejściowych do lokalu oraz na dzwonku do lokalu jak i w ogólnodostępnej toalecie. Na klawiaturze alarmu przy drzwiach wejściowych oraz w na drzwiach wejściowych (od strony zewnętrznej i wewnętrznej) jak i w okolicach tych drzwi, ujawniono i zabezpieczono ślady struktury materiału (tkaniny). Pobrano również do badań biologicznych wymazy z dzwonka do lokalu, klawiszy punktów dostępowych do poszczególnych pokoi oraz klamek, jak i zabezpieczono w całości włączniki światła z korytarza lokalu.

Na podstawie wydanych w toku postępowania opinii biegłych z zakresu daktyloskopii ustalono, iż większość ujawnionych w toku oględzin pomieszczeń Samoobrony odbitek linii papilarnych nie nadaje się do identyfikacji. Ujawnione w korytarzu, na klatce schodowej i w ogólnodostępnej toalecie - nadające się do identyfikacji - ślady pochodzą zaś od M.. M J: M Vi G A B

Nadto, w toku przeprowadzonych badań przedmiotów zabezpieczonych w toku postępowania, biegli z zakresu daktyloskopii ujawnili odciski linii papilarnych Andrzeja Leppera na - zabezpieczonych w jego prywatnym pokoju - trzech butelkach plastikowych po wodzie oraz dwóch opakowaniach lakierów do włosów oraz odcisk linii papilarnych M R na opakowaniu „Parzenicy prażonej z miodem", również zabezpieczonej w pokoju prywatnym Andrzeja Leppera. Na zabezpieczonych w prywatnym pokoju Andrzeja Leppera trzech pilotach, trzech kieliszkach, kubku i szklance oraz włącznikach światła w przedpokoju biegli ujawnili fragmenty linii papilarnych nie nadające się do badań. Na pętli wisielczej, kawałku sznurka zabezpieczonego w koszu na śmieci przy biurku Andrzeja Leppera oraz krześle ujawnionym w bezpośrednim sąsiedztwie zwłok Andrzeja Leppera, nie ujawniono śladów linii papilarnych. Nadto na zabezpieczonych z pokoju prywatnego Andrzeja Leppera pudełku z napisem „Jevel Lines", butelce z etykietą Spirytus Rektyfikowany, butelkach po wodzie mineralnej, jednym kieliszku oraz opakowaniach lakierów do włosów biegli ujawnili ślady linii papilarnych pochodzące od nieustalonych osób.

Powołani w sprawie biegli z zakresu badań biologicznych ujawnili na pętli wisielczej, jednym z kieliszków zabezpieczonych z biurka Andrzeja Leppera, dwóch patyczkach do uszu zabezpieczonych z kosza na śmieci w łazience prywatnej Andrzeja Leppera, filiżance zabezpieczonej z biurka Andrzeja Leppera, kawałku sznurka z pętlą zabezpieczonym z kosza na śmieci koło biurka w prywatnym pokoju Andrzeja Leppera, wymazach pobranych z włącznika światła do prywatnej łazienki Andrzeja Leppera oraz części próbek pobranych z tapicerki krzesła ujawnionego w bezpośrednim sąsiedztwie zwłok Andrzeja Leppera - materiał biologiczny pochodzący od Andrzeja Leppera.

Na dwóch innych kieliszkach zabezpieczonych z biurka Andrzeja Leppera biegli ujawnili mieszaninę DNA, przy czym w materiale zabezpieczonym z jednego z nich przeważało DNA pochodzące od Andrzeja Leppera, zaś materiał zabezpieczony z drugiego kieliszka zawierał DNA męskie, którego haplotyp chromosomu Y jest zgodny z holotypem chromosomu Y Andrzeja Leppera.

Na dwóch niedopałkach papierosów zabezpieczonych z jednego z kieliszków z biurka Andrzeja Leppera ujawniono mieszaniny DNA. W obu mieszaninach ujawniano DNA pochodzące od Andrzeja Leppera. Każda z tych mieszanin zawierała też DNA pochodzące od innej, niezidentyfikowanej kobiety.

Na karabińczyku stanowiącym fragment mocowania worka treningowego, do którego przepięte było metalowe kółko, na którym zawiązany był sznur stanowiący pętlę wisielczą ujawniono niewielką ilość mieszany DNA, w tym pochodzenia męskiego którego haplotyp chromosomu Y jest zgodny z holotypem chromosomu Y Andrzeja Leppera.

Na kolejnej próbce pobranej z tapicerki krzesła ujawnionego w bezpośrednim sąsiedztwie zwłok Andrzeja Leppera ujawniono mieszaninę DNA, pochodzącą od co najmniej trzech osób, w której dominującym składnikiem było DNA zgodne z profilem DNA Andrzeja Leppera.

Na worku na śmieci z kosza w łazience Andrzeja Leppera ujawniano DNA pochodzące od K K

Na jednym z patyczków do uszu ujawnionych w łazience Andrzeja Leppera oraz wymazach pobranych z włącznika światła znajdującego się w pokoju prywatnym Andrzeja Leppera przy drzwiach wejściowych, ujawniono DNA pochodzące od M R

Na szklance z biurka Andrzeja Leppera ujawniono mieszaninę DNA, w której dominowało DNA pochodzące od J M

Na wszystkich opakowaniach lakierów do włosów, zabezpieczonych w pokoju prywatnym Andrzeja Leppera, ujawniano mieszaniny DNA. W przypadku dwóch z tych śladów nie można wykluczyć, iż mieszaniny te zawierają: jedna - DNA Andrzeja Leppera, druga – M R .

Na pozostałych badanych przedmiotach i wymazach zabezpieczonych w toku oględzin pomieszczeń Samoobrony (w tym wymazach zabezpieczonych w łazience oraz z klamek drzwi do pokoju prywatnego i prywatnej łazienki Andrzeja Leppera, jak i klawiszy punktu dostępowego do jego prywatnego pokoju) bądź to ujawniono nienadające się do badań identyfikacyjnych niewielkie ilości DNA i mieszanin DNA, bądź też nie ujawniono w ogóle śladów biologicznych.

W toku oględzin drzwi wejściowych do pomieszczeń Samoobrony ujawniono widoczne uszkodzenia, które - zgodnie z oświadczeniem uczestniczącego w tej czynności M R - stanowiły ślady wejścia siłowego do lokalu przez ślusarza, które miało miejsce około dwa lata wcześniej. Do celów dalszych badań zabezpieczono wkładki zamka drzwi wejściowych do lokalu oraz wkładki zamków z drzwi do pokoju prywatnego Andrzeja Leppera jak również klucze do tych zamków. W dalszym toku postępowania ustalono, iż wkładkę zamka drzwi wejściowych oraz wkładkę jednego z dwóch zamków do drzwi prywatnego pokoju, usiłowano otworzyć lub otwarto wytrychami. W toku postępowania nie ustalono, kiedy próba ta miała miejsce ani czy była skuteczna. Jednocześnie jak ustalono, w przeszłości co najmniej kilkukrotnie dorabiane były klucze zarówno do drzwi wejściowych jak i do drzwi pokoju prywatnego Andrzeja Leppera, z powodu zagubienia przez niego tych kluczy. Z tych samych powodów, kilkukrotnie wymieniano zamki w tych drzwiach. Nadto jak ustalono, jeszcze przed śmiercią Andrzeja Leppera drzwi wejściowe były uszkodzone, zdarzało się że się zacinały, czasem trudno było je otworzyć kluczem.

W toku oględzin lokalu Samoobrony ustalono nadto, iż przy większości pomieszczeń zamontowane były zamki elektryczne – punkty dostępowe marki „Roger" (z klawiaturami numerycznymi), które w chwili oględzin nie były podświetlone. W dalszym toku postępowania ustalono zaś, iż system ten nie działał od co najmniej kilku miesięcy przed śmiercią Andrzeja Leppera. Uległ on bowiem uszkodzeniu w wyniku odłączenia prądu. Również zamontowany w biurze system alarmowy firmy Juventus nie działał. Nadto jak ustalono, obraz z zamontowanej przy wejściu do biura partii kamery nie był rejestrowany. Kamera ta umożliwiała jedynie podgląd kto stoi przed drzwiami.

Przeprowadzone w toku postępowania oględziny okien w prywatnej łazience oraz w prywatnym pokoju Andrzeja Leppera nie ujawniły żadnych uszkodzeń szyb lub zamków.

W toku postępowania ustalono również, iż w sierpniu 2011r. prowadzony był remont dachu budynku przy w W w związku z którym przy budynku, w odległości ok. 10 metrów na lewo od okien do prywatnego pokoju Andrzeja Leppera postanwiono rusztowanie sięgające do gzymsu dachu. Rusztowanie to stało w powyższym miejscu również w dniu 5 sierpnia 2011r. Rusztowanie to od okien pokoju prywatnego Andrzeja Leppera oddzielały dwa okna, metalowy komin oraz występ w murze. Rusztowanie to nie było przystosowane do wchodzenia po nim (było przeznaczone do transportowania z dachu usuwanej blachy). Podesty zaczynały się dopiero na wysokości ok. 1,5 m nad ziemią, ostatni poziom nie był wyposażony w podest, na rusztowaniu nie zamontowano drabinek. Robotnicy przeprowadzający remont dachu dostawali się na dach przez właz ze strychu dostępnego z 5 piętra klatki schodowej. W dniu 5 sierpnia 2011r. robotnicy przeprowadzający remont dachu znajdowali się na nim od godziny 7:00 – 8:30 do godziny 17:00 -18:00. W czasie pracy w/wym nie widzieli nikogo nieuprawnionego ani na dachu ani na rusztowaniu.

W toku postępowania dokonano również oględzin pomieszczeń i zabudowań w miejscu zameldowania Andrzeja Leppera tj. w miejscowości Z W toku tych oględzin nie ujawniono żadnej dokumentacji dotyczącej działalności Andrzeja Leppera ani też komputerów i innych nośników danych. W murowanym budynku gospodarczym zawierającym m.in. tuczarnie i oborę mleczną, w jednym z pomieszczeń gospodarczych ogólnych ujawniono dwie szpule sznurka, na których widniała etykieta o treści „Sznurek rolniczy polipropylenowy". Jak ustalono w dalszym toku postępowania, sznurek z którego wykonana była pętla wisielcza, kawałek sznurka ujawniony w koszu na śmieci w pokoju prywatnym Andrzeja Leppera oraz sznur znajdujący się na dwóch szpulach ujawnionych w tym pomieszczeniu wykazują tą samą przynależność grupową. Przeprowadzone w toku postępowania badania mechanoskopijne „na całość" pętli wisielczej, sznurka ujawnionego w koszu na śmieci obok biurka Andrzeja Leppera oraz fragmentów pobranych z obu szpul ujawnionych w pomieszczeniach gospodarczych dały wynik negatywny.

W trakcie oględzin telefonu komórkowego Andrzeja Leppera w folderze „skrzynka odbiorcza" ujawniono szereg smsów od różnych osób, dotyczących w większości bieżącej działalności partyjnej oraz wiadomość od A W, z dnia 5 sierpnia 2011r. informujący, iż jedzie ona na spotkanie z Andrzejem Lepperam. W skrzynce nadawczej nie ujawniono żadnych wiadomości.

W toku postępowania zabezpieczono również i dokonano oględzin zapisów monitoringu z kamer zainstalowanych w bezpośredniej bliskości budynku w w W tj. kamer zainstalowanych przy budynku oraz przy oddziale S.A. na ul. budynku przy z widokiem na ul. jak i przy oddziale banku S.A. przy . W toku oględzin zapisów tych kamer z dnia 5 sierpnia 2011r. nie ujawniono nagrań mogących mieć znaczenie dowodowe.

Przeprowadzone w toku postępowania oględziny zewnętrzne i sekcja zwłok Andrzeja Leppera wykazały m.in. obecność bruzdy wisielczej w skórze szyi z cechami przyżyciowego jej powstania oraz wybroczyny krwawe w pochewkach mięśni skroniowych, zaznaczone rozdęcie i przekrwienie płuc, złamanie rogu większego kości gnykowej, złamanie rożka górnego chrząstki tarczowatej krtani, świadczące o tym, iż zgon Andrzeja Leppera spowodowany został uciskiem pętli wisielczej na narządy szyi. Na ciele Andrzeja Leppera nie stwierdzono śladów obrażeń wskazujących by na krótki czas przed zgonem walczył on lub aktywnie bronił się. Ujawnione podbiegnięcia krwawe w tkance podskórnej tylnej powierzchni podudzia prawego i lewego, będące skutkiem tępych urazów mechanicznych, godzących ze stosunkowo niewielką siłą, nie posiadające cech charakterystycznych umożliwiających sprecyzowanie skutkującego je narzędzia lub podłoża, nie miały wpływu na mechanizm zgonu. Badaniami chemicznymi w krwi i moczu nie stwierdzono obecności alkoholu etylowego.

Nadto w toku postępowania – na podstawie oględzin kalendarzy zabezpieczonych w pomieszczeniach partii Samoobrona – ustalono, iż Andrzej Lepper w każdym roku prowadził kalendarz książkowy, w którym zapisywał zarówno planowane spotkania, listy rzeczy do wykonania w danym dniu etc. jak i umieszczał notatki odnośnie wydarzeń, które miały miejsce, czy też informacje gdzie i z kim spędził dany dzień, jak i informacje o podjętych danego dnia działaniach, ocenę spotkań i wydarzeń. W kalendarzach tych Andrzej Lepper odnotowywał również fakt pobytu w domu w Z Wpisy w kalendarzach były przez niego dokonywane regularnie (codziennie), choć ilość wpisów odnośnie poszczególnych dni różniła się, w szczególności w przypadku pobytów w domu, wpisy ograniczały się często do sformułowania „dom". W roku 2011 Andrzej Lepper prowadził zapiski w kalendarzu w czerwonej skóropodobnej oprawie wydanym na rok 2010 przez Urząd Gminy Siedlce. Ostatnia cyfra z daty „2010" wytłoczonej na przedniej okładce kalendarza została odręcznie pisakiem przerobiona na cyfrę „1". Kalendarz był też przez Andrzeja Leppera dostosowywany do użytkowania go w roku 2011, w ten sposób, iż w miejscu przeznaczonym na zapiski dotyczące konkretnej daty wpisywał on wielkimi literami nazwę dnia tygodnia odpowiadającą tej dacie roku 2011. W kalendarzu tym znajdują się zapisy odnośnie wszystkich dni za okres od 31 grudnia 2010r. do 31 lipca 2011r. Na kartach przeznaczonych na zapiski odnośnie okresu od 1 do 5 sierpnia 2011r. kalendarz ten nie zawiera żadnych wpisów. W szczególności nie odnotowano w nim faktu pobytu w dniach 2-4 sierpnia 2011r. w Z spotkania w dniu 4 sierpnia 2011r. z P T i J M umówionego na dzień 5 sierpnia 2011r. wywiadu z A V ani planowanego w kolejnych dniach wyjazdu na Białoruś. Na kartach przeznaczonych do zapisów odnośnie okresu od 6 sierpnia do 31 grudnia 2011r. znajdują się tylko dwa zapisy dotyczące planowanych spotkań w dniach 16 i 22 sierpnia 2011r. w Koszalinie.

W toku postępowania dokonano również oględzin wszystkich pozostałych przedmiotów (w tym dokumentów i nośników danych w postaci płyt CD i DVD, kaset VHS etc.) zabezpieczonych zarówno w pokoju prywatnym Andrzeja Leppera jak i w pozostałych pomieszczeniach tej partii oraz zawartości dysków twardych ośmiu zabezpieczonych w siedzibie partii komputerów (w oparciu o ich kopie binarne sporządzone przez biegłego dla celów tego postępowania).

W toku oględzin przedmiotów zabezpieczonych w siedzibie partii Samoobrona ujawniono min:

- druk dokonanego przez Andrzeja Leppera w dniu 19 lipca 2011r. przelewu kwoty 3 000 zł tytułem grzywny;
- pismo z kwietnia 2010 do radcy prawnego reprezentującego Samoobronę informujące, iż Patria Samoobrona RP jak i Związek Zawodowy Rolnictwa Samoobrona nie posiada środków na opłatę wpisu sądowego;
- nakaz zapłaty w postępowaniu upominawczym z dnia 6 czerwca 2011r. nakazujący Samoobronie RP zapłacić gminie miasto Koszalin łączną kwotę 5 819,22 zł tytułem zaległości czynszowych;
- wezwanie z Sądu Rejonowego dla Warszawy-Mokotowa z dnia 16 czerwca 2011r. skierowane do Związku Zawodowego Rolnictwa Samoobrona do zapłaty w terminie 14 dni grzywny w kwocie 1 000,00 zł;
- pismo Sp. z o.o. z września 2010r. do Andrzeja Leppera informujące o nieotrzymaniu deklarowanych wpłat i zawierające stwierdzenie, iż całość zobowiązań w kwocie 41 002,00 zł winna zostać uregulowana do dnia 30 września 2010r.;

- zawiadomienie Komornika Sądowego przy Sądzie Rejonowym w Koszalinie z sierpnia 2010r. o wszczęciu egzekucji p-ko Andrzejowi Lepperowi z wniosku dłużników Sp. z o.o. i Z K, należność w łącznej kwocie 4 829,80 zł;

- zawiadomienie Komornika Sądowego przy Sądzie Rejonowym w Koszalinie z września 2010r. o wszczęciu egzekucji p-ko Andrzejowi Lepperowi z wniosku dłużnika Sądu Okręgowe Warszawa-Praga należność z tytułu grzywny i kosztów sądowych w łącznej kwocie 10 645,25 zł;

- pismo z Sp. z o.o z lipca 2011r. informujące o zaległościach z tytułu usług telekomunikacyjnych świadczonych na rzecz Andrzeja Leppera na łączną kwotę 883,45 zł;

- niepodpisane i niedatowane pismo skierowane do Samoobrony Rzeczypospolitej Polskiej zawierające zestawienie niezapłaconych faktur VAT i not księgowych oraz not odsetkowych na dzień 30 maja 2011r. na łączną kwotę 2 534,53 zł;

- rachunek wystawiony przez Sp. z o.o. dla Samoobrony Rzeczypospolitej Polskiej na kwotę 2 557,54 zł;

- niepodpisane i niedatowane pismo skierowane do Samoobrony Rzeczypospolitej Polskiej zawierające zestawienie niezapłaconych faktur VAT i not księgowych oraz not odsetkowych na dzień 26 czerwca 2011r. na łączną kwotę 2 557,54 zł;

- datowane na styczeń 2010r. zajęcie wynagrodzenia za pracę oraz wierzytelności zasiłku chorobowego Andrzeja Leppera oraz zajęcie wierzytelności dokonane przez Komornika Sądowego przy Sądzie Rejonowym w Koszalinie w związku z prowadzoną egzekucją należności stwierdzonej wyrokiem sądowym na łączną kwotę 1 189,35 zł;

- datowane na 26 stycznia 2011r. wypowiedzenie umowy o świadczenie przez Sp. z o.o. usług telekomunikacyjnych na rzecz Samoobrony Rzeczypospolitej Polskiej z uwagi na utrzymujące się zadłużenie wynoszące 2 864,95 zł.

- datowane na listopad 2010 r. skierowane przez pełnomocnika Sp. z o.o. do Andrzeja Leppera wezwanie do zapłaty kwoty 42 002,00 zł;
- rachunek wystawiony przez Sp. z o.o. dla Samoobrony Rzeczypospolitej Polskiej na kwotę 2 864,95 zł;
- wezwanie do zapłat kwoty 1 836,00 zł skierowane do Andrzeja Leppera przez Sp. z o.o.;
- datowane na 13 kwietnia 2011r. skierowanie do Andrzeja Leppera przez Zakład Ubezpieczeń Społecznych wezwanie od zapłaty łącznej kwoty 5 435,86 zł;
- datowane na 14 stycznia 2011r. skierowane do Andrzeja Leppera przez Sp. z o.o. ostateczne wezwanie do zapłaty kwoty 55 654,82 zł;
- datowane na 20 kwietnia 2011r. zajęcie wynagrodzenia za pracę oraz wierzytelności zasiłku chorobowego Andrzeja Leppera oraz zajęcie wierzytelności dokonane przez Komornika Sądowego przy Sądzie Rejonowym w Koszalinie w związku z prowadzoną egzekucją grzywny orzeczonej wobec Andrzeja Leppera na łączną kwotę 11 338,71 zł;
- fakturę wystawioną przez Sp. o.o. w dniu 21 kwietnia 2011r. dla Andrzeja Leppera za zakup oleju napędowego na łączną kwotę brutt 24 070,01 zł z terminem zapłaty do dnia 14 maja 2011r.;
- notę odsetkową wystawioną w dniu 14 stycznia 2011r. prze Sp. z o.o. Andrzejowi Lepperowi na łączną kwotę 1 423,83 zł;
- datowane na 11 lipca 2011r. wezwanie do zapłaty kwoty 647,00 zł tytułem zasądzonego zwrotu kosztów procesu;
- dokumentny z Sp. z o.o. świadczące o istnieniu po stronie Samoobrony RP zaległości z tytułu opłat za usługi telefoniczne w roku 2011r. na poziomie kilkuset złotych;
-

- adnotację o treści „ok. 14:00 w Banku z T pobrałem pieniądze 119 tys. zł" w kalendarzu prowadzonym przez Andrzeja Leppera w roku 2010, w zapiskach dotyczących piątku – 29 października;
- datowane na 11 lipca 2011r. ostateczne wezwanie do zapłaty łącznej kwoty 24 567,24 zł skierowane do Andrzeja Leppera przez Sp. z o.o.;
- wyciąg z rachunku bankowego Andrzeja Leppera z czerwca 2011r. wskazujący saldo 50 100,34 zł przy czym na rachunku tym odnotowano wpłatę kwoty 50 000,00 zł zgodnie z umową zakupu ziemi;
- datowane na 14 stycznia 2011r. ostateczne wezwanie do zapłaty skierowane do T l przez Sp. z o.o. na kwotę 4 315,46 zł;

Rejonowym w Koszalinie ruchomości Andrzeja Leppera w postaci ciągnik rolniczego Ursus;

- oświadczenie podpisane „Andrzej Lepper" i „T D zgodnie którym w dniu 4 lutego 2011r. Andrzej Lepper oddał T D zastaw zegarek maki zenit – złoty, na okres 1 miesiąca za kwotę 10 000 zł;

- umowę pomiędzy Sp. z o.o. a Andrzejem Lepperem z dni 28 października 2010r., na mocy której Andrzej Lepper zobowiązał się sprzeda Sp. z o.o. 300 ton pszenicy konsumpcyjnej ze zbiorów 2011; zaś Sp. z o.o. w tym dniu zapłaciło mu kwotę 120 000 zł tytułem zaliczki; w przedmiotowej umowie Andrzej Lepper potwierdził również swoje zobowiązania wobec Sp. z o.o. z tytułu zakupu paliwa i zobowiązał się je spłacić do 31 grudnia 2010 r. oraz poręczył za dług swojego syna - T L wobec tej spółki; nadto na zabezpieczenie roszczeń Sp. z o.o. (w tym o zwrot zaliczki) zobowiązał się ustanowić hipotekę na nieruchomości wchodzącej w skład jego majątku wspólnego wraz z żoną;

- zawiadomienie z Sądu Rejonowego w Koszalinie o wpisaniu na nieruchomości Andrzeja i I L na rzecz Sp. z o.o. hipoteki umownej kaucyjnej w kwocie 130 000,00 zł oraz hipoteki przymusowej zwykłej w kwocie 45 451,67 zł oraz akt notarialny ustanowienia tych hipotek;

- dwanaście kartek formatu A4 zawierających wydruki zaklęć magicznych na różne okazje typu „na urodę" „na przypływ pieniędzy" oraz tabele faz księżyca; na 10 spośród tych kartek, na ich odwrotach znajdują się nakreślone przez Andrzeja Leppera (co zostało ustalone w oparciu o opinię biegłego z zakresu badań pisma) adnotacje, zapiski, których treść sugeruje, iż są to informacje pochodzące z horoskopów i wróżb, takiej jak: „II połowa roku obserwować ludzi", wiele tych zapisków dotyczy przyszłości i rodziny np. „syn przeczekać wszystko w tym roku", „R nie słucha do końca, 25 rok życia będzie mężczyzna, partner nie na stałe, ciemny blondyn – młody duchem ale spokojny" oraz oceny współpracowników typu „C tak, szczera, może być dobra asekuracja, dobre pomysły" czy też podejmowanych przedsięwzięć „spółka ktoś miesza błędne decyzje [...] kredyt do

2 miesięcy"; część z tych zapisków nosi daty 2010, część 2011, część nie jest datowana; podobnej treści adnotacje znajdują się też na ostatnich kartach czerwonego kalendarza użytkowanego przez Andrzeja Leppera w roku 2011r.;

- datowana na 23 marca 2011r. prośba Andrzeja Leppera do Agencji Nieruchomości Rolnych Skarbu Państwa o wstrzymanie procedury sprzedaży dzierżawionych przez jego syna gruntów za uwagi na jego chorobę;

- datowane na 18 lipca 2011r. pismo Andrzeja Leppera do Komornika Sądowego przy Sądzie Rejonowy w Kaszlanie z prośbą o wstrzymanie, zgodnie ze wcześniejszymi ustaleniami, do 31 sierpnia 2011r. licytacji ciągnika Ursus, informujące jednoczenie o dokonaniu wpłaty kwoty 3 000 zł na rachunek komornika.

W toku oględzin kopii binarnych dysków twardych komputerów zabezpieczonych w siedzibie Samoobrony ujawniono zaś m.in:

- e-mail skierowany do Związku Zawodowego Rolnictwa Samoobrona z dnia 25 marca 2011 potwierdzający otrzymanie przez Copa-Cogeca zaległej składki za rok 2010 w wysokości 22 200,00 euro oraz przypominający o konieczności uiszczenia składki za rok 2011;

- komunikat o ustanowieniu przez Andrzeja Leppera Funsacji „Polsko-Białoruskie Pojednanie" o funduszu założycielskim 5 000,00 zł

- skan pisma do / Sp. z o.o. podpisanego „Andrzej Lepper" datowanego na 14 lipca 2011r. zawierającego prośbę o spotkanie celem omówienia zobowiązań zaciągniętych na mocy umowy z dnia 28.10.2010; pismo to zawiera stwierdzenia, iż obecna sytuacja finansowa nie pozwala Andrzejowi Lepper na wywiązanie się z tych zobowiązań finansowych jak i żadnych innych oraz deklarację chęci zawarcia ugody;

- zaświadczenie z dnia 29 marca 2010r. o zatrudnieniu Andrzeja Leppera w Samoobronie Rzeczypospolitej Polskiej z wynagrodzeniem 1 317,00 zł miesięcznie brutto;

- świadectwo pracy Andrzeja Leppera wystawione przez Partię Samoobrony RP, zgonie z którym jego stosunek pracy wygasł w dniu 31 marca 2011r. z upływem czasu na jaki umowa była zawarta;

- pismo Samoobrony RP z dnia 28 lutego 2011r. do ... Sp. z o.o. z prośbą o rozłożenie na raty należności z tytułu zużytej energii w kwocie 4 046,93 zł;

Nadto w toku postępowania ustalono, iż Partia Samoobrona Rzeczypospolitej od roku 2007, kiedy to otrzymała ostatnią subwencję ze Skarbu Państwa, była de facto w likwidacji. Od roku 2007 partia ta nie miała praktycznie żadnych przychodów i utrzymywała się ze środków zgromadzanych we wcześniejszym okresie. W roku 2011 partia ta nie miała żadnego majątku, była jednak zadłużona z tytułu czynszu najmu pomieszczeń przy w W oraz rachunków telefonicznych Andrzeja Leppera (z powodu niepłacenie, których jego telefon został wyłączony). W dniu 13 maja 2011r. m. st. Warszawa – właściciel budynku przy wypowiedział Partii Samoobrona RP najem pomieszczeń z uwagi na zaległości czynszowe w łącznej kwocie 25 677,61 zł. Samoobrona RP zwróciła się o rozłożenie powyższych zaległości na raty oraz o ponowne nawiązanie stosunku najmu. W czerwcu 2011r. m. st. Warszawa poinformowało Samoobronę RP, iż warunkiem wszczęcia takiej procedury jest uiszczenie całego zaległego czynszu, który na dzień 20 czerwca 2011r. wnosił 35 031,89 zł. W okresie od 10 lipca do 10 sierpnia 2011r. Samoobrona dokonała częściowej spłaty powyższego zadłużenia i na dzień 18 sierpnia 2011r. jej zadłużenie z tego tytułu wnosiło 16 336,80 zł. Nadto jak ustalono, z powodu zalegania z płatnościami doszło również do odłączenia energii elektrycznej w lokalu przy ... . Z powodu nieopłacenia rachunków odłączono również system alarmowy firmy zamontowany w biurze partii. Pracownice księgowości, które do roku 2007r były zatrudnione w partii Samoobrona RP w oparciu o umowy o pracę, od roku 2008r. prace te wykonywały społecznie. Nowa partia – Nasz Dom Polska – Samoobrona Andrzeja Leppera utrzymywała się ze składek członkowskich i nie miała żadnych zobowiązań.

Również Związek Zawodowy Rolnictwa „Samoobrona" (którego przewodniczącym był Andrzej Lepper) był w trudnej sytuacji majątkowej. W roku 2007 jego konta zostały zablokowane przez komornika. Związek miał też problemy z terminowym zapłaceniem składki członkowskiej w organizacji COPA COGEKA za rok 2010 albowiem środki otrzymane przez Związek z dotacji centralnej Andrzej Lepper przeznaczył na inne cele. W związku z koniecznością uiszczenia składki, Andrzej Lepper zwracał się do V . ξ o pożyczkę lub też o zorganizowanie takiej pożyczki. Ostatecznie środki na zapłatę składki zostały wyłożone przez członków Związku Zawodowego Rolnictwa Samoobrona.

W toku postępowania nie zdołano ustalić bliższych danych osobowych T D którego podpis widnieje na ujawnionym w trakcie oględzin pomieszczeń Samoobrony oświadczeniu z dnia 4 lutego 2011r. dotyczącym przyjęcia przez niego w zastaw zegarka Andrzeja Leppera, co uniemożliwiło jego przesłuchanie w charakterze świadka (w bazie PESEL figuruje ponad 100 osób o takich danych). W toku postępowania ustalono jednak, iż Andrzej Lepper szukał wśród współpracowników osób, które chciały by kupić jego złoty zegarek marki Zenith za kwotę 15 000,00zł. Na jego prośbę, M R zaniósł też przedmiotowy zegarek do lombardu w celu ustalenia jaką kwotę można za niego uzyskać. Zaproponowana przez lombard kwota 5 000,00 zł – 6 000,00 zł go jednak nie usatysfakcjonowała. O fakcie zastawienia zegarka Andrzej Lepper poinformował Z S Nadto w toku postępowania ustalono, iż Andrzej Lepper na kilka miesięcy przed śmiercią przestał nosić przedmiotowy zegarek. Żonę poinformował, iż spowodowane jest to tym, że popsuł mu się pasek. Kilka miesięcy przed śmiercią Andrzej Lepper powiedział swojej córce M , iż z biura partii skradziono mu złoty zegarek oraz spinki do mankietów stanowiące z nim komplet. M B nie była jednak w stanie określić czy chodziło o zegarek marki Zenith czy też o inny zegarek, gdyż według jej wiedzy Andrzej Lepper miał dwa złote zegarki. Z uwagi na powyższe zeznania M B , wyłączono do odrębnego prowadzenia materiały w sprawie zaboru w celu przywłaszczenia w nieustalonym dniu w okresie od 1 stycznia do 5 sierpnia 2011r. w Warszawie przy złotego zegarka oraz złotych spinek o nieustalonej wartości na szkodę Andrzeja Leppera tj. o czyn z art. 278 § 1 kk.

W latach 2010-2011 M R kilkukrotnie z własnych środków zapłacił za benzynę do samochodu M M którym woził on Andrzeja Leppera. Płatności tych M R dokonał na prośbę Andrzeja Leppera, który mówił mu aby wziął za zakup fakturę na Związek Zawodowy Rolnictwa Samoobrona i zapewniał, iż pieniądze zostaną mu zwrócone. M R sfinansował również zakup klocków hamulcowych do samochodu M M jak również użyczał Andrzejowi Lepperowi swojego telefonu komórkowego. Nadto, w roku 2010 Andrzej Lepper dwukrotnie (w maju i lipcu) zwrócił się do M R o pożyczenie pieniędzy, informując go, iż musi przesłać pieniądze do domu. M R zgodził się udzielić pożyczek (drugiej pożyczki udzielił mimo, iż pierwsza nie została spłacona). Zgodnie z instrukcjami Andrzeja Leppera, pieniądze (raz w kwocie 3 970,00 zł, drugi raz w kwocie 2 900,00 zł) zostały przez M R przesłane na konto T L . Do śmierci Andrzeja Leppera, kwoty powyższych pożyczek jak i kwoty wyłożone na zakup paliwa i klocków hamulcowych nie zostały M R zwrócone.

Nadto jak ustalono, w roku 2010r. Andrzej Lepper przyjął od P G kwotę 1 000 USD jako wsparcie w związku z chorobą syna. Andrzej Lepper żalił się również Z S iż nikt nie chce mu pomóc, a ma on problemy finansowe, brakuje mu na bieżące wydatki, jego syn jest ciężko chory a on nie ma nawet 500 zł aby pojechać do Gdańska. Również B (– Wiceprzewodniczącej Związku Zawodowego Rolnictwa Samoobrona - Andrzej Lepper mówił, że zarówno on sam jak jego partia ma problemy finansowe. O tym, że nie wiedzie mu się finansowo Andrzej Lepper informował również V C i K S M R Andrzej Lepper mówił zaś, iż gospodarstwo rolne prowadzone przez rodzinę ma kłopoty - jest zadłużone na 20-30 tys. złotych. O zadłużeniu gospodarstwa rolnego Andrzej Lepper mówił również J M i D G . O problemach finansowych m.in. dotyczących partii Andrzej Lepper informował też F R Co prawda latem 2011r. na zadane mu przez członka partii R K pytanie, Andrzej Lepper zapewniał go, iż partia ma zabezpieczone kilkadziesiąt milionów złotych na cele kampanii wyborczej, lecz jak wskazał R K okazało się to nieprawdą.

Nadto jak ustalono, choć formalnie w Z znajdowały się trzy osobne nieruchomości, jedna należąca do Andrzeja i I L , jedna do T L i jedna do M B w rzeczywistości stanowiły one jedno gospodarstwo rolne, które prowadzili wspólnie T L oraz Andrzej i I L . W okresie gdy Andrzej Lepper pełnił funkcję posła i wicepremiera, większość swoich zarobków przeznaczał na prowadzenie tego gospodarstwa. Po roku 2007, gospodarstwo to utrzymywało się głównie z dopłat unijnych oraz sprzedaży wyprodukowanych towarów.

W latach 2009/2010 Andrzej Lepper podejmował w imieniu swojego syna - T - rozmowy z Sp. z o.o. zmierzające do prolongaty terminów spłat rat leasingowych za sprzęt rolniczy, wzięty przez niego w leasing na mocy dwóch umów. W październiku 2010r. łączna zaległość T L z tytuły tych rat wynosiła 205 879,45 zł. Mimo prowadzonych przez Andrzeja Leppera rozmów, umowy leasingowe z T L zostały przez Sp. z o.o. rozwiązane, a sprzęt będący ich przedmiotem sprzedany. Dochód ze sprzedaży sprzętu zaliczono na poczet zobowiązań T L co ograniczyło jego zadłużenie do kwoty 10 981,61 zł. Kwota ta nie została uregulowana, lecz z uwagi na nieopłacalność jego dochodzenia na drodze sądowej, zobowiązanie to zostało przez Sp. z o.o. umorzone.

Nadto jak ustalono, w roku 2010 Andrzej Lepper zakupił w spółce Sp. z o.o. paliwo oraz środki ochrony roślin z odroczonym terminem płatności na łączną kwotę 41 335,59 zł. Płatność nie została jednak uiszczona w terminie a Andrzej Lepper zwrócił się do spółki o udzielenie pożyczki w kwocie około 100 000 zł. Spółka odmówiła udzielenia pożyczki lecz zaproponowała zawarcie umowy kontraktacji zboża, na mocy której - w dacie zawarcia umowy - wypłaconoby Andrzejowi Lepperowi zaliczkę, zaś jej zwrot (w razie nie zrealizowania dostawy) byłyby zabezpieczony hipoteką. W dniu 28.10.2010r. umowa taka została zawarta. Na jej mocy Andrzej Lepper zobowiązał się m.in. dostarczyć ze zbiorów za rok 2011 300 ton pszenicy konsumpcyjnej, uregulować swoje zadłużenie wobec Sp. z o.o. z tytułu zakupu środków ochrony roślin wraz odsetkami do 31 grudnia 2010r. oraz poręczył zobowiązania swojego syna w kwocie 4 116,08 zł wobec tej spółki. Spółł Sp. z o.o. zobowiązała się wypłacić Andrzejowi Lepperowi zaliczkę na poczet ceny zakupu pszenicy w wysokości 120 000,00 zł. W tym samym, dniu Andrzej i I L ustanowili na rzecz Sp. z o.o. w celu zabezpieczenia roszczeń o zwrot zaliczki - hipotekę umowną kaucyjną do kwoty 130 000,00 zł oraz na zabezpieczenie długu Andrzeja Leppera i T L z tytułu zakupu paliwa i środków ochrony roślin hipotekę umowną zwykłą w kwocie 45 451,67 zł. W tym samym dniu nastąpiła też wypłata na rzecz Andrzeja Leppera zaliczki na poczet ceny zakupu pszenicy w kwocie 120 000,00 zł. Do chwili śmierci Andrzeja Leppera, mimo kierowania przez Sp. z o.o. ponagleń, spłacona została jedynie należność wynikająca ze zobowiązań T L wobec tej spółki. Zobowiązanie do dostarczenia 300 ton pszenicy konsumpcyjnej ze zbiorów za rok 2011 również nie zostało zrealizowane. Jednocześnie nie długo przed śmiercią Andrzej Lepper zapewniał żonę, iż będą w stanie spłacić zadłużenie wobec Sp. z o.o. wskazując, iż będzie osiągał odchody z planowanej współpracy z Białorusią. Nadto jak ustalono, pieniądze otrzymane od Sp. z o.o. tytułem zaliczki pozostawały w całości w dyspozycji Andrzeja Leppera. W toku postępowania nie ustalono na co zostały one przeznaczone. Jednoczenie jak ustalono, poza żoną, najbliżsi Andrzeja Leppera – w tym jego syn, nie wiedzieli, o fakcie ustanowienia hipoteki celem zabezpieczenia roszczeń Sp. z o.o.

W toku postępowania ustalono, iż Andrzej Lepper angażował się w szereg przedsięwzięć gospodarczych. W latach 2006-2011 podejmował wspólnie z C K trzy próby nawiązania współpracy z podmiotami w Egipcie, Syrii i Iraku. próby te nie powiodły, Andrzej Lepper i C K oceniali, iż było to spowodowane przyczynami niezależnymi od nich, związanymi z sytuacją polityczną w tych krajach. W roku 2010 Andrzej Lepper założył dwie spółki - Sp. z o.o. oraz Sp. z o.o. Spółki te nie rozpoczęły jednak nigdy działalności. Prowadzone były jedynie wstępne rozmowy bussinesowe z potencjalnymi kontrahentami z Polski i Białorusi. Również spółka Sp. z o.o. początkowo miała zajmować się pośrednictwem w handlu z Jordanią i Irakiem. W styczniu 2011r. Andrzej Lepper zgłosił rozpoczęcie działalności gospodarczej pod firmą , której przedmiotem działalności było doradztwo gospodarcze. W roku 2011 Andrzej Lepper wiązał duże nadzieje na współpracę bussinesową z Białorusią. Razem z C K prowadzili rozmowy zmierzające do zawarcia umowy, na mocy której mieli importować drewno z Białorusi celem jego sprzedaży do Czech i Austrii. Andrzej Lepper w roku 2011 odbył szereg podróży na Białoruś, spotykał się też z przedstawicielami dyplomatycznymi Republiki Białorusi w Polsce. Na kolejne dni sierpnia 2011 r. Andrzej Lepper i C K planowali kolejny wyjazd na Białoruś, w czasie którego miało dojść do podpisania umowy na dostawy drewna. W sprawie tej podróży w/wym odbyli szereg rozmów telefonicznych w początkowych dniach sierpnia. Ostatnia ich rozmowa miała miejsce w dniu 4 sierpnia 2011r., w godzinach wieczornych. Podczas tej rozmowy Andrzej Lepper poprosił C K aby ten skontaktował się z nim następnego dnia około 9:00, co ten próbował uczynić lecz Andrzej Lepper nie odbierał telefonu. Choć poprzednie dwa przedsięwzięcia, w które byli razem zaangażowani nie wyszły, C K i Andrzej Lepper oceniali bardzo wysoko szanse powodzenia przedsięwzięcia związanego z zakupem drewna na Białorusi. Jak ustalono, w celu realizacji tego przedsięwzięcia Andrzej Lepper planował założenie spółki na Białorusi. Andrzej Lepper założył również Fundację Polsko-Białoruskie Pojednanie i był zaangażowany w organizację Izby Przemysłowo-Handlowej na Białorusi

33

W toku postępowania ustalono również, iż w roku 2010 Andrzej Lepper i M. M wyrazili zainteresowanie nabyciem od I S jego przedsiębiorstwa. Do transakcji jednak nie doszło, zaś Andrzej Lepper poinformował I iż wynikało to z faktu, iż nie uzyskali oni kredytu. Andrzej Lepper skontaktował jednak I S z Vi C która miała mu pomóc w restrukturyzacji jego zakładu. W efekcie tych kontaktów, w kwietniu 2011r. I S podpisał umowę zlecenia z firmą Sp. z o.o. w N. W umowie tej I S umocował m.in. w/wym spółkę do zawierania w jego imieniu umów kredytu i obciążania jego nieruchomości hipotekami, zaś w celu zabezpieczenia roszczeń spółki Sp. z o.o. o zapłatę wynagrodzenia za świadczone usługi restrukturyzacyjne przeniósł na nią nieruchomości, na których prowadził działalność gospodarczą. Po dokonaniu tych czynności I S doszedł do wniosku, iż został oszukany przez osoby działające w imieniu spółki (w tym Vi C M M które w jego ocenie dążyły do przejęcia jego przedsiębiorstwa. W związku z tym kontaktował się wielokrotnie z Andrzejem Lepperem telefonicznie, dopytując się kiedy zakończy się restrukturyzacja jego firmy. Odnosił jednak wrażenie, iż Andrzej Lepper zbywał go. Wobec powyższego, w połowie lipca 2011r. I S udał się do Z gdzie spotkał się z I L i prosił ją o interwencję u męża, w jego sprawie. Prosił ją aby porozmawiała z Andrzejem Lepperem i nakłoniła go aby mu pomógł odzyskać majątek. Po tej wizycie I S kilkukrotnie dzwonił w tej sprawie do I L. Kiedy I L poinformowała Andrzeja Leppera o wizycie I S Andrzej Lepper wyraził obawy czy I S nie został przez kogoś „podstawiony", czy nie jest to jakaś akcja, prowokacja skierowana przeciwko niemu. Nie chciał jednak powiedzieć żonie, kto miałby tę akcję przegotować. W dniu 4 sierpnia 2011r. I S złożył w Prokuraturze Rejonowej Toruń-Wschód zawiadomienie o popełnieniu na jego szkodę przestępstwa oszustwa, o czym poinformował I L telefonicznie w dniu 5 sierpnia 2012r. około godziny 8:50. Jak wskazała I L w kontaktach z nią I S był rozgoryczony, wręcz zrozpaczony lecz nie był agresywny, nie kierował pod jej adresem ani pod adresem męża gróźb, prosił jedynie aby nakłoniła męża do udzielenia mu pomocy. I L nie umiała ocenić jakie były odczucia męża związane z zachowaniem I S Jak ustalono, w związku z zawiadomieniem o przestępstwie złożonym przez I S Prokuratura Rejonowa Toruń-Wschód wszczęła postępowanie przygotowawcze.

Przesłuchiwany w charakterze świadka Z S wskazał zaś, iż podczas jego ostatniego spotkania z Andrzejem Lepperem, które miało miejsce na początku sierpnia 2011r. kiedy to Andrzej Lepper zatrzymał się u niego w biurze po drodze do domu w Z , Andrzej Lepper poinformował go, iż w dniu 5 sierpnia 2011r. ma do uregulowania płatności – ratę za ciągnik i opłatę z tytułu dzierżawy, łącznie około 70-80 tys. zł i spodziewa się ,że tego dnia około godziny 9:00 rano pieniądze na ten cel przekaże mu attache handlowy Republiki Białorusi w Polsce. Z S wskazał, iż nie wie jakie relacje łączyły Andrzeja Leppera z tą osobą, nie zna też jego nazwiska, wie jedynie, iż jest on synem mera miasta Grodna. W dalszym toku postępowania ustalono, iż od 2 lipca 2009r. do chwili obecnej funkcję radcy handlowego Ambasady Republiki Białorusi w Warszawie pełni Mi T , zaś funkcję mera miasta Grodna, od 9 stycznia 2009r. do chwili obecnej pełni B K . Jednocześnie jak ustalono, notes telefoniczny Andrzeja Leppera zawiera zapis o treści „Radca handlowy Ambasada – Białoruś M T , przy czym wykaz połączeń przychodzących i wychodzących do i z telefonu komórkowego Andrzeja Leppera za okres od 1 do 5 sierpnia 2011r. nie zawiera połączeń, prób połączeń czy też smsów z lub do któregoś z tych numerów. W kalendarzu prowadzonym przez Andrzeja Leppera w roku 2011 znajdują się też liczne wpisy dotyczące spotkań oraz kontaktów telefonicznych z „Radcą Ambasady Białorusi". Z zapisów tych wynika również, iż tak opisywana przez Andrzeja Leppera osoba towarzyszyła mu w kilu wizytach na Białorusi. W toku postępowania podjęto działania zmierzające do przesłuchania w charakterze świadka M T . Z uwagi na fakt, iż jest członkiem personelu dyplomatycznego, zgadnie z art. 581 kpk nie jest on obowiązany do składania zeznań w charakterze świadka w toku postępowań karnych prowadzonych w Polsce i można jedynie zwrócić się do niego o wyrażenie zgody na złożenie takich zeznań. Do daty zakończenia niniejszego postępowania M T nie wyraził zgody na złożenie zeznań w niniejszym postępowaniu (skierowane do niego pismo w tej sprawie pozostało bez odpowiedzi).

Nadto w toku postępowania ustalono, iż podczas pogrzebu Andrzeja Leppera, do obecnego tam K R , podszedł nieznany mu mężczyzn, który nie chciał podać swojego imienia. Mężczyzna ten przekazał K R płytę DVD, ze słowami, że może się ona przyczynić do wyjaśnienia dlaczego Andrzej Lepper popełnił samobójstwo. Mężczyzna ten podał również swój numer telefonu . K R ,doprowadził do publikacji materiału zawartego na powyższej płycie na stronach internetowych gazety Super Expressu. Po tej publikacji K R kilkukrotnie kontaktował się telefonicznie, z mężczyzną, który przekazał mu płytę. W efekcie tych kontaktów, w zamian za zobowiązanie Redaktora Naczelnego Gazety Super Expressu przesłane mailem na adres iż uzyska on reklamę w tej gazecie, na stacji benzynowej w okolicach Rabki, mężczyzna ten przekazał K R drugą płytę DVD, informując go, iż zawiera ona jeden z ostatnich wywiadów udzielonych przez Andrzeja Leppera przed śmiercią. W toku postępowania dokonano protokolarnego odtworzenia zapisów na powyższych płytach na podstawie których stwierdzono, iż każda z nich zawiera po jednym nagraniu video krółkich fragmentów wypowiedzi Andrzeja Lepperam. Na jednym z nagrań Andrzej Lepper stwierdza, iż wobec jego osoby prowadzone są celowe działania zmierzające do wyeliminowania go z polityki, polegające na podważaniu jego wiarygodności, „kryminalizowaniu jego działań", czego przykładem jest - w jego ocenie - tak zwana sex afera. W wypowiedzi tej Andrzej Lepper szczegółowo wskazuje dlaczego w jego opinii zeznania A K są niewiarygodne. Na drugiej płycie nagrana jest zaś następująca, zaczynająca się w połowie zdania wypowiedź: „że oni chcieli wciągnąć mnie w ten wir korupcji, której dokonywali tu się nie udało więc wymyślili .... wicepremierem nie tak dawno temu, 6 lat w sejmie, przewodniczącym partii. Przecież to nie problem dzisiaj korzystając z tej sztuki wojny na końcu to trzeba wbić nóż i koniec no. Przecież to żaden problem m.im, że to zostanie dla potomnych, chociażby mimo, że ja o pewnych sprawach wiedziałem nie mówiłem, nawet najbliższym współpracownikom, bo ktoś mógłby uznać mnie, że już mam tam coś w głowie miesza, wszędzie widzi wroga, bo ja zawsze byłem w tych działaniach, nie raz jeździłem z ludźmi i okazuje się że oni mieli dużo racji, mówią patrz, ten niepewny, ten samochód za nami jedzie, ten tu. Ci ludzie którzy przychodzą do mnie do biura czy tu na Marszałkowskiej, Panie, Pana wykończą, oni Panu nie podarują, niech Pan uważa". Jednocześnie w toku postępowania ustalono, iż powyższe nagrania zostały wykonane co najmniej kilka miesięcy przed śmiercią Andrzeja Leppera, albowiem na nich ma on na ręce złoty zegarek marki Zenith. W toku postępowania mimo podjętych w tym kierunku działań nie ustalono tożsamości mężczyzny, który przekazał przedmiotowe płyty K R . Telefon komórkowy o numerze był bowiem aktywowany w systemie pre-paid, a jego abonent nie przekazał swoich danych operatorowi. Również w oparciu o numery IP, z których łączono się z adresem mailowym nie było możliwe ustalenie osoby, posługującej się tym adresem. Jak bowiem ustalono ze skrzynką tą łączno się z numeru przydzielonego kawiarence internetowej oraz firmie dostarczającej Internet w Szczawnicy i okolicach – MP Internet s.c. Przesłuchani w charakterze świadków – klienci s.c. K S i A zeznali zaś, iż nigdy nie posiadali takiego adresu ani telefonu o numerze oraz nie znali osobiście Andrzeja Leppera, nigdy też nie przekazywali żadnych płyt z nagraniami K R

W toku postępowania ustalono również, iż jesienią 2010r. do T S dziennikarza Gazety Polskiej, zgłosił się informator (który zastrzegł swoją anonimowość) i przekazał mu, iż jest wysłannikiem od Andrzeja Leppera, który chce ujawnić źródła przecieku w tzw. aferze gruntowej czy też przeciekowej oraz że boi się on o swoje życie i prosi o zorganizowanie spotkania z Jarosławem Kaczyńskim. T S zaproponował, iż to on spotka się z Andrzejem Lepperem. Spotkanie to odbyło się 1 października 2010r. w parku Łazienki Królewskie w Warszawie. W czasie spotkania Andrzej Lepper był spięty, zdenerwowany, sprawiał wrażenie, iż czegoś się obawia. Na pytanie T S , czy to prawda, że źródłem przecieku jest J . K , Andrzej Lepper odpowiedział: „to poszło od K " i stwierdził, że są na to inne dowody niż jego słowa. W czasie rozmowy Andrzej Lepper był bardzo enigmatyczny, mówił jedynie, iż chce przekazać widomości Jarosławowi Kaczyńskiemu. T S zaproponował mu, iż przynajmniej część posiadanych przez Andrzeja Leppera informacji ujawni w „Gazecie Polskiej" pod jego nazwiskiem lub bez ujawniania tożsamości oraz, że zapyta się osób, które mają dostęp do Jarosława Kaczyńskiego, czy ma on ochotę na kontakt z Andrzejem Lepperem, jednocześnie uprzedzając go, iż będzie to trudne, z uwagi na brak zaufania Jarosława Kaczyńskiego do Andrzeja Leppera oraz napiętą sytuację polityczną w Polsce. Co do propozycji opublikowania informacji w gazecie,

Andrzej Lepper stwierdził, że się nad tym zastanowi lecz do dnia śmierci nie wypowiedział się w tej sprawie. Po spotkaniu z Andrzejem Lepperem, T S utrzymywał sporadycznie kontakty z informatorem, który skontaktował go z nim, informator ten przekazał mu, że jeszcze tydzień przed śmiercią Andrzeja Leppera oglądał on (tj. informator) w siedzibie partii notesy, w których zapisane były informacje dotyczące afery przeciekowej i wiele innych kompromitujących dla polityków informacji oraz zeszyt, który różnił się wyglądem od tych notesów. Andrzej Lepper miał twierdzić, że w tych zeszytach wszystko jest zapisane. Informator podkreślał cały czas, że Andrzej Lepper boi się o swoje życie, a jego lęk miał związek z bohaterami afery przeciekowej. T S nie zawsze miał bezpośredni kontakt z informatorem, czasem informacje były mu przekazywane pośrednio, miało to miejsce m.in. w przypadku informacje na temat notesów. W informacji tej miejsce ich przechowywania określano jako „sejf" w siedzibie partii Samoobrona w Warszawie. Rozmowa, którą T S przeprowadził z Andrzejem Lepperem w dniu 1 października 2010 była przez niego nagrywana, bez wiedzy Andrzeja Leppera. W toku postępowania zabezpieczono powyższe nagranie. Z uwagi jego na bardzo słabą jakość w toku postępowania powołano biegłego celem poprawy jakości nagrania i sporządzenia stenogramu rozmowy. Biegły w wydanej opinii wskazał, iż z uwagi na bardzo silne zakłócenia, fragmenty nagrania, zwłaszcza w zakresie wypowiedzi rozmówcy T S (którym najprawdopodobniej jest Andrzej Lepper) są zamaskowane w sposób uniemożliwiający odsłuchanie i zrozumienie zarejestrowanej rozmowy. Jednakże z odtworzonej treści wynika, iż rozmowa dotyczyła przede wszystkiemu tzw. afery przeciekowej, jej źródła i nie zawiera żadnych informacji na temat obaw Andrzeja Leppera o własne życie. W toku postępowania nie ustalono kto był informatorem T S . Jednocześnie jak ustalono, Andrzej Lepper uważał, że zarówno tzw. afera gruntowa jak i seks afera były prowokacjami, lecz uważał, iż Jarosław Kaczyński nie miał tego świadomości. Uważał, że Jarosław Kaczyński został oszukany, wprowadzony w błąd. Uwierzył w „spreparowane" materiały, które mu przedstawiono. Jednocześnie jak ustalono, Andrzej Lepper informował J M iż uważa za stosowne upublicznienie powyższych przypuszczeń o wprowadzeniu Jarosława Kaczyńskiego w błąd oraz że w tym celu chce się spotkać z T S . Po spotkaniu, Andrzej Lepper poinformował zaś J M iż zgłosił T S swoje wątpliwości, ale daleki był od tego, aby spotykać się z Jarosławem Kaczyńskim. J : M nie posiadał też żadnej wiedzy aby Andrzej Lepper dysponował jakimiś nie ujawnionymi wcześniej materiałami, które miałby znaczenie w sprawach afery gruntowej, nie posiadał też żadnej wiedzy o tym, aby Andrzej Lepper się czegoś lub kogoś (w tym na scenie politycznej) obawiał. Podkreślić przy tym należy, iż w toku postępowania dokonano oględzin wszystkich pomieszczeń w biurze Samoobrony (w tym zamykanej szafy w gabinecie Andrzeja Leppera) oraz ujawnionych w ich toku notesów i zeszytów i nie ujawniono w nich treści wskazujących na obawy Andrzeja Leppera o własne życie. Wskazać jednocześnie należy, iż w toku postępowania przekazano do sprawy o sygn. V Ds 324/07 Prokuratury Okręgowej w Warszawie (a więc tzw. spawy afery przeciekowej) informację, o złożeniu przez T· S: zeznań mogących mieć znaczenie dowodowe w tej sprawie, a następnie - na wiosek prokuratora prowadzącego tamto postępowanie - przekazano uwierzytelnione odpisy dokumentów z akt niniejszej sprawy, jak również udostępniono same akta i zabezpieczone w toku postępowania notesy Andrzeja Leppera celem wykorzystania w tamtym postępowaniu.

Jednocześnie jak ustalono, od czasów tzw. sex afery oraz tzw. afery gruntowej (która skutkowała odwołaniem Andrzeja Leppera ze stanowiska Wicepremiera i Ministra Rolnictwa i rozpadem kolacji Samoobrony RP z Prawem i Sprawiedliwością, których konsekwencja była również dyskredytacja Samoobrony i samego Andrzeja Leppera przez polityków Prawa i Sprawiedliwości), czyli od roku 2007, Samoobrona Rzeczypospolitej Polskiej jak i sam Andrzej Lepper zaczęli tracić poparcie i znaczenie polityczne. W kolejnych wyborach partia nie osiągała zadawalających wyników, co skutkowało m.in. utratą subwencji budżetowej. Media wykazywały co raz mniejsze zainteresowanie działalnością partii oraz działalnością polityczną Andrzeja Leppera, skupiając się na kwestiach związanych z tzw. aferą gruntową oraz sex aferą (w związku, z którą w lutym 2010 Andrzej Lepper został nieprawomocnie skazany na karę 2 lat i 3 miesięcy pozbawienia wolności), zaś większość publikacji medialnych na jego temat miała niepochlebny charakter. Jednocześnie jak już wskazano, Andrzej Lepper informował swoje otoczenie, iż obie afery były wynikiem prowokacji. Bał się kolejnych, obawiał się też, że jest podsłuchiwany, z którego to powodu na spotkania umawiał się zwykle poza siedzibą partii.

W toku postępowania ustalono nadto, iż Andrzej Lepper był osobą skrytą, zamkniętą w sobie, nie dzielącą się na ogół swoimi problemami nawet z najbliższymi współpracownikami i członkami rodziny. Jak ustalono, nikt z jego najbliższych nie miał pełnej wiedzy jaka była sytuacja finansowa Andrzeja Leppera. Syn T nie wiedział o ustanowieniu hipoteki na zabezpieczenie roszczeń , Sp. z o.o. (choć zabezpieczenie to obejmowało również jego zadłużenie wobec tej spółki). Jak bowiem ustalono, w tych nielicznych sytuacjach kiedy Andrzej Lepper decydował się przekazać innym informacje o swoich problemach, zmartwieniach, były to tylko bardzo ogólnikowe stwierdzenia (wyjątek stanowiła choroba syna). Jednocześnie jak ustalono, od roku 2007, kiedy w związku z tzw. aferą gruntową Andrzej Lepper został odwołany ze stanowiska Wicepremiera i Ministra Rolnictwa, część osób z jego otoczenia (w tym członkowie rodziny) zauważyła zmiany w jego zachowaniu. Wydawał się on im smutny, przygnębiony. Łączyli to zarówno z faktem utraty pozycji politycznej i towarzyszącej temu „nagonce" medialnej, niespełniającymi oczekiwań wynikami Samoobrony w kolejnych wyborach, jak i malejącym zainteresowaniem mediów partią. Jak już bowiem wskazano, po roku 2007 relacje medialne, których bohaterem był Andrzej Lepper i Samoobrona, dotyczyły prawie wyłącznie procesów sądowych, a relacje z organizowanych przez partię konferencji prasowych nie pojawiały się w mediach. Od kwietnia 2011r. następowało dalsze obniżenie nastroju Andrzeja Leppera.

I tak, V G zaobserwowała, iż na przestrzeni ostatnich dwóch – trzech miesięcy swojego życia, Andrzej Lepper obawiał się czegoś. Nie chciał jednak powiedzieć czego, w rozmowie z nią stwierdził jedynie, iż kiedyś jej to opowie gdy spotkają się w miejscu bez podsłuchów. W czasie tej rozmowy Andrzej Lepper wypowiedział słowa „nie darują mi, a jeszcze doszły kontakty na Białorusi".

Swojemu znajomemu - D. G Andrzej Lepper mówił zaś, iż jego gospodarstwo rolne jest zadłużone z powodu choroby syna, a on czuje się osaczony w związku z oskarżeniami w tzw. aferze gruntowej i seks aferze. W ocenie D G Andrzej Lepper nie mógł się pogodzić z tym, że występuje w roli oskarżonego. Podczas ostatniej swojej rozmowy z Andrzejem Lepperam, odbytej telefonicznie na kilka dni przed jego śmiercią, D G wyczuł w głosie Andrzeja Leppera obojętność, co nigdy wcześniej nie miało miejsca.

P I Andrzej Lepper przekazał zaś, iż obawia się pewnych środowisk politycznych, mówiąc iż jest przekonany, że rękami urzędników państwowych (służb, sądów, policji) będzie eliminowany z życia publicznego, zaś prowadzone wobec niego działania mają na celu ograniczenie jego aktywności zawodowej.

Podczas swojego ostatniego spotkania z Andrzejem Lepperem w czerwcu 2011 r. W S zaobserwował zaś, iż był on przygaszony, przestraszony, przygnębiony, jakby „nieobecny" (zawieszony gdzieś w myślach), co było zachowaniem dla niego nietypowym. Na pytanie W co jest tego powodem, Andrzej Lepper odpowiedział: „ach, te same problemy". Jak wskazał W S Andrzej Lepper powiedział mu również, iż sprawy w Łodzi (dotyczące tzw. seks afery) zostaną umorzone, lecz - w jego ocenie - mówił to bez przekonania.

F T wskazał zaś, iż - choć nie mówił tego Andrzejowi Lepperowi wprost - oceniał jego szanse polityczne w wyborach 2011r. jako zerowe. Jednocześnie w ciągu ostatnich trzech – czterech miesięcy przed jego śmiercią, F T odniósł wrażenie, iż Andrzej Lepper jest w co raz gorszym stanie psychicznym, co wzbudziło jego niepokój i dlatego namawiał go do przerwy działalności politycznej. W ocenie F Andrzej Lepper wydawał się być w depresji, chociaż nie w sposób ciągły (były tematy, które go ożywiały i były tematy, które wprawiały go w stan depresyjny). Do tematów, które wprawiały Andrzeja Leppera w stan depresyjny I T zaliczył toczące się procesy i sposób przedstawiania jego osoby w mediach (Andrzej Lepper żalił się na wielość rozpraw sądowych oraz na to, jak został przez media potraktowany). Jak wskazał P T, Andrzej Lepper ożywiał się tylko wtedy gdy była mowa o przyszłości; przy czym chodziło nie tyle o sprawy polityczne, a raczej o planowane spotkania towarzyskie. Częstym tematem rozmów P T z Andrzejem Lepperem były problemy zdrowotne jego syna, które wywoływały u Andrzeja Leppera skrajne emocje. Kiedy stan zdrowia T L było bardzo zły, Andrzej Lepper był załamany psychicznie, wręcz rozpaczał, gdy następowała poprawa, wyrażał nadzieję, że syn wyzdrowieje.

W Z wskazał zaś, iż w ostatnim okresie życia Andrzej Lepper był w jego ocenie w złym stanie psychicznym, był smutny, ciągle zamyślony, „nie był sobą" (wcześniej był on w jego ocenie osobą otwartą i kontaktową).

Jednocześnie V C M F wskazali, iż w okresie przed śmiercią Andrzej Lepper miał dużo planów m.in. związanych z rozwijaniem działalności na Białorusi, cieszył się z faktu poprawy zdrowia syna, wiązał również duże nadzieje ze zbliżającymi się wyborami oraz uchyleniem do ponownego rozpoznania skazującego go wyroku w sprawie tzw. seks afery. W ocenie tych świadków jak i C K, w okresie bezpośrednio przed śmiercią był on w dobrej kondycji psychicznej.

Jak już wskazano wcześniej, w toku postępowania ustalono, iż Andrzej Lepper zamykał się czasem w swoim prywatnym pokoju w biurze Partii na kilka dni. W toku postępowania nie ustalono, co w tym okresie robił.

Do akt niniejszego postępowania dołączono również nadesłany z Prokuratury Rejonowej w Kłodzku, protokół przesłuchania w dniu 8 sierpnia 2011r. w charakterze świadka B G, odbywającego karę pozbawienia wolności w Zakładzie Karnym w Kłodzku. W toku tego przesłuchania B G zeznał min., iż w latach 2001-2006 Andrzej Lepper wielokrotnie otrzymywał od F S telefoniczne (w tym smsowe) oraz listowne groźby, pozbawienia życia, a dokumenty te były mu przez Andrzeja Leppera pokazywane. Nadto B wskazał, iż w roku 2009 podczas spotkania z Andrzejem Lepperem w jego biurze, Andrzej Lepper informował go, iż nadal groźby te otrzymuje oraz że jest przekonany, iż tzw. sex afera została „wymyślona" przez służby związane z R S, aby go publicznie zdyskredytować. Świadek wskazał nadto, iż w roku 2009 spotkał się z R S w Wiedniu i podczas tej rozmowy w/wym przekazał mu, iż dni Andrzeja Leppera są policzone. Świadek wskazał również, iż do 5 sierpnia 2011r. utrzymywał kontakt listowny z Andrzejem Leperem, który chciał się z nim pilnie skontaktować, w wyniku czego został on wpisany na listę widzeń. Ostatni raz widzieli się w kwietniu 2011r. na rozprawie w sądzie w Warszawie. Odczuł wówczas, iż z Andrzejem Lepperm jest coś nie tak, usiłuje ukryć fakt kierowania wobec niego gróźb pozbawienia życia przez R S jest przygnębiony. Jednocześnie świadek wskazał, iż Andrzej Lepper wielokrotnie mówił mu, iż nie obawia się pogróżek F S

W dniu 10 sierpnia 2011r. (a więc po złożeniu pierwszych zeznań w niniejszej sprawie oraz po tym, jak w mediach pojawiły informacje, iż w dniu 5 spierania 2011r. nie odbył się planowały wywiad Andrzeja Leppera oraz dotyczące kontaktów Andrzeja Leppera z T S B G, skierował do Sądu Rejonowego w Kłodzku pismo, w którym wskazał, iż w dniu 4 sierpnia 2011r. wieczorem, za pośrednictwem kolegi przekazał Andrzejowi Lepperowi dokumenty i nagrania obciążające polityków PO i SLD, zaś zgodnie z ustaleniami w dniu 5 sierpnia 2011r. Andrzej Lepper miał po południu zorganizować konferencję prasową i ujawnić te dokumenty mediom. Z pisma tego wynika, iż Andrzej Lepper miał również przedstawić dokumenty obciążające J K. i businessmanów w sprawie „przecieku afery gruntowej" i pokazać jak fałszowano dowody w seks aferze, zaś w dniu 8 sierpnia 2011r. miał go odwiedzić (był wpisany na listę widzeń). Pismo to kończy się konkluzją, iż Andrzej Lepper został zabity w celu uniemożliwienia przedstawienia powyższych informacji.

Wobec treści powyższego pisma ponownie przesłuchano w charakterze świadka B C, który w dniu 24 sierpnia 2011r., zeznał m.in. iż ostatni raz widział Andrzeja Leppera w kwietniu 2011r. kiedy ten składał zeznania w charakterze świadka w toku prowadzonego przez Sąd Rejonowy dla Warszawy-Śródmieścia procesu, w którym jest on oskarżonym o czyn z art. 233 kk; w jego ocenie Andrzej Lepper był tego dnia wyraźnie przestraszony, a w swoich zeznaniach zaprzeczył jakoby R S kierował pod jego adresem groźby karalne, choć wcześniej telefonicznie zapewniał go, że złoży takie zeznania; świadek zeznał, iż wynik jego sprawy interesował Andrzeja Leppera albowiem jej wynik mógł mieć wpływ na jego sytuację prawną – stanowić podstawę do wznowienia postępowania, które skończyło się jego skazaniem; nadto świadek zeznał, iż w 2003r. R S który był w ostrym konflikcie z Andrzejem Lepperem powiedział mu, że „Lepper skończy jak Sekuła"; w ocenie świadka Andrzej Lepper bał się R S oraz A P i Z W świadek wskazał nadto, iż 4 i 5 sierpnia 2011r. miał być przetransportowany do Warszawy w związku z kolejnym terminem rozprawy w jego sprawie lecz wcześniej otrzymał informacje, iż Sąd oddali jego wnioski dowodowe więc odmówił uczestnictwa w sprawie i zaplanował z Andrzejem Lepperem nagłośnienie sprawy – w dniu 4 sierpnia 2011r. „osoba umyślna" przekazała Andrzejowi Lepperowi posiadane przez niego nagranie potwierdzające jego wyjaśnienia (korupcję wśród polityków) a 5 sierpnia 2011r. Andrzej Lepper miał sprawdzić czy rzeczywiście zapadł wyrok w jego sprawie, a jeśli tak, to zorganizować konferencję prasową; świadek zeznał, iż dysponuje oryginałami przedmiotowych nagrań lecz odmówił ich wydania, odmówił również podania danych osoby, która nagrania te przekazała Andrzejowi Lepperowi.

Do akt sprawy dołączono również datowane na dzień 10 sierpnia 2011r. pismo B G skierowane do Jarosława Kaczyńskiego, w którym ponownie stwierdza on, iż w dniu 4 sierpnia 2011r. wieczorem Andrzej Lepper otrzymał od jego wysłannika nagrania obciążające polityków SLD i PO, które miał ujawnić w dniu 5 sierpnia 2011r. oraz wskazuje, iż w jego opinii Andrzej Lepper został powieszony.

Na podstawie informacji uzyskanych z Zakładu Karnego w Kłodzku gdzie odbywał karę B G ustalono, iż w/wym mimo, że miał do tego prawo nie korzystał z telefonicznego automatu samookasującego, gdyż nie posiadał karty telefonicznej. Latem 2011r., za zgodą Dyrektora Zakładu Karnego, odbył jedną rozmowę telefoniczną na koszt Zakładu Karnego ze swoim bratem, celem uzgodnienia terminu widzenia. Jednocześnie jak ustalono, Andrzej Lepper figurował w ewidencji widzeń B G w Zakładzie Karnym w Kłodzku, co oznacza, iż gdyby zgłosił się do tego zakładu w dowolnym dniu udzielania widzeń, zostało by mu udzielone widzenie z B G. Jednakże w karcie tej nie odnotowano aby Andrzej Lepper odbył takie widzenie. Nadto, jak ustalono w okresie od 1 lipca do 10 sierpnia 2011r. B G nie był przez nikogo odwiedzany.

Na podstawie oględzin akt sprawy V K 629/03 Sądu Rejonowego dla Warszawy-Śródmieścia p-ko B G osk. o czyn z art. 233 § 1 kk w zb. z art. 234 kk w zw. z art. 11 kk w zw. z akt. 12 kk polegający na złożeniu w roku 2001r. fałszywych zenzań, w których oskarżył on polityków SLD i PO o przyjmowanie korzyści majątkowych, ustalono, iż w dniu 14 kwietnia 2011r. Andrzej Lepper był przesłuchiwany w charakterze świadka w tej sprawie. Przedmiotem jego zeznań była m.in. znajomość z R S oraz prowadzone p-ko niemu postępowanie karne, w wyniku którego został on skazany za pomówienie w roku 2001 w wystąpieniu sejmowym (opartym m.in. o informacje przekazane mu przez B G polityków SLD i PO o przyjmowanie korzyści majątkowych. W toku tych zeznań Andrzej Lepper, na zadane mu przez B G pytanie, czy R S groził mu zemszczeniem się na jego osobie, stwierdził, iż „żadnych gróźb bezpośrednich, które uznałby za groźby karalne nie słyszał". Nadto jak ustalono, w dniu 1 sierpnia 2011 r. Sąd oddalił liczne wnioski dowodowe złożone przez oskarżonego B G po rozprawie w dniu 21 czerwca 2011r. W dniach 4 i 5 sierpnia 2011r. odbyły się kolejne rozprawy (bez udziału B G który odmówił wzięcia udziału w transporcie z ZK Kłodzko do Warszawy), przy czym na rozprawie w dniu 5 sierpnia 2011r. Sąd oddalił kolejne wnioski dowodowe B G i wydał wyrok, w którym uznał go winnym czynu z art. 233 § 1 kk w zb. z art. 234 kk w zw. z art. 11 kk w zw. z akt. 12 kk i skazał go na karę 1 roku i 3 miesięcy pozbawienia wolności. Na podstawie oględzin powyższych akt ustalano również, iż B G był dwukrotnie karany za składanie fałszywych zeznań.

W toku postępowania ustalono, iż w dniu 5 sierpnia 2011r. A F był pozbawiony wolności.

Nadto, wśród dokumentów zabezpieczonych podczas oględzin pomieszczeń w lokalu Samoobrony RP ujawniono dwa listy podpisane „B G skierowane do Andrzeja Leppera, jeden z dnia 8 listopada 2010r. drugi z 9 maja 2011r. W liście z dnia 8 listopada 2010r. B G stwierdza min. iż trzy wcześniejsze jego listy do Andrzeja Leppera pozostały bez odpowiedzi. W liście tym B G skarży się na brak pieniędzy oraz informuje Andrzeja Leppera o nieprawidłowościach w prowadzonych p-ko niemu (B G, postępowaniach karnych, polegających m.in. na udostępnieniu mu akt, które zawierały informacje na temat stanu zdrowia Andrzeja Leppera. List ten zawiera również stwierdzenie, iż jeśli Andrzej Lepper chce aby B G pomógł mu w pokazaniu „jak załatwiły go służby" musi przyjechać do niego na widzenie oraz zawiera stwierdzanie, iż Andrzej Lepper powinien być mu wdzięczny, za to, iż okazuje dobrą wolę aby mu pomóc. List kończ zaś prośba o przesłanie mu materiałów biurowych, karty telefonicznej, znaczków pocztowych, znaczka opłaty sądowej za 80 zł oraz paczki żywnościowej. List z dnia 9 maja 2011r. zawiera zaś stwierdzenie, iż jak Andrzej Lepper widział (jak należy przypuszczać podczas rozprawy sądowej w dniu 14 kwietnia 2011r.), odbywa on karę na tzw. „Ence", nie ma z nikim kontaktu, pomocy i nie dostał w Zakładzie Karnym pracy. W liście tym B G stwierdza również, iż najgorsze jest to, że siedzi w celi sam, nie ma z kim pozmawiać, nie ma do kogo zwrócić się o pomoc. Prosi więc aby Andrzej Lepper albo "ktoś od niego" przysłał mu paczkę żywnościową do 5 kg.

Jednocześnie w kalendarzu prowadzonym przez Andrzeja Leppera w roku 2011, poza zapisem dotyczącym rozprawy w dniu 14 kwietnia 2011r. i zapisem przy dacie 13 maja 2011 „G sprawa 100611 – sprawdzić", nie ujawniono żadnych zapisów dotyczących B G. W toku oględzin lokalu partii Samoobrona i zabezpieczonych tam przedmiotów nie ujawniano również dokumentów i nagrań, o których zeznał B G

Poinformowana o treści zeznań B G' . M B -
córka Andrzeja Lepper oświadczyła, iż nie składa wniosku o ściganie R

Powyższy stan faktyczny ustalono w oparciu o:

kartę medycznych czynności ratunkowych /k. 3, tom I/; wydruk karty zgłoszenia zdarzenia pod numer 112 /k. 100-101, tom I/;

oględziny pomieszczeń lokalu Patrii Samoobrona przy w W oraz klatki schodowej tego budynku /tom I: k. 4 -10; k. 17-18; k. 19-28; k. 29-36, k. 37-41; k. 126; k. 127-130; k. 131-134; k. 135-137, k. 138-140; k. 141-144, k. 145-146; k. 147-149; tom II: k. 247-248; k. 249; k. 250-251; k. 254-256; tom III: k. 473-474; k. 476-478, k. 2569-2602, tom XIII/ oraz dokumentację fotograficzną sporządzoną w toku tych oględzin /załącznik nr 1 i nr 2/;

oględziny zwłok Andrzeja Leppera w miejscu ich ujawnienia /k. 11-15, tom I/ oraz dokumentację fotograficzną sporządzoną w toku tych oględzin /załącznik nr 2; k. 2284-2285, tom XI/;

oględziny przedmiotów zabezpieczonych w biurze Samoobrony /tom I: k. 104, k. 105-106, k. 171-172, k. 173-177, k. 178-182, k. 183-185, k. 186-189; tom II: 267-270; k. 271-272, k. 273-274, k. 275-276; k. 277-278, k. 279-283, k. 284-300, k. 301-305; k. 308; k. 309-312; k. 313-314; k. 315-319; k. 320-326, k. 327; k. 391-401; tom III; k. 402-405; k. 406-409; k. 410-418; k. 464-471; tom VI i VII: k. 1181-1239; tom XI: k. 2227-2229; k. 2230-2231; tom XIII: k. 2615-2710, tom XIV: k. 2779-2863; załączniki nr 3, załącznik nr 4/; w tym telefonu komórkowego Andrzeja Leppera /k. 151-154, tom I/ oraz telefonu M R użyczanego przez niego Andrzejowi Lepperowi /k. 196-200, tom I/ jak i jednostek centralnych komputerów /k. 583-584, tom III/; oględziny kopii binarnych dysków twardych komputerów zabezpieczonych w siedzibie Samoobrony /k. 1370-1396, tom VII; k. 1397-1408, tom VII; k. 1409-1424, tom VIII; k. 1425-1433, tom VIII; k. 1539-1562, tom VIII; k. 1643-1654, tom VIII/;

oględziny elewacji zewnętrznej budynku przy .... w V od strony podwórza /k. 342-344, tom III/ oraz okien w pomieszczeniach partii Samoobrona wychodzących /k. 345-379/ na podwórze oraz dokumentacji fotograficznej sporządzonej w toku tych oględzin /załącznik nr 2/;

oględziny płyt z zapisami monitoringu budynków sąsiadujących z budynkiem przy w W /k. 1037-1039, tom VI; k. 1043-1045, tom VI; k. 1272-1274, tom VII; k. 1303-1305, tom VII/;

oględziny zabudowań oraz posesji w miejscu zameldowania Andrzeja Leppera w miejscowości Z wraz z dokumentacją fotograficzną /k. 670-671, tom IV, k. 673-678, tom IV/;

oględziny sejfu i pomieszczeń gospodarczych w biurze Samoobrony /k. 1178-1179, tom VI; k. 1240-1254, tom VII/;

protokół otworzenia treści zarejestrowanych na płycie przekazanej przez T S /k. 230, tom II/ oraz oględzin jego dyktafonu zawierającego oryginał tego nagrania /k. 444-446, tom III/;

dane z baz REGON odnośnie firmy /k. 103, tom I; k. 544-546, tom III/; odpisy z Krajowego Rejestru Sądowego odnośnie Związku Zawodowego Rolnictwa „Samoobrona" /k. 550-557, tom III/; L&W Sp. z o.o. /k. 564-569, tom III/, Sp. z o.o. /k. 571-577, tom III/; pismo z Sądu Okręgowego w Warszawie wraz z załącznikami odnośnie rejestracji partii Nasz Dom Polska – Samoobrona Andrzeja Lepper /k. 800-819, tom V/; pismo z Sądu Okręgowego w Warszawie wraz z załącznikami odnośnie rejestracji partii „Samoobrona Rzeczypospolitej Polskiej" /k. 820-835, tom V/; pisma z ZUS odnośnie zobowiązań Andrzeja Leppera z tytułu składek na ubezpieczenia zdrowotne i społeczne /k. 1785, tom IX; k. 1789, tom IX/; pismo Komornika Sądowego przy Sądzie Rejonowym w Koszalinie /k. 1786-1788, tom IX/; informacje z Urzędów Skarbowych odnośnie dochodów Andrzeja Leppera oraz spółek Sp. z o.o. i Sp. z o.o. /k. 1790-1790, tom IX; k. 1830-1831, tom IX; k. 1845 tom IX/; odpisu księgi wieczystej nieruchomości Andrzeja L w miejscowości Z /k. 1567-16601, tom VIII/;

informację od producenta centrali telefonicznej zainstalowanej w siedzibie Samoobrony /k. 698, tom IV/; oględziny systemu kontroli dostępu firmy zainstalowanego w siedzibie partii Samoobrona przeprowadzone z udziałem specjalistów /k. 1176-1177, tom VI; k. 1729-1735, tom IX/; informacje nadesłane przez Sp. j. /k. 971, tom V/; informacje nadesłane przez Sp. z o.o. /k. 1035, tom VI/,

informacje nadesłane przez Sp. z o.o. /k. 703-704, tom IV/ oraz oględziny nadesłanych przez tę stację płyt DVD z zapisem programu emitowanego przez stację Polsat News w dniu 5 sierpnia 2011r. /k. 1102-1104, tom VI/;

oględziny paragonów ze sklepu spożywczego mieszczącego się przy ul. I w W na których zarejestrowano transakcje z dnia 5 sierpnia 2011r. /k. 1300-1301, tom VII/ oraz zapisów monitoringu z tego sklepu wraz z dokumentacją poglądową /k. 1326-1332, tom VII; k. 1633-1635, tom VIII/;

informacje od operatorów telefonicznych odnośnie danych abonentów poszczególnych numerów telefonów występujących w sprawie /k. 1489 – 1490, tom VIII; k. 1496-1497, tom VIII; k. 1603-1610, tom VIII; k. 1884-1897, tom X; k. 1898-1899, tom X; k. 1904-1905, tom X; k 19061907, tom X; k. 1908 tom X; k. 1949-1952, tom X; k. 1953-1954, tom X; k. 210-2101, tom XI; k. 2102-2103, tom XI; k. 2291-2292, tom XI/, wykazy połączeń przychodzących i wychodzących telefonów oraz lokalizacji stacji BTS, w szczególności telefonu Andrzeja Leppera /k. 922, tom V k. 1030-1031, tom VI oraz analizę tych danych /k. 1738-1755, tom IX/;

protokoły odtworzenia zapisów video z płyt dostarczonych przez K R /k. 1627-1628, tom VIII, k. 1629-1630, tom VIII/; pismo z S.A. odnośnie użytkownika adresu /k. 1665-1667, tom IX/; wykazu połączeń telefonu którym miała się posługiwać osoba, która przekazała K R płyty z nagraniem Andrzeja Leppera /k. 1875-1877 - 1833, tom X/ oraz dane dotyczące losowań do skrzynki /k. 1900, tom X/;

pismo z dnia 10 sierpnia 2011r. skierowane przez B G do Sądu Rejonowego w Kłodzku /k. 696 i k. 748, tom IV/; pisma z Zakładu Karnego w Kłodzku /k. 1017-1025, tom VI; k. 1479, tom VIII/; pismo B G skierowane do Jarosława Kaczyńskiego /k. 1025, tom VI/; oględziny akt sprawy V K 629/03 Sądu Rejonowego dla Warszawy-Śródmieścia p-ko E G /k. 1817, tom IX; załączniki 5a-5c w całości/;

pism z Prokuratury Okręgowej w Toruniu i Prokuratury Rejonowej Toruń-Wschód odnośnie sposobu załatwienia zawiadomienia o przestępstwie skierowanego przez I S /k. 1098, tom VI; k. 1764, tom IX/;

wyniki ustaleń w bazie PESEL odnośnie T D /k. 1654-1656, tom VIII; k. 2465-2466, tom XII; k. 2577-2580, tom XIII/;

pismo z Ministerstwa Spraw Zagranicznych odnośnie radcy handlowego Ambasady Białorusi w Polsce oraz mera miasta Grodno /k. 2538, tom XIII/;

Powyższe dowody uznano w całości za wiarygodne, albowiem postępowanie dowodowe przeprowadzone w niniejszej sprawie nie doprowadziło do ujawnienia jakichkolwiek okoliczności, które podważałyby ich rzetelność. Wskazać przy tym należy, iż większość wymienionych powyżej dokumentów została wytworzona przez osoby niemające żadnego interesu w sposobie zakończenia niniejszego

/k. 1467-1470, tom VIII; k. 1624-1625, tom VIII/; N M – przedstawiciela Sp. z o.o. /k. 1657-1659, tom VIII/; S Ki – współpracownika Samoobrony /k. 1663-1664, tom VIII/; H Z – przedstawiciela spółki Sp. z o.o. /k. 1706-1708, tom IX/; W S /k. 1810-1812, tom IX/; F T /k. 18491850, tom IX/; C K /k. 19791982, tom X/; D G /k. 1987, tom X/; D K /k. 2007-2009, tom X/; A K – pomagającej Andrzejowi Lepperowi w organizowaniu Izby Przemysłowo-Handlowej na Białorusi /k. 1990-1991, tom X/; W C /k. 2414-2416, tom XII/; K K /k. 2523-2526, tom XIII/; Z S /k. 2531-2532, tom XIII/;

pracowników firmy wykonującej remont na dachu budynku przy w W – J K /k. 586-589, tom III/; K P /k. 590-592, tom III/; T M /k. 593-595/, R S /k. 596-598, tom III/;

W ocenie prokuratora, choć pomiędzy niektórymi relacjami członków rodziny oraz współpracowników i znajomych Andrzeja Leppera, jak i pomiędzy ich zeznaniami a uznanymi za wiarygodne dowodami z dokumentów i opinii biegłych, zachodzą pewne rozbieżności /dotyczące w szczególności szczegółów związanych z przebiegiem wydarzeń w dniach 4 i 5 sierpnia 2011r. jak i stanu psychicznego Andrzeja Leppera, jego kondycji finansowej, stanu zdrowia, planów na przyszłość) zeznania wymienionych powyżej osób mogą stanowić podstawę ustaleń faktycznych w sprawie. Zeznania te są bowiem szczere, zaś rozbieżności i nieścisłości w zakresie wydarzeń z dnia 4 i 5 sierpnia 2011r. (zwłaszcza zaś okoliczności ujawnienia zwłok Andrzeja Leppera), w ocenie prokuratora, wynikają z naturalnej emocjonalnej reakcji tych świadków na śmierć Andrzeja Leppera, która to reakcja miała wpływ na sposób tworzenia i odtwarzania przez nich postrzeżeń. Jednocześnie zaś, w ocenie prokuratora, rozbieżności w zakresie stanu psychicznego Andrzeja Leppera, jego kondycji finansowej, stanu zdrowia, planów na przyszłość etc. wynikają przede wszystkim z faktu, iż Andrzej Lepper jako osoba skryta unikał przekazywania informacji na te tematy, nawet swoim bliskim. Z tych to powodów, tam gdzie zeznania powyższych świadków nie korespondują z dowodami z dokumentów, bądź też opiniami biegłych, ustalenia faktyczne oparto na tych drugich. Tam zaś gdzie zeznania A B odnośnie przebiegu wydarzeń związanych z ujawnieniem zwłok Andrzeja Leppera były sprzeczne z zeznaniami M R ustalenia faktyczne oparto na zeznaniach M F albowiem zeznania tego świadka zostały potwierdzone w toku postępowania innym dowodami. W szczególności bowiem na podstawie zeznań świadków – członków Samoobrony oraz wyników oględzin punktów dostępowych firmy I ustalono, iż w dniu 5 sierpnia 2011r. system ten nie działał, a tym samym nie było możliwym otwarcie przez M R drzwi do pokoju prywatnego Andrzeja Leppera za pomocą kodu. Nadto, na podstawie oględzin paragonów i monitoringu zamontowanego w sklepie przy ul. I w W potwierdzono, iż M R przebywał w tym sklepie i kupił tam m.in. mleko. Podkreślić przy tym należy, iż w ocenie prokuratora, brak jest jakichkolwiek podstaw do kwestionowania szczerości zeznań A E zaś rozbieżności w jego zeznaniach z pozostałymi dowodami wynikają ze zniekształcenia w jego pamięci przebiegu tych wydarzeń, wywołanego emocjami spowodowanymi ujawnieniem zwłok teścia. W ocenie prokuratora, choć postępowanie dowodowe prowadzone w sprawie nie dostarczyło dowodów na to, aby ktoś nastawał na życie Andrzeja Leppera, ani też nie doprowadziło do ujawnienia dokumentów wskazujących na źródło przecieku w aferze gruntowej, brak jest podstaw do kwestionowania szczerości zeznań tych świadków, którzy wskazali, iż Andrzej Lepper obawiał się o własne życie oraz informował ich, że takie dokumenty posiada. Podkreślić przy tym należy, iż w oparciu o powyższe zeznania poczyniono jedynie ustalenia, iż Andrzej Lepper przekazał tym świadkom takie informacje. Odnosząc się zaś do rozbieżności w zeznaniach świadków w zakresie spożywania przez Andrzeja Leppera w samotności alkoholu, stwierdzić należy, iż w sprawie niniejszej brak jest przesłanek pozwalających w ramach swobodnej (lecz nie dowolnej), opartej na zasadach prawidłowego rozumowania i wskazań wiedzy i doświadczenia życiowego oceny dowodów, na zdyskredytowanie w tym zakresie zeznań któregoś ze świadków. Zeznania wszystkich zeznających na tę okoliczność świadków są bowiem spójne i logiczne, zaś żaden z przeprowadzonych w toku postępowania dowodów nie pozostaje w takiej sprzeczności z zeznaniami któregoś z tych świadków, że pozwalałoby to na mieszczące się w ramach zakreślonych przez art. 7 kpk, kwestionowanie ich wiarygodności w tym zakresie. W konsekwencji, jak już wskazano powyżej, w toku postępowania nie było możliwym czynienie kategorycznych ustaleń w tym zakresie.

Stan faktyczny w niniejszej sprawie ustalono również w oparciu o:

- pisemne i ustne opinie biegłych z zakresu badan biologicznych /k. 1499-1501, tom VIII; k. 2049-2092, tom X; k. 2189-2200, tom XI; k. 2247-2256, tom XI; k. 2265-2266, tom XI; k. 2431-2432, tom XII; k. 2586-2589, tom XIII; k. 2903-2910, tom XIV/;
- opinie biegłego z zakresu informatyki /k. 1509-1515a, tom VIII; k. 1516-1520a, tom VIII/ powołanego w celu sporządzenia kopii binarnych dysków twardych zabezpieczonych w pomieszczeniach partii Samoobrona;
- opinię biegłego z zakresu badania zapisów na nośniku optycznym powołanego w celu sporządzenia kopii nagrania z dyktafonu dostarczonego przez T S i sporządzenia jego stenogramu /k. 1078-1087, tom VI/;
- opinię biegłego z zakresu toksykologii /k. 1838-1844, tom IX/;
- opinię biegłego z zakresu medycyny sądowej z oględzin i otwarcia zwłok Andrzeja Leppera /k. 334-335, tom II; k. 535-543, tom III/, dokumentację fotograficzną sporządzoną podczas sekcji zwłok Andrzeja Leppera /załącznik nr 1/ oraz uzupełniającą opinię biegłego z zakresu medycyny sądowej wydaną w oparciu o wyniki opinii z zakresu toksykologii /k. 2344-2345, tom XI/;
- pisemne i ustne opinie biegłego z zakresu mechanoskopii /k. 1318-1319, tom VII; k. 1493-1495, tom VIII/ powołanego w celu stwierdzenia czy wkładki zamków w drzwiach wejściowych oraz do pokoju prywatnego Andrzeja Leppera noszą ślad otwierania wytrychem;
- opinie biegłych z zakresu daktyloskopii /k. 1681-1697, tom IX; k. 2026-2045, tom X; k. 21842186, tom XI; k. 2899-2902, tom XIV; k. 2911-2917, tom XIV/;
- pisemne i ustne opinie biegłych z zakresu traseologii /k. 1859-1874, tom IX; k. 2149-2150, tom XI; k. 2268-2274, tom XI/;
- opinie biegłych z zakresu mechanoskopii i fizykochemii powołanych w celu przeprowadzenia badań pętli wisielczej, kawałka sznurka zabezpieczonego w koszu na śmieci koło biurka Andrzeja Leppera oraz kawałków sznurka

- opinię biegłego z zakresu badań pisma /kk. 2728-2771, tom XIV/, na podstawie której ustalono, iż trzy zabezpieczone w prywatnym pokoju listy, zawierające prośby o spotkanie i pomoc oraz odręczne adnotacje sporządzone na dziesięciu kartkach z wydrukami zaklęć zostały nakreślone przez Andrzeja Leppera;

Wskazane powyżej opinie biegłych, uznano w całości za wiarygodne są one bowiem pełne i jasne, nie zachodzą też żadne sprzeczności między nimi, zaś postępowanie dowodowe przeprowadzone w niniejszej sprawie nie doprowadziło do ujawnienia jakichkolwiek okoliczności, które podważałyby ich rzetelność.

przebiegu wydarzeń, bądź też zawierały opinie co do sposobu w jaki postępowanie przygotowawcze w niniejszej sprawie winno być prowadzone.

W bardzo ograniczonym zakresie ustalenia faktyczne niniejszej sprawy oparto o zeznania świadka B. G /k. 683-686 (k. 687-693 opis), tom IV; k. 977-989, tom V/, dając im wiarę jedynie w tym zakresie w jakim znalazły one bezpośrednie potwierdzenie w pozostałym, uznanym za wiarygodny materiale dowodowym. W szczególności zaś za niewiarygodne uznano zeznania B G odnośnie kierowania przez R S gróźb karalnych wobec Andrzeja Leppera oraz kontaktów świadka z Andrzejem Lepperem w roku 2011r. Podkreślić bowiem należy, iż informacje przekazane przez B G w toku obu przesłuchań są często sprzeczne, nadto zeznania te nie korespondują z pozostałym zgromadzonym w toku postępowania materiałem dowodowym, w tym zapisami w kalendarzu Andrzeja Leppera oraz złożonymi przez niego – w toku postępowania sądowego, po pouczeniu o odpowiedzialności karnej za zeznanie nieprawdy lub zatajenie prawdy – zeznaniami. Nie sposób też nie zauważyć, iż powyższe zeznania zmierzają do podważania ustaleń faktycznych poczynionych przez Sąd Rejonowy dla Warszawy Śródmieścia w sprawie o sygn. V K 629/03 i będących podstawą uznania B G winnym zarzucanego mu w tym postępowaniu czynu, jak i faktu, iż B G był dwukrotnie karany za składanie fałszywych zeznań.

W tak ustalonym stanie faktycznym stwierdzić należy, iż śmierć Andrzeja Leppera była wynikiem zamachu samobójczego, jednocześnie nikt nie udzielał mu pomocy w targnięciu się na własne życie ani też nie namawiał go do tego.

Przechodząc do omówienia powyższych ustaleń, w pierwszej kolejności zaznaczyć należy, iż ustalenia faktyczne poczynione w niniejszej sprawie są wynikiem szeroko zakrojonych czynności dowodowych zmierzających do weryfikacji – przyjętych od samego początku postępowania - dwóch wersji śledczych; pierwszej, iż Andrzej Lepper targnął się na własne życie; drugiej, iż jego śmierć była wynikiem działania lub zaniechania osób trzecich, a nie zamachu samobójczego.

To właśnie w celu weryfikacji drugiej z powyższych wersji śledczych, w toku bardzo szczegółowych oględzin wszystkich pomieszczeń w siedzibie partii Samoobrona zabezpieczono min. liczne ślady do badań biologicznych, traseologicznych i daktyloskopijnych jak i badań mechanoskopijnych oraz przeprowadzono te badania, uzyskano opinię biegłego z zakresu badań toksykologicznych, przesłuchano w charakterze świadków wszystkich pracowników biur mieszczących się w budynku przy , w W oraz robotników wykonujących remont dachu tego budynku, podjęto czynności zmierzające do otworzenia przebiegu ostatnich kilku dni życia Andrzeja Leppera, jak również dążono do ustalenia czy miał on racjonalne powody aby obawiać się o własne życie.

Przeprowadzone w toku postępowania czynności dowodowe nie doprowadziły jednak do ujawnienia jakichkolwiek okoliczności, które poddawałyby w wątpliwość fakt, iż śmierć Andrzeja Leppera była wynikiem zamachu samobójczego (została zadana ręką własną). Na jego ciele nie stwierdzono bowiem, żadnych wskazujących na to obrażeń. Stwierdzony sekcyjnie mechanizm zgonu jest zgodny z powieszeniem, wysokość na jakiej przywiązano pętlę wisielczą (236 cm) w zestawieniu z wysokością na jakiej znajdowało się siedzisko pobliskiego krzesła (48 cm) oraz wzrostem Andrzeja Leppera (170 cm) również nie budzą jakichkolwiek wątpliwości co do możliwości zamocowania przedmiotowej pętli przez samego Andrzeja Leppera. W moczu i we krwi Andrzeja Leppera nie stwierdzono leków zwiotczających, trudno lotnych trucizn organicznych pochodzenia naturalnego i syntetycznego, środków odurzających i substancji psychotropowych ani alkoholu. Wskazać przy tym należy, iż ze względu na posturę Andrzeja Leppera, jego ewentualne przemieszczenie w stanie nieprzytomnym w celu upozorowania powieszenia wymagałoby znacznej siły, a przede wszystkim pozostawiłoby ślady zarówno na jego odzieży jak i w pomieszczeniach, w których miało to miejsce (czego w toku postępowania nie stwierdzono). Przemieszczanie takie spowodowałoby też obrażenia (takie choćby jak otarcia naskórka czy też podbiegnięcia krwawe w szczególności w okolicach rąk, ramion, pach, karku, kostek), które zostałyby ujawnione w trakcie oględzin i sekcji zwłok (podkreślić przy tym należy, iż w toku tej czynności biegły podjął niezbędne działania zmierzające do ujawnienia ewentualnych obrażeń tego typu). Jednocześnie zaś rozmieszczenie ujawnionych w toku niniejszego postępowania podbiegnięć krwawych na podudziach Andrzeja Leppera wyklucza przyjęcie, iż są to ślady przenoszenia czy też innego przemieszczania jego osoby. Podkreślić przy tym należy, iż w toku postępowania – mimo podjęcia w tym kierunku działań – zarówno w pomieszczeniach prywatnych Andrzeja Leppera jak i w pozostałych pomieszczeniach biura Samoobrony – nie ujawniono żadnych śladów świadczących o tym, iż do śmierci Andrzeja Leppera przyczyniły się osoby trzecie. Okolicznością taką nie jest bowiem fakt ujawnienia w tych pomieszczeniach śladów trasologicznych pochodzących od nieustalonego obuwia, niezidentyfikowanych śladów linii papilarnych oraz materiału biologicznego pochodzącego od nieustalonych osób.

Jak już bowiem wskazywano, niezidentyfikowane ślady obuwia zostały ujawnione w łazience w pewnym oddaleniu od zwłok Andrzeja Leppera, a nadto zostały one ujawnione poza drogą dojścia z pokoju prywatnego do worka treningowego, na którym zamontowana byłą pętla wisielcza.

O udziale osób trzecich w śmierci Andrzeja Leppera nie świadczy również fakt ujawnienia pochodzących od nieustalonych osób odcisków linii papilarnych na przedmiotach zabezpieczonych w prywatnym pokoju Andrzeja Leppera tj. pudełku z butelką „Jevel Lines", butelce z etykietą „Spirytus Rektyfikowany", butelkach po wodzie mineralnej, jednym z czterech zabezpieczonych tam kieliszków oraz dwóch opakowaniach lakierów do włosów. Butelki z alkoholem, butelki po wodzie mineralnej oraz opakowania lakierów do włosów są to bowiem przedmioty, które ponad wszelką wątpliwość znajdowały się kiedyś w rękach innych osób niż Andrzej Lepper i jego współpracownicy (w szczególności sprzedawców tych przedmiotów). Z tych samych powodów nie może też budzić zastrzeżeń fakt ujawnienia na opakowaniach lakierów do włosów mieszanin DNA. Fakt zabezpieczenia łącznie czterech kieliszków, a w szczególności fakt ujawnienia na dwóch z nich oraz na dwóch ujawnionych w jednym z tych kieliszków niedopałkach mieszaniny DNA, zawierającej materiał biologiczny Andrzeja Leppera oraz materiał biologiczny pochodzący co najmniej od dwóch nieustalonych kobiet, wskazuje zaś, iż były one używane w sytuacji gdy alkohol spożywało kilka osób. Jednocześnie z uwagi na wyniki badań krwi i moczu Andrzeja Leppera na zawartość alkoholu stwierdzić należy, iż kieliszki te nie były używane bezpośrednio przed śmiercią Andrzeja Leppera.

Również fakt ujawnienia mieszanin DNA na karabińczyku stanowiącym element mocowania worka treningowego, do którego przypięte było kółko, do którego przywiązano pętlę wisielczą oraz w jednej z próbek pobranych z tapicerki krzesła ujawnionego w bezpośrednim pobliżu miejsca ujawnienia zwłok Andrzeja Leppera, nie może być uznane za okoliczność, wskazującą na to, iż do śmierci Andrzeja Leppera przyczyniło się działanie lub zaniechanie osób trzecich. Podkreślić bowiem należy, iż na przedmiotowym karabińczyku ujawniono tylko niewielką ilość materiału biologicznego (w tym, ze względu na zgodność haplotypu chromosomu Y - dużym prawdopodobieństwem pochodzącego od Andrzeja Leppera), jednocześnie zaś pętla wisielcza nie stykała się z tym karabińczykiem, a tym samym stwierdzić należy, iż brak jest podstaw do przyjęcia, iż materiał ten został naniesiony w trakcie mocowania przedmiotowej pętli, a nie w okresie wcześniejszym, w szczególności zaś w czasie instalacji samego worka treningowego lub podczas zakupu i transportu tego elementu. W odniesieniu zaś do próbek pobranych z tapicerki krzesła podkreślić należy, iż w próbce, w której stwierdzono nadającą się do badań identyfikacyjnych mieszaninę DNA, przeważał materiał biologiczny pochodzący od Andrzeja Leppera.

Wskazać przy tym należy, iż w toku postępowania niezidentyfikowane ślady linii papilarnych, posiadające odpowiednią ilość cech identyfikacyjnych, zarejestrowano w bazie AFIS, a nadto dokonano przeszukania bazy DNA, pod kątem próbek zgodnych z materiałem biologicznym zawartym w ujawnionych w toku postępowania nadających się do badań identyfikacyjnych mieszanin DNA.

Nie może też budzić podejrzeń fakt ujawnienia w pokoju prywatnym i łazience Andrzeja Leppera śladów linii papilarnych i materiału biologicznego pochodzących od M R K K J. M . Jak bowiem ustalono, M R i K K wchodzili do tych pomieszczeń m.in. w celu sprzątania (przy czym M R przyznał, iż zdarzyło mu się kiedyś skorzystać w łazience Andrzeja Leppera z tzw. patyczka do uszu, który wyrzucił tam do śmieci). Materiał biologiczny pochodzący od J M (mieszaninę DNA, w której dominowało jego DNA) ujawniono zaś na kubku stojącym na biurku Andrzeja Leppera, a więc przedmiocie, który mógł z łatwością zostać tam przyniesiony z innego pomieszczenia biura Samoobrony, do których to pomieszczeń J M miał przecież swobodny dostęp.

Na zakończenie powyższych rozważań, podkreślić zaś należy, iż obecny stan rozwoju nauki nie pozwala na określenie, wieku śladów traseologicznych, biologicznych oraz daktyloskopijnych, a tym samym w nie jest możliwym określenie kiedy powstały ślady ujawnione w toku niniejszego postępowania.

Jednocześnie zaś ponownie podkreślić należy, iż na samej pętli wisielczej, kawałku sznurka zabezpieczonym w koszu na śmieci koło biurka Andrzeja Leppera oraz drugiej z próbek pobranych z tapicerki krzesła ujawnionego w bezpośredniej bliskości zwłok Andrzeja Leppera ujawniono wyłącznie materiał biologiczny pochodzący od niego.

Postępowanie dowodowe wykluczyło również możliwość dostania się osoby trzeciej do pomieszczeń prywatnych Andrzeja Leppera przez okno. Jak już bowiem wskazano, szersze otwarcie uchylonego w chwili ujawnienia zwłok okna, jak i otwarcie pozostałych dwóch okien w tych pomieszczeniach, było niemożliwe ze względu na rozmieszczenie licznych przedmiotów na ich parapetach. Jednocześnie z uwagi na szerokość skrzydła uchylonego okna (50 cm) należy wykluczyć możliwość dostania się kogoś do środka, bez jego szerszego otwarcia. Położenie pomieszczeń prywatnych Andrzeja Leppera (trzecie z pięciu pięter, wąskie parapety zaokienne o długości tych otworów okiennych, brak jakichkolwiek gzymsów nad i pod oknami, brak okien wyposażonych w kraty w bezpośredniej bliskości), znaczną odległość między tymi oknami a stojącym przy elewacji budynku rusztowaniem (w tym fakt, iż między rusztowaniem a oknami pomieszczeń prywatnych Andrzeja Leppera znajdował się występ w murze) oraz fakt, iż robotnicy przeprowadzający remont dachu budynku byli na nim obecni cały czas w godzinach 8:39-11:55 (a więc w okresie gdy nastąpił zgon Andrzeja Leppera) wykluczają możliwość, dostania się przez osobę trzecią do tych pomieszczeń przez okno. Wątpliwości co do okoliczności śmierci Andrzeja Leppera nie może też budzić fakt, iż jeno z okien w jego pomieszczeniach prywatnych było uchylone. Jak bowiem ustalono, w pomieszczeniach tych nie było klimatyzacji, zaś początek sierpnia 2011r. był upalny. Jednocześnie, szereg przesłuchanych w toku postępowania świadków, wskazało, iż Andrzej Lepper miał zwyczaj otwierać okno w tych pomieszczeniach. Nie przeczy tym ustaleniom fakt nieotwierania okien w pozostałych pomieszczeniach biura Samoobrony. Jak bowiem ustalono, pomieszczenia te były wyposażone w klimatyzację a nadto ich okna wychodziły na ruchliwą, a tym samym głośną, ulicę jaka są . . Jednocześnie z uwagi na fakt, iż w godzinach 8:39-11:55 w biurze Samoobrony RP cały czas przebywała, oprócz Andrzeja Leppera, co najmniej jedna osoba, wykluczyć również należy możliwość, aby w tym czasie osoba trzecia dostała się do jego pomieszczeń prywatnych przez oddzielające je od reszty biura drzwi. Powyższemu stwierdzeniu nie przeczą również wyniki opinii mechanoskopijnej odnośnie wkładek zamków w drzwiach wejściowych oraz w drzwiach do pokoju prywatnego Andrzeja Leppera. Jak bowiem wskazał biegły, nie jest możliwym ustalenie ani czy do otwarcia tych wkładek za pomocą wytrychów rzeczywiście doszło, ani też określić kiedy działania te miały miejsce. Wskazać przy tym należy, iż w toku postępowania zgromadzono dowody wskazujące na to, iż powyższe uszkodzenia powstały w okresie wcześniejszym, czy to w związku z siłowym otwieraniem drzwi przez ślusarza czy też podczas kradzieży zegarka i spinek Andrzeja Leppera, o których zeznała M B

Niezależnie od omówionych powyżej ustaleń wskazujących bezspornie na to, iż śmierć Andrzeja Leppera była wynikiem zamachu samobójczego, w toku postępowania poczyniono również ustalenia pozwalające na określenie podłoża, motywów czy też przyczyn podjęcia przez Andrzeja Leppera decyzji o targnięciu się na własne życie.

Jednocześnie w toku postępowania zgromadzono dowody wskazujące na to, iż decyzja Andrzeja Leppera o targnięciu się na własne życie mogła być poprzedzona myślami, tendencjami samobójczymi. Świadczy o tym przede wszystkim fakt, iż do wykonania pętli wisielczej Andrzej Lepper użył tzw. sznurka do snopowiązałki oraz fakt, iż w koszu na śmieci obok jego biurka ujawniono kawałek analogicznego sznurka zakończony pętlą. Wskazać bowiem należy, iż w toku oględzin pomieszczeń Samoobrony w Warszawie nie ujawniono nigdzie szpuli ani fragmentów takiego sznurka. Jednocześnie zaś, z uwagi na zastosowanie przedmiotowego sznurka jest bardzo mało prawdopodobnym, aby Andrzej Lepper pozyskał go w Warszawie, a tym samym najprawdopodobniej przywiózł on go ze sobą z jednego z pobytów w Z' W toku postępowania ustalono co prawda, iż ślady cięć na końcówkach pętli wisielczej, fragmencie sznurka ujawnionego w koszu na śmieci oraz fragmentach sznurka zabezpieczonych w Z .nie odpowiadają sobie, jednakże z uwagi na fakt, iż w toku postępowania nie ustalono kiedy Andrzej Lepper pozyskał przedmiotowy sznurek, nie można wykluczyć, iż między ucięciem przez niego przedmiotowego kawałka, a przeprowadzeniem czynności zabezpieczenia końcówek sznurka w Z , odcinano sznurek z obu ujawnionych tam szpul lub że sznurek użyty do sporządzenia pętli wisielczej pochodził ze szpuli, która przed dniem przeprowadzania czynności w Z została w całości zużyta.

Podkreślić przy tym ponownie należy, iż Andrzej Lepper był osobą skrytą, nie dzielącą się nawet z najbliższymi swoimi problemami. Tym samym fakt, iż w ostatnich dniach przed śmiercią w rozmowach z rodziną, znajomymi i współpracownikami snuł on plany zarówno na najbliższe dni jak i na dalszą przyszłość, umawiał się na spotkania, w zestawieniu z faktem, iż obniżeniu nastroju Andrzeja Leppera nie towarzyszyło obniżenie aktywności, nie sprzeciwia się

67

przyjęciu, iż w dniu 5 sierpnia 2011r. Andrzej Lepper nie namawiany przez nikogo i bez niczyjej pomocy targnął się na własne życie. Jak bowiem wskazała biegła z zakresu psychologii, samobójcy mogą, nawet tuż przed śmiercią, funkcjonować w gronie osób bliskich w sposób, który nie wskazuje na jakiekolwiek myśli i tendencje samobójcze, jednocześnie zaś układ objawów taki jak u Andrzeja Leppera (obniżony nastrój, aktywność na dobrym poziomie) sprzyja podjęciu czynu samobójczego, zaś poranek, kiedy to Andrzej Lepper targnął się na własne życie, jest dla osób o obniżonym nastroju, smutku, przygnębieniu, przeżywaniu pesymizmu wobec własnych trudności, kryzysu życiowego, cierpienia, napięcia i niepokoju (a więc takich jak Andrzej Lepper w sierpniu 2011r.) najtrudniejszą porą dnia. Podkreślić przy tym należy, iż w toku postępowania nie ustalono kiedy dokładnie Andrzej Lepper podjął kategoryczną decyzję, iż w dniu 5 sierpnia 2011r. targnie się na własne życie, nie można przy tym wykluczyć, iż decyzję tę podjął tuż przed realizacją tego zamiaru, a więc już po (i mimo) poczynieniu planów, o których informował swoje otoczenie.

Wskazać przy tym należy, iż dla oceny prawno-karnej zdarzenia polegającego się na targnięciu się na własne życie koniecznym jest ustalenie czy decyzja o podjęciu takiego zamachu została podjęta przez samobójcę samodzielnie, czy też ktoś nakłonił go do tego lub udzielił mu w tym zamachu pomocy. Przestępstwo stypizowane w art. 151 kk stanowi bowiem zachowanie polegające na namowie lub udzieleniu pomocy innej osobie do samobójstwa, nie zaś samo samobójstwo. Czynem penalizowanym na mocy art. 151 kk jest więc owa namowa lub udzielenie pomocy, a nie targnięcie się na własne życie, polskie prawo nie przewiduje bowiem karalności samego zamachu samobójczego.

Tym samym, ustalenie konkretnych i precyzyjnych motywów decyzji o targnięciu się na własne życie wykracza poza ramy postępowania karnego. Jednocześnie, poza sytuacjami gdy samobójca pozostawił list pożegnalny, a więc i w niniejszej sprawie, kategoryczne ustalenie takiej jednostkowej przyczyny jest nie możliwe. Jak już jednak wskazano, w toku niniejszego postępowania ustalono, iż na przestrzeni ostatnich 4 lat życia Andrzeja Leppera nastąpiła kumulacja licznych niekorzystnych wydarzeń, zaś w opinii biegłego z zakresu psychologii suma tych strat, przede wszystkim zaś utrata wysokich stanowisk państwowych, utrata znaczenia i możliwości, trudności w spłacie znacznych długów, osamotnienie i opuszczenie w trudnościach przez członków partii, pewna dyskredytacja w następstwie licznych procesów i wyroków oraz pozbawienie nadziei na zmianę swojej sytuacji, stanowiły motyw decyzji samobójczej Andrzeja Leppera. Wskazać przy tym należy, iż każda z tych strat osobno stanowi wiarygodny psychologicznie motyw samobójstwa.

Wskazać jednocześnie należy, iż zgodnie z przyjętym w doktrynie poglądem, penalizowana w art. 151 kk „namowa" do samobójstwa to każda czynność wywołującą w psychice innej osoby nieistniejącą wcześniej wolę zamachu na własne życie jak i każda czynność utwierdzającą w zamiarze dokonania takiego zamachu osobę, w psychice której istnieje już wola jego dokonania. Kryminalizowane w art. 151 kk „udzielenie pomocy" do samobójstwa to zaś wszelkie czynności umożliwiające lub ułatwiające targniecie się na własne życie, w szczególności zaś dostarczenie narzędzi czy też udzielenie rad, informacji w jaki sposób zamachu takiego dokonać. Jednocześnie zaś użyty w art. 151 kk zwrot „doprowadza" wskazuje na to, iż do stwierdzenia zaistnienia stypizowanego w tym artykule czynu zabronionego koniecznym jest zaistnienie związku przyczynowo-skutkowego pomiędzy namową lub udzieleniem pomocy a zamachem samobójczym. [*B. Michalski; „Przestępstwa przeciwko życiu i zdrowiu" w Nowa Kodyfikacja Karna zeszyt 28*].

Mając powyższe na uwadze wskazać należy, iż przeprowadzone w niniejszej sprawie postępowanie dowodowe nie wykazało aby ktokolwiek udzielał Andrzejowi Lepperowi pomocy w targnięciu się na własne życie, bądź go to tego namawiał. W toku postępowania nie stwierdzono bowiem aby jakakolwiek osoba, z którą Andrzej Lepper utrzymywał jakikolwiek kontakty, pragnęła aby popełnił on samobójstwo, a w konsekwencji aby podejmowała jakiekolwiek działania zmierzające do wzbudzenia w nim takiego zamiaru lub utwierdzenia go w tych zamiarach, czy też udzielenia mu pomocy przy dokonaniu zamachu samobójczego. Podkreślić przy tym należy, iż nikt z otoczenia Andrzeja Leppera nie domyślał się, ani nie przeczuwał, iż może on rozważać targnięcie się na własne życie. W konsekwencji osoby te nie tylko nie podejmowały ale też nie mogły podejmować żadnych działań nakierowanych na utwierdzenie go w tym zamiarze czy też ułatwienie mu takiego zamachu. Mając powyższe na uwadze stwierdzić należy, iż postępowanie dowodowe przeprowadzone w niniejszej sprawie doprowadziło do ustalenia, iż śmierć Andrzeja Leppera była wynikiem podjętej przez niego - bez udziału osób trzecich - decyzji o targnięciu się na własne życie. Zamachu samobójczego dokonał on zaś sam, bez niczyjej pomocy.

69

Wobec powyższego nie doszło do popełnienia czynu polegającego na doprowadzeniu go pomocą lub namową do targnięcia się na własne życie, penalizowanego na mocy art. 151 kk. Tak więc, w zakresie czynu z pkt. I.1. komparycji niniejszego postanowienia - zgodnie z art. 17 § 1 pkt. 1 kpk, postępowanie należało umorzyć.

W odniesieniu zaś do czynu z pkt. I.2. komparycji niniejszego postanowienia, polegającego na kierowaniu wobec Andrzeja Leppera przez R S gróźb pozbawienia go życia, stwierdzić należy, iż zgodnie z art. 190 § 2 kk czyn ten jest ścigany na wniosek pokrzywdzonego. Mając zaś na uwadze fakt, iż M L wykonująca w tym postępowaniu, zgodnie z art. 52 § 1 kpk, prawa Andrzeja Leppera jako pokrzywdzonego, oświadczyła, iż nie składa wniosku o ściganie R S zgodnie z art. 17 § 1 pkt. 10 kpk postępowanie w tym zakresie należało umorzyć. Na marginesie zaś wskazać należy, iż w ocenie prokuratora zeznania B G które są jedynym źródłem informacji na temat owych gróźb, są niewiarygodne (co zostało szczegółowo omówione powyżej), a tym samym niezależnie od zaistnienia przeszkody formalnej do prowadzenia postępowania w przedmiotowym zakresie, zgromadzone w toku postępowania dowody nie wskazują na to, aby zachodziło uzasadnione podejrzenie popełnienia tego czynu zabronionego.

Mając powyższe na uwadze, postanowiono jak we wstępie.

PROKURATOR

Natalia Maszkiewicz

Pismo sygnowane podpisem Zbigniewa Stonogi powstałe w areszcie śledczym w Inowrocławiu, napisane przez niewiadomą osobę, natomiast podpisane przez Stonogę – i wysłane stamtąd przez Stonogę, jako pisma jego autorstwa. Te oraz inne przekazy pokazują, iż Zbigniew Stonoga należał do bardzo specyficznych przyjaciół Andrzeja Leppera, przyjaciół, o jakich Winston Churchil pisał: „Jeśli mam takich przyjaciół, to nie potrzebuję już wrogów". Podobnych przyjaciół Andrzej Lepper miał, niestety, wokół siebie wielu...

Przewodniczący Samoobrony pamiętał dobrze, że to przecież ten rzekomy „przyjaciel" kilka lat wcześniej pisał na niego donosy do prokuratury, oskarżając go o oszustwo na kwotę ponad miliona złotych i domagając się osadzenia w areszcie. Andrzej Lepper nie zapominał takich rzeczy. Wychodził z założenia, że „bank wierności i zaufania" jest trudnym wierzycielem, jeśli więc ktoś raz złożył depozyt gdzie indziej, konto z napisem „zaufanie" zamykał na zawsze.

art. 56 § 1 kpk

Zbigniew Stonoga – SO w Koszalinie II K 133/96

Areszt Śledczy – SR dla m. st. W-wy VIII K 305/01

ul. Nanitowicza 46 – SR w Opolu VII K 1233/01

88-100 Inowrocław

Inowrocław 31.08.04

Pan Prezydent Rzeczpospolitej Polskiej

PROKURATURA KRAJOWA
Biuro Postępowania Sądowego
otrzymano dn. 14 IX 04 zał.
L. dz.

KANCELARIA PREZYDENTA RZECZYPOSPOLITEJ POLSKIEJ
Biuro Prawa i Ustroju
Wpłynęło, dnia
L. dz.

KANCELARIA PREZYDENTA RP
Kancelaria Główna
WPŁYNĘŁO
Dnia 2004 -09- 7
Ilość zał.

Wielce Szanowny Panie Prezydencie

Pismem niniejszym zwracam się do Pana z gorącą prośbą w sprawie, która obdarła mnie ze wszystkiego, co materialne i moralne oraz z tego czego dorobiłem się w moim życiu. Pozostały mi jeszcze dwie najważniejsze i najwyższe wartości, którymi są życie i rodzina. Przebywam w areszcie gdzie odbywam karę pozbawienia wolności w wymiarze siedmiu lat i jedynastu miesięcy za nie zwrócenie dwóch kredytów bankowych. Oprócz tego toczy się przeciwko mnie kilka postępowań karnych, wszystkie z powodu nie wywiązania się przeze mnie z moich należności na rzecz różnych instytucji.

Powodem tej mojej „przestępczości" było oszukanie i wyłudzenie ode mnie towarów handlowych w postaci sprzętu rtv i agd mającego być przeznaczonym na „bonusy" dla szkół w ramach programu partnerskiego Wydawnictw Szkolnych i Pedagogicznych S.A. w Warszawie, których dopuścili się Prezes i Prokurent tych wydawnictw. Po podpisaniu kontraktu na dostawę tych towarów opiewającego na kwotę 2.346.000 zł dostarczyłem towar do magazynów WSiP-u. Żądano wówczas ode mnie zapłaty nieformalnej prowizji w wysokości 300.000 zł następnego dnia po tym żądaniu wysuniętym przez Pana Jacka Ładnego – Prokurenta wydawnictw, Minister Kaczmarek odwołał z funkcji Prezesa i Prokurenta panów

Murawskiego i Ładnego ze stanowisk. Do dziś nie otrzymałem zapłaty w całości. Otrzymałem jedynie przelewem bankowym kwotę 300.000 zł, którą miałem wypłacić jako łapówkę, czego nie uczyniłem.

Drugą kwestią, która doprowadziła do skazania mnie za przestępstwa, które nie nastąpiłyby jest oszukanie mnie przez Andrzeja Leppera na kwotę nie mniejszą niż 1.170.000 zł. Jestem asystentem Posłów na Sejm Rzeczpospolitej Polski, Wandy Łyżwińskiej, Kazimierza Wójcika, Danuty Hojarskiej oraz Senatora Sławomira Izdebskiego. Oprócz tego w latach 2001-2003 jednym z najbliższych współpracowników Andrzeja Leppera.
Do Samoobrony trafiłem za pośrednictwem Posła Krzysztofa Rutkowskiego w grudniu 2001 roku, przeprowadzałem wówczas z detektywem Rutkowskim szeroką działalność prowokacyjną wynikającą z mojej prawdziwej i agromnej wiedzy na temat okoliczności związanych z nadużyciami w PZU Życie S.A, na rzecz umożliwienia A. Lepperowi dyskredytacji niektórych polityków. (Dowód: nagrania rozmów z Krzysztofem Rutkowskim) Po osobistym poznaniu Andrzeja Leppera, Stanisława Łyżwińskiego, Janusza Maksymiuka oraz Kazimierza Zdunowskiego, po bardzo krótkim okresie stały stałem się najbliższym współpracownikiem A. Leppera. W Sejmie uchodziłem za „szarą eminencję" Samoobrony, mimo, że nie byłem posłem brałem udział w posiedzeniach Klubu Parlamentarnego, a umocował mnie do pełnej swobody Andrzej Lepper. W czasie tej współpracy, w okresie od 2001-2003 Andrzej Lepper wyłudził

ode mnie kwotę nie mniejszą niż 1.170.000 zł (jeden milion sto siedemdziesiąt tysięcy złotych) wyrażającą się w wykonanych na rzecz Partii 40.000 sztuk Legitymacji partyjnych, kilkuset tysięcy plakatów, usług w zakresie transportu posłów tej partii oraz gotówki.

Świadkami tych okoliczności są podwykonawcy p. Radosław Zięba „Weta" Sp. z o.o W-wa p. Tomasz Adamczyk W-wa, p. Wiesław Abramczyk W-wa, Stanisław Kęszycki W-wa, p. Stanisław Łyżwiński, p. W Łyżwińska, p. Danuta Hojarska, p. R. Beger, p. A. Grzesik czyli posłowie tej partii, którzy widzieli i wiedzieli o przekazywanych A. Lepperowi (pieniądzy i wykonywanych na jego zlecenie usługach, część z nich sama padła ofiarą przestępczej działalności bezwzględnego oszusta A. Leppera. Pomimo wielokrotnego monitowania o zapłatę odmówił on jej dokonania oświadczając początkowo, że zapłaci mi za towary i usługi i zwróci pieniądze pożyczone ode mnie po wpływie na konto Samoobrony środków pochodzących od Państwa za kampanię wyborczą. Kiedy wskazane pieniądze otrzymał nie rozliczył się ze zobowiązań względem mnie i w styczniu 2003r., po tym jak na jego zlecenie zaatakowałem Adama Michnika w związku z aferą „Rywina" usunął mnie z Klubu i Sejmu. Od tamtego też czasu mimo, że jestem w bardzo dobrych kontaktach z większością posłów Samoobrony kontakt z A. Lepperem i odzyskanie mojej należności jest niemożliwe.

O powyższej sprawie skierowałem do Prokuratora Generalnego wniosek o wszczęcie postępowania karnego, zaś w sprawie WSI-u mimo iż wniosek taki złożyłem w roku 2002 nikt do dziś nie podjął żadnych czynności procesowych. Posiadam kopię tego wniosku z potwierdzeniem jego przyjęcia do Biura podawczego Ministerstwa Sprawiedliwości.

Bardzo proszę Panie Prezydencie o sprawdzenie wskazanych zarzutów poprzez monitorowanie postępowań w/w sprawach i ułaskawienie mnie, bo znajduję się w więzieniu mimo, że nie dopuściłem się niczego złego i świadomego. Od 1992 r. stale pomagam Państwowemu Domu Dziecka w Turawie (opolskie), pomagałem w budowie Społecznego Domu Starców w Ozimku, mieście gdzie się urodziłem, a w ubiegłym roku po udanej operacji zakupiłem dla szpitala w Ozimku specjalistyczny sprzęt oraz karetkę pogotowia, ponadto przekazałem dużą sumę na rzecz szpitala.
Nawet mój wielki skarb niewiedzy osób trzecich o moich upodobaniach filantropijnych muszę teraz przywołać, aby ratować swoją rodzinę, życie i egzystencję. Panu, pozostawiam mój dalszy los.

Proszę Przyjąć Wyrazy Najwyższego
Szacunku.

[illegible]